À mon fils Luc
et ma compagne Erme,
qui illuminent mes vieux jours.

Éditions Favre SA
Siège social : 29, rue de Bourg – CH-1002 Lausanne – Tél.: 021/312 17 17 – Fax: 021/320 50 59 – lausanne@editionsfavre.com
Bureau de Paris : 12, rue Duguay-Trouin – F-75006 Paris – Tél.: 01 42 22 01 90 – paris@editionsfavre.com

Jules Verne

Éric Weissenberg

un univers fabuleux

8 février 1828 – 14 mars 1905

FAVRE

Préface de Bertrand Piccard

Il existe peu d'auteurs qui soient à la fois aussi universellement connus et méconnus que Jules Verne. Même l'orthographe de son nom suscite des erreurs : n'ai-je pas eu l'occasion de voir une dédicace de Guy de Maupassant « à Monsieur Jules Vernes », avec le « s » supplémentaire élégamment tracé à la plume !

Le monde entier en a fait un héros de l'exploration et de l'aventure, a lu ses quelques titres fétiches, mais personne ne peut citer plus que quelques œuvres parmi plus de cent romans et pièces de théâtre. Eh oui, même des pièces de théâtre et des opéras comiques ! Bien sûr qu'il a envoyé une fusée sur la Lune en localisant son site de décollage selon les mêmes critères que Cap Kennedy, qu'il a fait plonger ses personnages en sous-marin et en scaphandre et leur a fait effectuer des « voyages extraordinaires », mais il a lui-même navigué bien au-delà de ces régions inconnues. Il a exploré l'esprit humain, la créativité et la noblesse de caractère. Bien avant d'être un sous-marinier, le Capitaine Nemo est un pacifiste s'acharnant à couler les navires qui transportaient des armes de guerre. Jules Verne est un auteur à l'imagination débordante, qui devait sûrement penser plus vite qu'il n'arrivait à écrire et à publier, au point qu'on fantasme encore à l'idée de trouver des manuscrits inédits. Mais au-delà de tous les clichés, c'est un romancier, un vrai, et parfois même un romantique, avec des héros aux émotions si fortes que leurs larmes leur sauvent parfois la vie (Michel Strogoff).

Jules Verne fut longtemps vénéré en maître absolu de la science-fiction, mais les générations actuelles ne le voient plus sous cet angle-là. Ceux qui ont été témoins de la conquête de l'espace et des abysses, l'ont promu avant-gardiste, visionnaire, vulgarisateur scientifique. Le seul de ses scénarii à n'avoir pas été réalisé, et encore, est le *Voyage au Centre de la Terre*. Aussi loin que je puisse remonter dans mes souvenirs d'enfant, Jules Verne était présent, mais il incarnait une réalité. Lorsque mon père m'emmena voir le film *Vingt Mille lieues sous les mers*, j'étais assis à côté du Capitaine Nemo, le vrai, le mien ! Et des années plus tard, le public vit dans mon tour du monde en ballon un héritage direct du fameux auteur du «Tour du Monde en 80 Jours», même si Phileas Phogg ne voyage en ballon que dans le film mais en aucun cas dans l'ouvrage original. La réalité aurait-elle cette fois dépassé la fiction ?

À l'heure actuelle, Jules Verne a passé dans le langage courant, ce qui est le plus grand honneur que le monde puisse lui rendre. On parle d'un « rêve à la Jules Verne » comme d'une expression générique pour désigner l'élan explorateur et la force généreuse qui se doit de continuer à animer l'être humain. Jules Verne est devenu une façon de penser et d'agir, une manière d'être.

Il ne reste dans toutes ses œuvres qu'une seule idée qui est restée de la pure science-fiction: le pacifisme du Capitaine Nemo. À moins qu'il ne s'agisse d'utopie...

BERTRAND PICCARD

LE TOUR
DU MONDE
EN 80 JOURS
(Around the world in 80 days)
de Michael Todd

Jules Verne vers 1856,
Cliché original ayant
appartenu à l'écrivain.

Introduction

Cent ans, environ, se sont écoulés depuis la disparition de Jules Verne, cet écrivain génial, ce magicien, pour les uns prophète de la science, pour les autres pères de la science-fiction, pour tous un personnage « hors du commun » ! Mais, qu'est-ce que le « commun » ? Comment le définir par rapport au « génie », ou celui-ci par rapport à la norme, « au normal » ?

Qu'est-ce qui fait qu'un Jules Verne apparaisse aujourd'hui comme un « génie » alors que d'autres, eux aussi capables de réflexion originale et peut-être même de manier la plume avec élégance, ne seraient que des auteurs « ordinaires », des personnages du « commun » ? Le « génie » est-il nécessairement doté de « dons », de talents supplémentaires par rapport au « normal », de particularités rares ? Ou, au contraire, ne serait-il qu'un individu égal à tant d'autres, dont le sort ne se distinguerait que par certaines circonstances favorables, la chance, un hasard heureux, des rencontres, une opiniâtreté, un opportunisme, liées à l'ambition ou plus simplement encore, par quelque

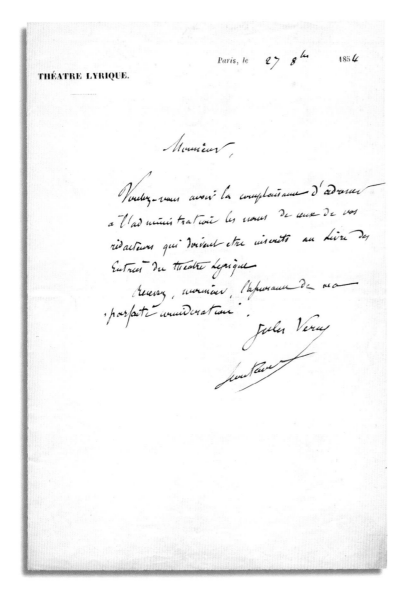

THÉÂTRE LYRIQUE.

Paris, le 27 8ʰ 1854

▲ Lettre autographe inédite de Jules Verne, du 27 octobre 1854. En-tête du *Théâtre Lyrique* dont Verne était secrétaire.

Jules Verne au début de 1855. Le cliché original par P. J. Delbarre qui sera interprété pour le portrait d'Aronnax par l'illustrateur de *Vingt Mille lieues sous les mers* (Hetzel,1871). ▶

subtil dosage de caractéristiques présentes chez tout un chacun à des degrés divers, qui chez lui fait toute la différence, constituant sa personnalité originale propre, à peine différente de celles de ses congénères, celle qui finit par le propulser au devant de la scène humaine ?

Un siècle déjà s'est écoulé depuis que le célèbre écrivain, âgé de soixante-dix-sept ans, parvint le 25 mars 1905 au bout de son chemin, pour lui *le bout du monde*, l'année même où parut le premier de ses romans posthumes, l'un des derniers à avoir été remis à son éditeur avant sa mort, *Le Phare du bout du monde*. Verne avait eu la chance rare de connaître la gloire de son vivant et caractéristique rare, sinon unique, cette gloire qui souvent se perd dans le « purgatoire » qui en littérature suit la mort des auteurs, fut conservée, dans le cas de notre romancier, transmise par des générations successives d'adolescents grâce à l'enthousiasme suscité par ses œuvres les plus célèbres. Cet enchantement de jeunesse ne s'oublie pas et les adolescents, devenus adultes, contribuaient à conserver et à perpétuer la notoriété et la popularité de l'auteur disparu. Ce n'est certainement pas le sort commun en littérature mais, dans le cas très particulier de Jules Verne, on peut le considérer comme la juste récompense de ses grandes qualités littéraires, qui tardèrent à être reconnues, dont le sens poétique, le goût du fantastique, l'art de la mise en scène théâtrale – qu'il sut adapter au roman avec bonheur –, qualités jointes à l'étonnante capacité de travail d'un homme doté d'une imagination vive et fertile, qui, plus que tout, aimait à rêver et à transcrire ses rêves.

Au lecteur de juger, au-delà des idées préconçues, des mythes propagés sans fondement, si cette œuvre est, comme certains l'ont prétendu, une œuvre « pour l'enfance et l'adolescence ». Cette légende, qui a fait du

tort à Verne, a été en grande partie rejetée aujourd'hui, bien qu'il en subsiste encore quelques résidus. Verne n'écrivait pas spécifiquement pour la jeunesse, et même son éditeur, Hetzel, qui pourtant visait ce créneau, considérait les *Voyages extraordinaires* comme pouvant être mis dans toutes les mains, destinés aux familles, au sens large, incluant les adolescents.

Par ailleurs, le lecteur critique pourra constater que les romans de Jules Verne, s'ils sont dépassés sur le plan technologique, n'ont nullement souffert sur le plan littéraire et, sous cet aspect essentiel, n'ont pas vieilli, ce qui est la marque indiscutable des grandes œuvres littéraires, de celles que l'on qualifie « d'immortelles ».

Outre ses aspects littéraires, cette œuvre riche, foisonnante, polymorphe, se répandant à travers l'espace, partout où il y a des lecteurs comme à travers le temps, donna naissance comme aucune autre à une iconographie nombreuse et variée, liée tant à la diffusion des romans qu'à leurs transpositions au théâtre,

La famille Verne à Provins en 1861. Cliché original inédit ayant appartenu à Jules Verne. ❶ Jules Verne ; ❷ Honorine Verne, son épouse ; ❸ et ❹ Alphonsine et Amélie Verne (tantes paternelles) ; ❺ Anne Ducrest de Villeneuve, l'aînée des trois sœurs ; ❻ Marie, la plus jeune des sœurs dite « le chou » ; ❼ Sophie Verne (née Allotte de la Fuÿe), la mère ; ❽ Pierre Verne, le père ; ❾ Antoinette Garcet, mère d'Henri Garcet et tante paternelle de Jules Verne ; ❿ Alphonse Garcet, fils d'Henri ; ⓫ Ange Ducrest de Villeneuve, époux d'Anne Verne ; ⓬ Henri Garcet, cousin germain de Jules ; ⓭ Antoinette Garcet (née Lelarge), épouse d'Henri ; ⓮ et ⓯ Suzanne et Valentine Morel, belles-filles de Jules Verne (filles d'Honorine) ; ⓰ Masthie Prévost, grand-mère paternelle de Jules, décédera la même année à l'âge de 93 ans.

leurs adaptations au cinéma et dans tous les médias. Il en résulte une abondance remarquable d'objets de toutes sortes, particulièrement de nature publicitaire, illustrant la vitalité de cette œuvre qui se manifeste jusque dans la récupération des titres ou des thèmes développés par Verne, et apparaît souvent sous forme de retombées inattendues, surprenantes et ludiques, dans des domaines parfois fort éloignés de cette œuvre littéraire. L'ensemble de ces « produits dérivés » fait lui aussi partie d'un monde vaste et encore méconnu : *Le monde fabuleux de Jules Verne.*

Chacun, on l'aura compris, a son génie propre et soouvent ce n'est qu'en fonction des circonstances, ou d'un état d'esprit particulier, qu'il parvient à se manifester, à faire connaître son originalité dans certains cercles, plus ou moins larges, et à connaître ou non la gloire.

L'événement que Verne attendit et tenta de susciter, tout au long de sa jeunesse, finit par se produire, mais bien tardivement. Il avait déjà trente-quatre ans lorsqu'il rencontra, en 1862, celui qui ouvrit brusquement la porte à l'expression de son génie, l'éditeur Pierre-Jules Hetzel. Ce fut un peu comme si on avait libéré un oiseau de sa cage. N'ayant jamais connu la liberté, le vaste monde, l'oiseau la découvre avec crainte et préfère s'abriter, se fixer même, auprès de son sauveur, celui qui avait ouvert la porte de sa prison. Ainsi contribue-t-il à recréer, sans s'en douter, une autre cage, certes plus spacieuse et confortable, dans laquelle il se blottit, s'y sentant en sécurité et respirant avec délice l'air de la liberté (d'écrire), liberté toute relative mais qui suffit à satisfaire celui qui n'y avait pas encore goûté ! Dans cette prison dorée, il n'est plus seul : il la partage désormais avec ce nouveau compagnon expérimenté, son libérateur, maître des lieux et maintenant son protecteur et mentor, qui, dès le départ de cette nouvelle association, en prend le contrôle, est le décideur, et devient à la fois son guide et son gardien.

Vue de Genève pour *Maître Zacharius ou l'horloger qui avait perdu son âme – Tradition genevoise*, par Jules Verne, *le Musée des Familles*, avril et mai 1854.

Les Genevois rapportant leurs montres à Zacharius.

Un drame dans les airs (Nouvelle parue dans le recueil *Le Docteur Ox*),
illustré par Emile Bayard. Son ballon s'accrocha à un arbre et sa lampe à
esprit-de-vin y mit le feu. Zambeccari tomba et se tua !

« Sur l'Océan antarctique. L'apparition ». *Edgar Poë et ses Œuvres* par
Jules Verne, *Musée des Familles*, avril 1864.

Il est admis universellement que ce fut cette circonstance qui suscita l'œuvre romanesque considérable à laquelle, dès ce moment, Jules Verne s'attela et mena avec constance et opiniâtreté jusqu'à sa mort. La vérité est sans doute plus complexe et plurifactorielle. Hetzel, à l'époque un éditeur confirmé, fit lui aussi cette rencontre à un moment éminemment favorable en vue de ses projets. Il n'est pas exagéré de dire qu'à cet instant précis, chacun des interlocuteurs fut pour l'autre l'homme providentiel. Ni l'un, ni l'autre ne purent l'oublier, ce qui contribua à tisser entre eux des liens de complicité particuliers, nés de cette communauté de destin. Cela n'empêcha pas chacune de ces personnalités, fortes mais très différentes, d'agir par la suite envers son compère de manière conforme à sa nature : l'éditeur traita Verne , à l'aune de ses intérêts tels qu'il les percevait, à tort ou à raison, et parfois à courte vue, alors que l'écrivain vouait à Hetzel une reconnaissance presque désintéressée, se préoccupant peu de la rémunération obtenue par le travail acharné qu'il fournissait inlassablement, cherchant avant tout à le satisfaire, et parfois au prix de grands sacrifices sur le plan des idées, dès lors qu'elles déplaisaient à l'éditeur, bien souvent pour des raisons bassement commerciales. Mais, d'autres fois, il se révoltait, luttait avec véhémence, refusant d'abandonner les idées auxquelles il tenait, et finissait alors, souvent, par avoir gain de cause. Cette situation quelque peu cocasse vue de l'extérieur, incita Verne à ruser, à dissimuler, à camoufler dans le texte, dans le titre, s'amusant comme un gosse à faire passer des idées, des messages, au nez et à la barbe du « patron », ce qui aujourd'hui stimule grandement les recherches des « verniens ».

Ainsi, jamais Verne ne quitta Hetzel, restant fidèle au-delà de la mort de l'éditeur, survenue en 1886, puisqu'il continua à collaborer jusqu'à sa fin avec la Maison

Le Géant de Nadar, 1863
(60 000 m³).
Gravure d'époque.

Locomotive aérienne à vapeur, vers 1865 (exemple de projet utopique discuté par Nadar et ses amis, dont Jules Verne).

Hetzel, dirigée maintenant par Louis-Jules, le fils de l'éditeur. Les contrats successifs qui lièrent les Hetzel à Jules Verne ne furent pas favorables à ce dernier et, sur certains points, ils étaient presque scandaleux. Mais il n'en avait pas conscience, ou n'en avait cure, se préoccupant le moins possible des questions d'argent, faisant confiance à son sauveur et ami pour le rétribuer comme il se devait, ne souhaitant aucun marchandage avec lui et n'ayant nulle envie de consulter des hommes d'affaires ou de proposer ses services à d'autres éditeurs.

Sous l'aile bienveillante – mais très intéressée – de celui qui lui avait ouvert la voie du succès, ce drôle d'oiseau qu'était Jules Verne se laissa plumer avec bonhomie, dans la béatitude de pouvoir enfin écrire du matin au soir, sans se soucier du lendemain, par la grâce de son protecteur. Écrire sous contrat lui permettait de vivre de sa plume, d'en faire vivre les siens, plutôt modestement, et surtout d'être dispensé des luttes et des angoisses quotidiennes qui sont le lot de l'auteur à la recherche d'un éditeur, situation qu'il avait vécue durant quinze années de vaches maigres, et qu'il ne voulait plus revivre. La cage dorée était la seule liberté qu'il convoitait. Maintenant qu'il l'avait enfin obtenue, il n'avait aucune raison d'en chercher une autre. On peut toujours spéculer sur d'autres possibilités, sur ce qui aurait pu se passer si Verne avait rencontré un autre éditeur et aurait par la suite conclu des contrats avec des concurrents d'Hetzel. Quel aurait été alors le nouvel horizon de l'écrivain, l'aspect différent de son œuvre ? De quelle autre manière aurait-il concrétisé les grandes qualités artistiques qui bouillonnaient en lui si les circonstances et les influences avaient été différentes ? On peut être certain qu'en présence d'un éditeur moins obnubilé par le risque commercial, et à l'esprit plus ouvert que celui d'Hetzel, Jules Verne aurait pu mieux encore exprimer son talent, se réaliser sans les entraves constituées par les exigences de l'éditeur, ce qu'il n'a pu faire qu'en partie, trop fréquemment bridé par une certaine conception des intérêts de la Maison d'édition, bien loin des considérations purement littéraires.

Le Colin-Maillard, Michel Lévy édit., 1853,
L'Auberge des Ardennes, Michel Lévy édit., 860
(pièces de théâtre de jeunesse de Jules Verne).

Les *Voyages extraordinaires* dévoilent une authentique vision poétique, l'attraction du merveilleux, le rêve devant les splendeurs naturelles autant que celles dues à l'évolution technologique. Il aura fallu attendre un siècle pour réaliser que c'est cette capacité de s'extasier devant le merveilleux et de communiquer cette extase au lecteur, qui permet à l'œuvre de Jules Verne de durer, de persister au-delà de l'irrésistible avancée des sciences techniques, qui suivent une courbe asymptotique, et s'inscrivent dans un paysage évolutif où alternent l'enthousiasme, et l'horreur (ce qui, à certains esprits, était déjà perceptible à la fin du XIXe siècle). Ainsi, Verne, au contraire de ce qu'une lecture superficielle de son œuvre pourrait laisser croire, a montré un pessimisme latent à l'égard de l'évolution de la Société sous l'emprise des puissances de l'argent et de la soif du Pouvoir. Cette vision, on s'en doute, n'était pas de

CH. HERBERT · AMIENS BEAUVAIS

potentiel, on peut dire que, de le voir comme l'un des pères de la science-fiction et du genre « fantastique », est une assez juste définition, mais insuffisante en elle-même.

Il est nécessaire aussi de valoriser le rôle de la vision poétique dans son œuvre, fort importante, de découvrir le rôle du théâtre dans la genèse et les mécanismes de cette œuvre romancée si peu ordinaire[1] et, enfin d'identifier sans ambages le rôle réel que l'éditeur Hetzel a joué dans l'œuvre de Verne.

Un fait subsiste, inébranlable : c'est bien de cette rencontre que naquit, en cette même année 1862, avec *Cinq Semaines en ballon*, l'impressionnante succession des soixante *Voyages extraordinaires* écrits par Jules Verne, tenant en plus de cent volumes. S'ajoutent à ce nombre deux recueils de nouvelles, en précisant que six romans posthumes furent plus ou moins modifiés – le plus souvent de manière malheureuse – par Michel Verne, le fils de l'écrivain. À cet ensemble, on pourrait encore joindre *L'Épave du Cynthia* paru chez Hetzel en 1885 sous les noms de Jules Verne et André Laurie, le manuscrit étant de Laurie, revu et corrigé par Verne. Mais il serait erroné, et même contre nature, d'y adjoindre les deux faux posthumes que sont *L'Agence Thompson*, paru chez Hetzel en 1907, et *L'Étonnante aventure de la mission Barsac*, paru chez Hachette – repreneur de Hetzel – en 1919 ; ces deux romans, publiés sous le nom du père, étaient entièrement de la main du fils.

Tout ne fut donc pas rose dans ce « mariage » littéraire, qui fut essentiellement un mariage de raison. La raison du plus fort – celui qui détient les cordons de la bourse – ne fut pas toujours la meilleure, tant s'en faut, et plus d'un roman, aujourd'hui oublié du public, eussent mérité, dans leur version initiale, de connaître un sort meilleur que celui auquel les exigences d'un

celles que l'éditeur Hetzel rêvait de voir développer, pas plus sous le volet *Éducation* que sous celui de la *Récréation* de sa ligne éditoriale.

On conçoit dès lors qu'une telle position est incompatible avec le rôle de «prophète de la science» qu'on a voulu faussement faire endosser à Jules Verne. Pour mieux situer cet écrivain hors norme par rapport au monde dont il a si bien pris la mesure et décrit le

éditeur talonné par ses craintes d'ordre commercial l'avaient condamné. Ils demeureraient aujourd'hui parmi les œuvres les plus connues de Verne, et toujours demandées, sans les effets désastreux produits par la lourde et persistante censure éditoriale guidée par la courte vue d'une politique de boutiquier, préoccupé avant tout par ses intérêts immédiats. La parution récente de la correspondance, échangée entre l'auteur et l'éditeur, montre de façon édifiante que l'influence d'Hetzel fut le plus souvent un carcan d'un autoritarisme obstiné, empêchant le développement de bon nombre d'idées originales de Verne, l'expression d'un esprit non conformiste, et surtout du fantastique, dont l'écrivain était un Maître, et ce par crainte constante de déplaire aux « familles », aux milieux bien-pensants, influant sur les jugements de la société française. L'opinion de ces milieux, aux yeux de l'éditeur, était décisive ; celle du grand public, nécessairement en dépendait et suivrait.

Mais, pour comprendre l'éditeur, il faut savoir que sa rencontre avec Verne suivait de peu son retour d'un long séjour d'exil, vécu à Bruxelles de 1851 à 1860, auquel il avait été condamné pour motifs politiques à la prise de pouvoir de Napoléon III. Là, il avait eu mille peines à maintenir une partie de ses affaires à distance, ce qu'il avait néanmoins réussi grâce à la bienveillance solidaire de nombre de ses confrères libraires-éditeurs parisiens. Il était donc lui aussi à un tournant de sa carrière, et venait d'adopter une nouvelle ligne éditoriale, bien définie par le mot d'ordre *Éducation et Récréation* qui devint le slogan publicitaire de sa maison d'édition et le titre de sa revue bimensuelle, apparue en mars 1864, le *Magasin d'Éducation et de Récréation*.

Dès lors, on comprend mieux ses craintes : en exploitant le filon déjà constitué par l'enfance et l'adolescence – la « Jeunesse » –, commercialement plein d'avenir après un demi-siècle de développement de l'instruction, qui ne cessait de gagner du terrain en attendant que l'école publique soit rendue obligatoire et gratuite par Jules Ferry vingt ans plus tard, sous la IIIᵉ République, Hetzel avait conscience de s'exposer à la critique et à la surveillance constante des responsables de l'enseignement de l'époque, c'est-à-dire les milieux cléricaux et les familles bourgeoises sous leur influence. Là se situait sa clientèle, le lectorat de ses auteurs. Or, l'idée d'éducation implique, cela va de soi,

Le *Léviathan*, rebaptisé *Great-Eastern* (1857), Jules Verne fut passager de ce premier transatlantique géant en 1867, de Liverpool à New York.

l'accès à la science, aux connaissances aussi bien qu'à l'état d'esprit que requiert leur acquisition : la logique, l'esprit critique et analytique, imposant une constante remise en cause des idées préconçues et même des connaissances acquises. Ainsi, les tenants du conser-

vatisme et des traditions toléraient mal le développement dans la jeunesse d'une tournure d'esprit plus critique envers la Société, ses structures politiques et administratives, la politique, les besoins du pays, les décisions prises ou à prendre, les critères déterminant les choix, etc. On sait aussi le vieux conflit entre la science et la religion, maîtresse de l'ordre établi, et de sa propre stabilité par la foi, la morale et la tradition. Le heurt possible des forces conservatrices avec l'enseignement des sciences au moyen de méthodes récréatives, qu'Hetzel proposait sous la forme ludique du récit enfantin et du roman d'aventures pour adolescents, était son obsession, devenant cauchemar à mesure que, sa Maison toujours mieux assise, il avait davantage à y perdre. De là, une pression toujours plus forte sur Jules Verne qui, dans ce projet éditorial, jouait un rôle majeur, celui du vecteur le plus important. Aux yeux d'Hetzel, et à la lumière de ses craintes, les « excès » de l'imagination de Verne, le poussant à sortir du cadre qui lui était assigné – celui de l'intrigue comme support des notions à présenter –, risquaient de coûter cher à la maison d'édition sur le plan commercial. C'est pourquoi Verne fut cajolé et encouragé, mais aussi brimé et implacablement censuré, coupé de bon nombre de ses idées les plus originales qui, pour Hetzel, indisposeraient sa clientèle, dont son chiffre d'affaires dépendait. Quelle situation contradictoire – et même cocasse – dans laquelle se trouvait cet éditeur qui prétendait promouvoir la science tout en adressant ses produits à une clientèle qui se défiait de ses inci-

dences sociales, de son influence sur sa jeunesse, mais était prête malgré tout à en user en vue de son confort, et à investir dans ses retombées technologiques dans le cadre des affaires !

En même temps qu'Hetzel s'efforce de faire passer son (encore) jeune auteur pour un scientifique plein de talent littéraire, il craint et refuse les explications techniques que Verne réalise sous forme de dessins et de cartes très soignés, et souhaitant les adjoindre à certaines de ses œuvres pour renforcer leur vraisemblance scientifique et soutenir leur crédibilité. À la logique scientifique, l'éditeur, tiraillé par des craintes contradictoires, préfère souvent le flou et l'invraisemblance du fantastique que, par principe, il n'aime pas puisqu'il est l'antithèse de la connaissance scientifique.

Ainsi, dans *A travers le Monde solaire,* paru en 1877, voyage que les cosmonautes réalisent malgré eux, emportés sur un fragment de l'écorce terrestre arraché à la planète par le choc d'une comète, Hetzel combat furieusement plusieurs des idées de Verne, mais n'est gêné ni par ce mode de locomotion spatiale, qui n'a rien de technologique (contrairement à celui des romans bien connus *De la Terre à la Lune et Autour de la Lune*), ni par l'invraisemblance scientifique des effets de la collision (la comète emporte un fragment de la Méditerranée, avec rivages nord et sud, mer et atmosphère !...). Ce ne sont pas ces invraisemblances qui dérangent ce promoteur de l'acquisition des connaissances scientifiques et techniques par la littérature récréative ! Car un tel accident planétaire, toujours étudié par la science et discuté dans les médias, est naturel, autorisé par la providence, et n'exige aucune explication scientifique autre que la conformité des

Globe terrestre promotionnel offert par le libraire parisien Girard & Boitte vers 1886 aux acheteurs des œuvres de Jules Verne qu'il vendait.

Le *Saint-Michel II,* au mouillage au Tréport. Cliché original inédit ayant appartenu à Jules Verne. Yacht de 13 mètres, construit au Havre en 1876 et revendu en 1878. ▶

▲ Jules Verne et son épouse dans la cour de la maison, louée en 1882 au 2, rue Charles-Dubois à Amiens.

Amiens. ▶

événements du point de vue astronomique. Et pourtant, même ici, Hetzel refuse les cartes astronomiques préparées par Verne pour conforter la crédibilité de ce voyage spatial ! Puisque ce *Voyage* est impossible, c'est qu'il relève du fantastique et n'a pas à être soutenu quant à sa vraisemblance, pour l'éditeur ! En revanche, lorsque la comète, au retour, plonge dans l'océan et... provoque l'écroulement des Bourses, lorsqu'il s'avère qu'elle est constituée d'or pur, Hetzel s'enflamme, épouvanté par ces effets dramatiques pour l'économie mondiale. Concevant les inquiétudes auxquelles Verne

condamne sa clientèle bourgeoise aisée, l'éditeur combat cette version avec la dernière énergie, l'interdit et oblige l'auteur à remplacer cette chute déstabilisante pour les nantis. De plus, inquiet de la réception d'une œuvre qui, en dépit de la chirurgie corrective éditoriale, va trop loin à son goût, Hetzel publie le roman sous le titre *Hector Servadac*, d'une lamentable banalité, et repousse au sous-titre le titre voulu par Verne. Résultat de ces amputations : le plus extraterrestre de tous les *Voyages extraordinaires*, contrairement aux deux romans lunaires, est aujourd'hui l'un des plus méconnus, oublié de tous sauf des spécialistes. Verne cependant se vengea de cette pesante tutelle en reprenant cette conclusion dans un autre roman, *La Chasse au météore*, écrit après la mort de son censeur, mais qui parut, modifié, parmi ses œuvres posthumes, en 1908.

Bien entendu, ce n'est pas seulement ainsi qu'a fonctionné le curieux couple formé par l'écrivain et son éditeur. Ce serait là une vision réductrice, fausse et imméritée. Mais ces quelques anecdotes et considérations tendent à montrer que la complexité des hommes et des événements est sans commune mesure avec les idées simples ou fausses, qui ont la vie dure et qui ont prévalu généralement jusqu'à ce qu'un groupe de passionnés, constituant la Société Jules Verne, forme le noyau d'où, d'études en études, apparaît et se propage le réel, en dénonçant les mythes et en éventant les secrets qui, de-ci de-là, estompent encore le portrait de l'homme et certains aspects de son œuvre.

« Tout ce qu'un homme est capable d'imaginer, d'autres hommes seront capables de le réaliser[2] ! »

Cette belle et noble envolée, digne du grand écrivain, chacun peut la remarquer, parfois avec de légères variantes, inscrite au fronton de bien des institutions

Cabinet de travail et chambrette occupée par Jules Verne dans la maison de la rue Charles-Dubois. Cliché Desmarets vers 1900.

se réclamant, de près ou de loin, de Verne. Elle figure aussi en citation dans de multiples publications. Pour ne citer qu'elles, des entreprises aussi diverses que le Musée du scaphandre, à Espalion, ou le Restaurant Jules Verne de la tour Eiffel, offrent cette optimiste et enthousiasmante parole à leurs visiteurs. Ces derniers ne se doutent guère qu'il y a cependant un « hic ». Cette remarquable citation n'est pas de Jules Verne : elle n'a été ni écrite, ni proférée par lui. L'un des plus parfaits connaisseurs de Jules Verne, Olivier Dumas, a suivi la piste de cette citation, qui semblait douteuse à plus d'un chercheur « vernien », et la remonta jusqu'à son origine lointaine, une réflexion de Jules Verne placée en tête du premier chapitre du *Château des Carpathes*[3] (1892) : *Nous sommes d'un temps où tout arrive [...] Si notre récit n'est point vraisemblable aujourd'hui, il peut l'être demain, grâce aux ressources scientifiques qui sont le lot de l'avenir*. À partir de cette profession de foi, de portée générale, un directeur de théâtre et chroniqueur, Félix Duquesnel, attribue à Jules Verne en 1905, dans le journal *Le Gaulois*, la déclaration suivante : *Quoi que j'invente, quoi que je fasse, je serai toujours au-dessous de la vérité. Il viendra toujours un moment où les créations de la science dépasseront celles de l'imagination*. Duquesnel a imaginé ce propos et l'a, de manière mensongère, mis dans la bouche de Verne dans un article nécrologique qui, par définition, ne risquait plus d'être contredit. Le même Duquesnel, dont la fausse citation a sans doute remporté un petit succès, récidive en 1914 dans le journal *Le Temps* en déformant sa première version, qui devient : « Je crois que j'invente des choses invraisemblables. Je suis bien naïf, car tout ce que je raconte se réalisera, la science humaine terrasse l'impossible ! » Dans l'intervalle, le sérieux Charles Lemire, dans sa biographie de Jules Verne parue en 1908, reprend sans méfiance le texte concocté par Duquesnel en 1905, sachant que celui-ci a côtoyé Verne au théâtre.

En 1928, Marguerite Allotte de La Fuÿe, femme de lettres et lointaine nièce par alliance de Jules Verne, publie à l'occasion du centenaire de la naissance de l'écrivain une « biographie », qui est plutôt un habile roman aux allures de biographie, mêlant le vrai et le faux avec une terrifiante habileté, à tel point que ce travail de faussaire, fort bien écrit, trompe les chercheurs et fera autorité pendant près d'un demi-siècle, durant lequel rares seront les verniens qui oseront contester cette remarquable construction, en grande partie imaginaire. En particulier, pour ce qui concerne la citation de Duquesnel reprise par Lemire, Marguerite Allotte s'en saisit à son tour, la transforme une fois encore et lui donne sa teneur finale dont, espérons-le, en dépit de

Jules Verne vers 1875. Portrait inédit d'époque, huile sur toile, peintre non identifié.

la force des mythes, de l'incroyable vitalité de certains mensonges habiles, la vérité et le temps finiront par avoir raison. Pour illustrer la duplicité de la biographe romancière, il suffit de relater qu'elle pousse l'outrance – pour rendre plus crédible cette citation à laquelle, à l'évidence, elle ne croyait pas elle-même, sans quoi elle ne se serait pas donné cette peine –, jusqu'à la prétendre extraite d'une lettre de Jules Verne à Lemire (que ce dernier n'a jamais évoqué, dont aucun autre auteur n'a parlé et qui n'est jamais apparue, et pour cause !). Sous la plume de la délirante, mais dangereuse « biographe », l'invention de Duquesnel devient : *Tout ce que j'invente, tout ce que j'imagine restera toujours au-dessous de la vérité,*

▲ Jules Verne vers 1880. Cliché Carjat pour la *Galerie Contemporaine*.

▲ Carte de visite autographe, 30 septembre 1897.

Honorine et Jules Verne. Gravure d'après photographie pour *L'Illustration* du 1ᵉʳ avril 1905 (article nécrologique). ▶

Le Saint-Michel III, vers 1885. Steam-yacht de 31 mètres, à Jules Verne de 1877 à 1885. Jules et Honorine Verne à bord. Cliché original inédit ayant appartenu à l'auteur. ▶▶

parce qu'il viendra un moment où les créations de la science dépasseront celles de l'imagination!

Encore insatisfaite de cette formulation, qu'elle attribue pourtant à la plume de Verne lui-même, Marguerite Allotte tente de faire résumer par l'écrivain sa propre opinion! Et elle l'y contraint au moyen d'une fausse lettre supplémentaire que, dans la chronologie de la correspondance familiale, alors mal connue, elle place juste après une autre lettre, bien réelle celle-ci, où Verne écrit à son père en juillet 1868, à propos de *Vingt Mille lieues sous les mers*, alors en cours d'écriture: *J'espère que toutes ces invraisemblances paraîtront vraisemblables.* Marguerite Allotte, connue aujourd'hui pour avoir tout modifié, truqué, transformé pour faire dire aux gens ce qu'elle voulait leur faire dire, et au moment le plus opportun pour son propos, Marguerite donc transforme la déclaration en questionnement angoissé: *Ne sont-ce pas des invraisemblances?*, ce qui lui permet d'introduire une suite imaginaire dans laquelle un Jules Verne rasséréné balaie ses doutes et déclame enfin la formule lapidaire, devenue hélas célèbre. « Mais non », reprend la romancière, répondant elle-même à la question qu'elle met dans la bouche de Verne. Grâce à sa puissance de déduction, il (Verne) sent fatal l'enchaînement des effets aux causes, et certaine la mise au point future. Il l'affirme à son père dans une lettre qui suit de peu la précédente: *Je t'écrivais l'autre jour, qu'il me venait à l'esprit des choses invraisemblables. En fait, elles ne le sont pas. Tout ce qu'un homme est capable d'imaginer, d'autres hommes seront capables de le réaliser.* Mais Marguerite Allotte se trahit aussitôt, en ajoutant: *Puis, sans paraître se douter qu'en cette formule est résumée toute son œuvre, Jules Verne quitte son travail.* Or, elle est ici piégée par son manque de réflexion: au moment où Verne est censé avoir écrit cette lettre, en réalité inventée par l'étrange « biographe », l'écrivain n'avait encore fait paraître que six romans sur la soixantaine qui, en définitive, com-

poseront son œuvre romancée ! Chercher à résumer son œuvre en une formule lapidaire, alors qu'il vient tout juste de l'entreprendre, sembla aussitôt bizarre et peu convaincant à quelques verniens d'alors, dont le président fondateur de la Société Jules Verne, Jean H. Guermonprez. Celui-ci, scandalisé, s'adressa à la romancière pour lui reprocher l'évident faux de cette lettre, fabrication de circonstance, un parmi les innombrables truquages qui dégradent ce travail prétendu biographique. En 1928, Marguerite Allotte s'était ainsi chargée de stimuler à la fois les ventes des œuvres de Verne, qui rapportaient encore à ses descendants de confortables droits d'auteur, et celles du best-seller qu'a effectivement été cet abominable mais habile travail, alors présenté comme le « nec plus ultra » en matière de connaissances sur Jules Verne. Les arguments et, sans doute, les menaces de Guermonprez portent, puisque, dans la réédition de son *Jules Verne, sa vie, son œuvre*, parue chez Hachette en 1953, la fausse citation aussi bien que la fausse lettre qui la soutenait disparaissent toutes deux. Cependant, de façon imméritée, l'habileté de la faussaire a payé : la citation fabriquée avait commencé depuis vingt-cinq ans déjà sa carrière itinérante, qu'elle poursuit de plus belle aujourd'hui, en dépit des démentis des spécialistes, auxquels les publicitaires restent sourds. Marguerite Allotte est parvenue à un succès ponctuel, d'une dimension imprévisible, une réussite littéraire, moralement condamnable certes, mais qu'envieraient bien des grands écrivains, celle d'avoir mis sur orbite une phrase devenue fameuse, voire immortelle, à l'image de l'inoubliable exclamation préparée pour Neil Armstrong posant sa botte sur la surface lunaire :

> *Un petit pas pour l'Homme,*
> *un grand pas pour l'Humanité !*

▲ Honorine Verne vers 1900. Cliché inédit ayant appartenu à Jules Verne.

◄ Jules Verne vers 1900, dans la cour de sa maison à Amiens. Cliché original inédit ayant appartenu à l'écrivain.

Affiche française pour le film *Cinq Semaines en ballon*, de Irwin Allen, USA 1963. ▶

Jeunesse et premiers essais littéraires

Le premier voyage de Jules Verne sur cette Terre fut, il faut bien le dire, d'une banalité affligeante, ne révélant rien du grand écrivain en devenir et n'évoquant, même de très loin, aucun des *Voyages extraordinaires* à venir dans un futur nébuleux que nul, alors, ne se serait enhardi à prédire. Le modèle réduit du grand Jules Verne, qui n'était alors qu'un petit Jules, débarqua par les voies les plus conventionnelles sur sa planète natale dont l'exploration et la connaissance le passionneront plus tard et l'inciteront à leur consacrer, principalement au moyen de l'expression littéraire, une grande partie de son existence. L'événement se produisit à Nantes le 8 février 1828, à midi précise.

Le « p'tit bonhomme » ne savait pas encore qu'il était appelé à devenir l'aîné des cinq enfants (deux garçons et trois filles) d'un avoué de vingt-neuf ans, du nom de Pierre Verne, et de son épouse, Sophie Allotte de La Fuÿe, alors âgée de vingt-sept ans, de lointaine ascendance écossaise, par les Allotte.

Jules aura successivement un frère cadet, Paul, né en 1829, et trois sœurs : Anne (1837), Mathilde (1839) et Marie (1842).

Le théâtre des opérations manuelles, pédestres et gastro-intestinales des frères Verne — et même des deux sœurs les plus âgées — fut tout d'abord le quai Jean Bart N° 2, domicile familial et, simultanément, étude du paternel avoué, on ne peut plus proche des

▲ Pierre-Jules Hetzel, éditeur de Jules Verne. Cliché original (vers 1860) ayant appartenu à Jules Verne.

Illustration de couverture par François Schuiten pour *Paris au XXᵉ siècle*, Hachette et Le Cherche midi éditeur (1994). Premier roman terminé de Jules Verne et refusé par Hetzel en 1863. ▶

docks de Nantes, à l'époque fourmillant d'activités maritimes. Les garçons, jouant ensemble dans cet environnement proche de la maison natale, seront immanquablement attirés par les couleurs, les odeurs, les bruits et toute l'effervescence bigarrée, caractéristiques des multiples activités entourant l'arrivée, le départ, le déchargement, l'armement et le chargement des bateaux de pêche ou des navires de commerce, revenant ou partant pour les mers et les terres lointaines, les mondes inconnus... Quoi de surprenant, dès lors, à ce que leurs jeux, leurs rêves, leurs fantasmes, leurs projets s'orientent vers le large, en direction de l'inconnu, de l'aventure ?

Jules était et demeurera passionné de tout ce qui touche à la mer ; il avait rêvé d'être marin, et il le fut, à sa manière, lorsque son deuxième amour, la littérature, envahit sa vie et ses rêves. Ne pouvant déloger le premier, la mer, il s'en accommoda en l'intégrant dans son projet littéraire, en fusionnant avec elle. Paul avait fait le même rêve en compagnie de son « grand » frère, et il fut marin de métier, dans la Marine de Commerce aussi bien que la Marine Nationale, avec laquelle il prendra part à la guerre de Crimée. Comme il était encore de coutume en ce temps où les pères attendaient de leur fils aîné qu'ils chaussent leurs bottes et reprennent leur charge le moment venu, Pierre Verne destinait son aîné à reprendre le fardeau de son étude nantaise, projet qui, le temps passant, souriait de moins en moins à l'intéressé... peu attiré par le droit, en tout cas bien moins que par la mer, la littérature et la musique.

Mais tout cela n'était pas encore d'actualité pour l'enfant rêveur, l'écolier Jules qui, sans être un cancre, ne fit montre d'aucun talent particulier le distinguant de ses condisciples. Il fut bon en géographie et en musique, plutôt bon en grec et en latin, et récompensé pour sa bonne capacité de mémorisation. Peu de lettres de l'adolescent, pensionnaire au Petit Séminaire, nous

Jules Verne

PARIS AU XXe SIECLE

ROMAN

HACHETTE

▲ *Cinq Semaines en ballon*, par Jules Verne. Premier cartonnage (in-8°) dit « aux bouquets de roses », 1866, édition illustrée Hetzel.

Frontispice par W. Schäfer pour *Fünf Wochen im Luftballon* (*Cinq Semaines en ballon*). Chromolithographie pour une édition allemande, C. J. Léo, éditeur, Berlin, vers 1880. ▶

Zanzibar de nos jours, et gravure d'après un dessin de Riou, illustrateur de *Cinq Semaines en ballon*. Épreuve originale préparée pour l'édition Hetzel de 1865, mais parue seulement en 1867. ▶▶

sont parvenues, avec les fautes d'orthographe qui en font l'un des charmes, attendrissantes comme le sont presque toujours de telles épîtres, sauf l'une adressée à son père malade, et l'autre à sa mère, accouchée de la plus jeune des sœurs de Jules, Marie, bientôt surnommée le chou. Ces écrits, pieusement conservés par les parents – comme ils le sont souvent, dans le coffret à bijoux des mères, en compagnie des dents de lait perdues par les enfants, symboles touchants de l'innocence vouée, elle aussi, à sa perte – donnent le ton de cette période où l'oisillon lisse ses plumes, préoccupé de son confort, ne songeant guère au temps qui passe, ni à ceux qui viennent, inexorablement, et apportent leur lot d'espoirs, de malheurs...

À treize ans :

Mon cher Papa,

J'ai appris avec bien du chagrin que tu étais tombé malade et que tu étais obligé de garder le lit. Je t'écris aujourd'hui pour savoir de tes nouvelles car je suis très tourmenté parce que tu es malade. Dès la semaine dernière pendant laquelle personne n'était venu nous voir je prévoyais bien qu'il y avait quelqu'un de malade n'étant pas habitué à ne pas vous voir pendant si longtemps et cependant n'ai pas eu la pensée d'écrire. Je t'en prie, mon cher papa, fais moi savoir de tes nouvelles au plutôt car je suis fort tourmenté. Comme tu n'es pas habitué à être malade je pense et je souhaite que ça ne soit rien. Maman nous dit que l'on t'avait mis les sangsues et que peut-être on serait obligé de te les remettre, ce qui m'afflige beaucoup. Je fini cette petite lettre en t'embrassant de tout mon cœur et te souhaitant le rétablissement de la santé. J'espère recevoir bientôt de tes nouvelles et je me flatte qu'elles soient bonnes. Adieu mon cher et honoré père, embrasse maman, Anna et Mathilde et j'espère avec ta lettre savoir en même temps des nouvelles de Mathilde qui a ce qu'on m'a dit n'était pas bien.

Adieu. Ton fils qui t'aime de tout son Cœur.

Jules Verne – petit séminaire.

Photo : © Marco Paoluzzo

41

Gravure pour *Cinq Semaines en ballon*, édition Hetzel.

À quatorze ans :

Ma chère Maman,

J'ai appris hier par papa que tu étais assez bien ; je sais qu'il est tout naturel que maintenant tu sois fatiguée. Je désirerais bien te voir, ma chère maman, ne te dérange pas pour venir me voir, c'est trop loin pour toi. J'attends avec beaucoup d'impatience ce moment où je pourrai te donner les marques de tendresse mais puisque maintenant je ne puis te les donner que par écrits, crois, chère maman, que mes vœux les plus ardents sont pour ton entière guérison. Et quelle autre chose demanderait un enfant qui chérit sa mère ? Maintenant je vais te parler de mon état et de celui de mon frère. Paul est très enrhumé, comme papa qui est venu hier nous voir a, et je pense du te le dire. Je ne manque de rien. Pour moi les sabots que tu m'as envoyé ne tiennent pas bien aux pieds parce que les brides qu'on y a mis sont trop étroits. On ne nous avait pas donné nos places quand papa est venu hier, mais aujourd'hui on nous a donné les places de mémoire et j'ai été le 7ᵉ. Maintenant chère maman j'ai oublié de dire à papa de m'envoyer une équerre, je te prie de le lui dire. Prie le ensuite de m'adresser la romance de « Adieu mon beau navire » pour que je la copie parce que mon maître abbé désire l'offrir à l'abbé. Adieu ma chère maman, je t'aime et t'embrasse de tout Cœur et j'espère bientôt te voir entièrement guérie.

Adieu. Ton fils qui t'aime tendrement.

Jules Verne.

Les Verne passaient l'été dans leur résidence secon-daire de Chantenay alors à quelque distance de Nantes, aujourd'hui dans sa périphérie. Cette maison familiale, qui existe encore, face à l'église Saint-Martin, domine les rives de la Loire dans son embouchure vers l'océan. Que d'escapades aventureuses Jules et Paul ont-il fait aux alentours de cette campagne paisible, d'où ne pouvait leur échapper le moindre navire descendant ou remontant le fleuve. Combien de fois ont-ils gravi en courant les nombreuses marches de l'escalier Sainte-Anne, à proximité et au haut duquel, de nos jours, le Musée Jules Verne s'est établi.

Le Petit Séminaire Saint-Donatien prépare les jeunes gens au sacerdoce et à la vie ecclésiastique, bien qu'on y tolère les enfants de « bonne » famille que leurs parents souhaitent voir en pension dans une institution de caractère religieux. Déjà, dans la formation de la personnalité du futur écrivain, quelque chose s'y décide : Jules ne s'est pas fait remarquer par son indiscipline. Il s'est soumis aux règles contraignantes de la maison, mais il tolère mal ce carcan privatif de liberté. C'est dit : Jules Verne ne sera ni athée, ni abbé. Il laisse Paul poursuivre ses études au séminaire et entre au Collège Royal, de tendance voltairienne, ce qui contrarie son père, très conservateur et croyant, qui s'entête à lui destiner son étude d'avoué. L'avenir de Jules est ainsi tracé dans le chemin du droit, comme sa vie dans le droit chemin. Mais où est la liberté dans cette destinée conformiste, tracée par d'autres et dans laquelle ses préférences, ses attirances, ses choix, ne comptent presque pas ? Aux expériences de l'enfant s'ajoutent celles de l'adolescent. La personnalité de l'adulte se constitue, se conditionne parfois : à l'attirance de la mer, de l'aventure, du rêve, se sont additionnées celles de la musique, de la littérature et la sensibilité poétique. L'amour de la liberté vient s'y joindre. L'adolescent rejette les contraintes, par l'effet d'une révolte intérieure, qu'il se refuse à extérioriser par peur des conflits avec l'autorité, qu'elle soit paternelle, familiale ou relevant de la hiérarchie institutionnelle. Il joue au chat et à la souris, tant avec son père qu'avec ses enseignants. Il identifie ce qu'il veut, mais ne cherche pas à le proclamer. Il ne renonce pas, il plie, il porte un masque, il attend son heure. Il lit, il lit beaucoup : Fenimore Cooper, Walter Scott, Alexandre Dumas

Chromolithographie pour une série de cartes publicitaires espagnoles intitulée « Aventuras Aéreas à través del Africa » d'après *Cinq Semaines en ballon* de Jules Verne (1909), éditeur inconnu.

▲ *Cinq Semaines en ballon*, édition Hetzel. Le *Victoria* rencontre un mirage.

Le navire aérien, illustration pour la nouvelle de Jules Verne
Un Voyage en ballon, Musée des Familles, août 1851. ▶

père, les contes fantastiques – ceux d'Hoffmann en particulier –, les « robinsonnades ». Nul n'échappe au *Robinson Crusoé* de Daniel de Foë, mais Jules le trouve fastidieux, comparé au *Robinson de douze ans* de Madame Mallès de Beaulieu, au *Robinson des sables du désert* de Madame de Mirval, aux *Aventures de Robert-Robert* de Louis Desnoyer, et surtout au *Robinson Suisse* de Rudolph Wyss, auquel Madame de Montolieu adjoignit une suite titrée *Robinson Suisse ou Journal d'un père de famille naufragé avec ses enfants*. Plus tard, Jules Verne développa une passion pour Victor Hugo et subira aussi l'influence d'Edgar Poë et celle de Charles Dickens, mais il ressentira toute sa vie celle des robinsons qui avaient bercé les rêves de son adolescence.

Bien plus tard, sous l'influence de ces souvenirs de lecture, Jules écrira plusieurs « robinsonnades» dans le cadre des *Voyages extraordinaires*, cette incroyable

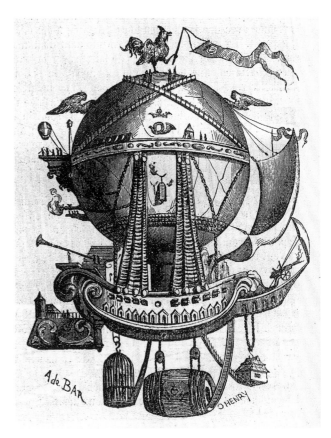

succession d'une soixantaine de romans de voyages et d'aventures, où se mêlent de nombreuses influences (littéraires, scientifiques, historiques, géographiques, poétiques, fantastiques, théâtrales) dont *L'École des Robinsons* (1882), *L'Île mystérieuse* (1874-1875) et *Seconde Patrie* (1900). Dans la préface de ce dernier roman, Verne admettra sans ambages cette influence spécifique en ces termes : *Les Robinsons ont été les livres de mon enfance, et j'en ai gardé un impérissable souvenir. Les fréquentes lectures que j'en ai faites n'ont pu que l'affermir dans mon esprit. Et même je n'ai jamais retrouvé plus tard, dans d'autres lectures modernes, l'impression de mon premier âge. Que mon goût pour ce genre d'aventures m'ait instinctivement engagé sur la voie que je devais suivre un jour, cela n'est point douteux.*»

Quant à cette autre forte influence qui fut celle de Victor Hugo, plus tardive mais profonde, Jules dévora l'œuvre du célèbre écrivain, romans, pièces de théâtre et surtout ses poèmes que, parfois, il copiait pour mieux les mémoriser. L'une de ces copies passa étrangement inaperçue lors de la publication en 1989 des

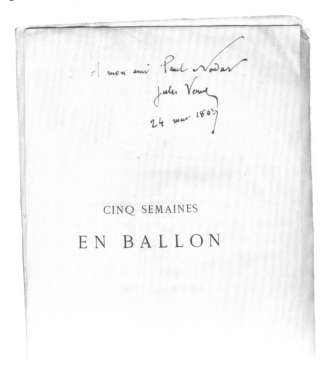

▲ Autre image de la série espagnole « Aventuras Aéreas à través del Africa » d'après *Cinq Semaines en ballon*, (1909).

◄ Envoi autographe de Jules Verne à Paul Nadar, le fils de Félix Nadar (huit ans), sur un exemplaire broché d'une première édition illustrée, (Hetzel 1865), daté du 24 mai 1865.

▲ Gravures d'après Riou pour les *Aventures du capitaine Hatteras*, Hetzel (1866):
1 Le *Forward* se glisse le long des champs de glace.
2 Vestiges de l'hivernage de James Ross en 1851.

Le *Forward* cherche un passage à travers les glaces. ▶

cahiers de poésie que Verne avait constitué au cours de deux périodes distinctes d'écriture de poèmes, sa jeunesse et son âge mur, durant les quelques mois qui suivirent l'attentat dont il fut victime en 1886, à l'âge de 58 ans, sur lequel nous reviendrons.

Ces poèmes, jusque-là restés inédits, sont essentiels pour découvrir, outre son habileté à versifier dans son jeune âge, dans la foulée des romantiques – et surtout sur les traces de Victor Hugo, qui deviendra l'idole de ses vingt ans –, sa sensibilité d'adolescent, son attachement familial et ses premières émotions amoureuses. Aussi quelle surprise fut celle de certains lecteurs de ses cahiers, enfin publiés, lorsqu'ils découvrirent, au milieu des sonnets et des odes du jeune Verne, un poème de Victor Hugo, une romance tirée des *Odes et Ballades* et qui, écrite de la main de Jules, avait échappé à la vigilance des éditeurs et n'avait pas été identifiée pour ce qu'elle était: une œuvre d'Hugo, pourtant connue[4]!..

Sic transit gloria mundi...

À Chantenay, Jules et Paul font de nombreuses balades au bord de la Loire et rêvent de concert à la mer, aux voyages, aux aventures. C'est en 1839 que la plume facétieuse et mensongère de la plus dangereuse des biographes de Jules Verne, Marguerite Allotte de La Fuÿe, situera dans son ouvrage prétendu biographique, paru en 1928, l'un des mythes de son invention, de ceux qui, de longues années après qu'on en ait démontré la fausseté, continuent à encombrer les biographies de l'écrivain et à empoisonner certains exégètes et commentateurs de son œuvre.

À mesure que les connaissances, fondées sur la découverte des documents authentiques et les recoupements qu'autorisait leur publication, trouvant un terrain de plus en plus stable, allaient en se précisant

▲ *Aventures du capitaine Hatteras.*
1 Oiseaux du Nord (mouettes, divers, canards édredon, etc.)
2 Le *Fox*, expédition de Mac Clintock, 1857.

Les grottes de Morgat près de Douarnenez (Bretagne). Gravure d'après Foulquier pour *Le Comte de Chanteleine*, nouvelle de Jules Verne parue au *Musée des Familles* (octobre à décembre 1864). ▶

et s'affinant, le caractère mythomaniaque de l'ouvrage de 1928 se révélait et devenait le cauchemar des spécialistes et des véritables biographes de Jules Verne. Ce fatras littéraire, où la vérité tient peu de place et où règnent le mensonge et les ingénieux truquages, inventés par l'habile faussaire, ayant su les rendre vraisemblables «en partie au service des intérêts familiaux des descendants de Jules Verne, qui se partageaient encore, à l'époque, de somptueux droits d'auteurs », est devenu de plus en plus suspect. Mais quelques-unes des inventions de celle que, regrettablement, certains qualifient encore de « biographe», ont persisté et alimentent l'histoire de la vie de l'écrivain, souvent sans la moindre consistance. Celle que nous évoquons ici à propos des rêves de voyage de Jules (réels en tant que pensée vécue par l'adolescent) propulse le garçon à bord d'un navire, un trois-mâts en partance pour les Indes, fort opportunément nommé la *Coralie* puisque, selon la délirante imagination de la « biographe», Jules Verne venait d'y embarquer, engagé comme mousse, à l'insu des siens, dans le but (aussi peu croyable que l'anecdote elle-même) d'en rapporter un collier de *corail à Caroline*, une des cousines de Jules dont, à onze ans, il aurait été assez amoureux pour tenter cette aventure ! À elles seules, ces trop heureuses coïncidences allitératrices eussent dû rendre aussitôt suspectes de telles assertions, d'autant qu'elles s'ajoutaient à l'invraisemblance globale du scénario, qu'une réflexion minimale dénonce aussitôt.

En définitive, Jules Verne lui-même apporte la contradiction à sa future et mythomaniaque « biographe» ; dans ses *Souvenirs d'enfance et de jeunesse* – dont l'un des deux manuscrits est conservé à la *Bodmeriana* de Genève –, le romancier raconte l'incident réel qui, près d'un siècle après, lancera Marguerite Allotte dans un récit délirant: une escapade en solitaire l'avait conduit à escalader

▲ Gravure d'après Riou pour le *Voyage au Centre de la Terre*, Hetzel (1867). Descente dans le gouffre.

Affiche française pour le film *Voyage au Centre de la Terre* réalisé par Henry Levin, USA 1959. ▶

l'échelle de coupée d'un trois-mâts mal gardé. L'enfant, enchanté, avait parcouru en long et en large le pont du navire, s'était amusé à tenter de faire tourner le gouvernail, rêvant – comme il est naturel – d'être le timonier du bateau quittant le port, toutes voiles dehors. Au retour, il sera sévèrement tancé pour son escapade non autorisée, à l'âge de huit ans, qu'aucun précoce amour d'enfance n'avait déclenché, et dont il était loin de se douter, en écrivant sa relation véritable, qu'elle donnerait lieu à une histoire mythique, fort éloignée de la réalité, devenant difficile à déraciner. Chacun sait que, s'il est aisé de proférer des mensonges, il est souvent plus difficile d'en démontrer l'existence et de faire ressortir la vérité. Une allégation mensongère habile fera carrière plus et mieux que la démonstration de sa fausseté (lorsqu'elle est possible), tant est grand le besoin du merveilleux, qui suscite les rêves, et pas seulement ceux de l'enfance !

Ainsi passent l'enfance et la petite adolescence du jeune Jules Verne, dans une quiétude relative, sans acharnement studieux ni remarquables aventures. Si l'imagination du futur écrivain bouillonne déjà, elle est contenue – comme il est de coutume en ce temps-là dans les « bonnes » familles –, dans les limites qu'imposent l'éducation, la bienséance, la religion, le respect des cadres institutionnels. Jules n'est pas plus révolté que la moyenne des jeunes de son âge et n'est guère tenté par les révolutions, dans quelque domaine que ce soit, ce qui n'exclut pas quelques révoltes intérieures contre l'autorité du père ou celle de la religion, qui lui apparaissent plus comme des obstacles à contourner que comme des murailles à abattre. Il est davantage de la race de ceux qui suivent avec constance, et même obstination, la voie qu'il s'est tracée, quelles que soient les difficultés à surmonter, que de celle qu'attirent les actions ou réactions explosives.

Le monde magique de
JULES VERNE

VOYAGE AU CENTRE DE LA TERRE

PAT BOONE · JAMES MASON · ARLENE DAHL · DIANE BAKER

COULEURS PAR DELUXE **CinemaScope**

20th CENTURY FOX

Prod. **CHARLES BRACKETT** · Réal. **HENRY LEVIN** · Scén. **WALTER REISCH** et **CHARLES BRACKETT**

TWENTIETH CENTURY FOX FRANCE INC. 33, Champs-Élysées. Paris

Imprimé AFFICHES ET PUBLICITÉ

▲ Disque vinyl, Musidisc, 33 tours, 30 cm.

Affiche italienne pour le film *Voyage au Centre de la Terre*, réalisé par Henry Levin, USA (1959). ▶

▼ Vue de Reykjawik (Islande) pour *Voyage au Centre de la Terre*, Hetzel.

Bachelier en 1846, Jules Verne est entré dans l'âge de l'attraction des sexes, celui de la nécessité de tomber amoureux, ce qu'il ne manque pas de faire en sélectionnant l'objet de son premier amour, sa cousine Caroline, âgée de dix-huit ans alors que lui en a dix-sept. Ce premier voyage sentimental fut, lui aussi, des plus ordinaires : premier amour, première déception. La belle, insensible au charme de l'intéressé, ne répond pas à ses avances, et en épousera un autre un an plus tard, au moment où Jules, sur le point de quitter Nantes, passe à Paris ses examens de première année de droit. Pris par les changements qui bouleversent une vie jusque-là tranquille, Jules ne pleurera pas longtemps la défection de Caroline, que Marguerite Allotte, toujours aussi peu préoccupée de vérité, avait décrit à tort comme le grand amour de sa jeunesse. Cependant, cette dernière année nantaise, outre la préparation des examens de droit, est surtout celle des premiers essais littéraires : Jules s'essaie à la rime et noircit les pages de son premier cahier de poésies, qu'il abandonnera ultérieurement sous des piles de projets nouveaux. Déjà, il songe au roman et en a entrepris un, son premier essai, qu'il abandonne inachevé, préférant la poésie à la prose, dans la foulée de Musset, Byron, Shakespeare, Victor Hugo. Ce roman, *Un prêtre en 1839*, ne sera publié qu'en 1992. Cependant, un autre amour, le vrai, le seul, le grand amour de sa vie (jusque-là), surgit et éclipse l'épisode fugace de Caroline. Voici venue Herminie, une jeune beauté de l'âge du poète, qui occupe son cœur et ses pensées et, en un premier temps tout au moins, ne semble pas avoir dédaigné ce soupirant, et avoir partagé avec lui une de ces idylles romantiques et platoniques bien conforme à l'esprit du temps. Il est impossible de savoir aujourd'hui si les sentiments manifestement intenses du jeune étudiant furent réellement partagés par la jeune fille, mais, en tout cas, elle les accueillit favorablement, suscitant un

embrasement général dont le reflet demeure sous la forme d'une trentaine de poèmes et plusieurs lettres qui scellent le sort de cet amour contrarié, devenu une épreuve douloureuse pour le jeune homme, de celles qu'on ne peut oublier. Herminie, en effet, sous la pression familiale, épouse en juillet 1848 un riche hobereau de province, suscitant sans le savoir, le jour de ses noces – jour funeste entre tous pour l'amoureux éconduit – une extraordinaire et étrange lettre, dite « lettre du rêve ». Adressée à sa mère, elle a dû lui produire au moins autant d'effet qu'aux biographes de son Jules Verne, qui l'ont tous citée comme l'une de ces pierres blanches, l'une de ces bornes, qui marquent les tournants majeurs de l'existence.

Cette expérience, d'autant plus douloureuse qu'elle se développa initialement d'une façon idyllique, laissa sans aucun doute des traces profondes dans l'esprit et le cœur du futur écrivain.

Aussi la meilleure façon de l'appréhender n'est-elle pas d'écouter les accents du poète, tantôt sous la forme de strophes extraites du premier de ses deux cahiers, tantôt sous celle, dramatique, de la « lettre du rêve » ? Et d'abord, un poème en acrostiche sur le nom d'Herminie, qui laisse transparaître les doutes de l'amoureux :

Hélas ! Je l'ai donné mon cœur faible et sans armes,
Et j'ai fié mon âme entière en ta bonté :
Regarde : je n'ai plus que la joie et les larmes,

▲ *Voyage au Centre de la Terre*,
Forêt de champignons géants.

◀ Premier cartonnage (Gr.in-8°), Hetzel
(1867).

Monstres antédiluviens,
Voyage au Centre de la Terre, Hetzel. ▶

Volcan éteint du Sneffels (Islande), point
de départ des héros du *Voyage au Centre
de la Terre* et illustration de Riou pour le
même roman (ascension dans cheminée
volcanique en éruption), Hetzel. ▶ ▶

Marques d'amour, hélas ! ou d'infidélité.
Il te faut décider ce que ton cœur t'inspire ;
Ne va plus épargner ma joie ou mes douleurs !..
Il me reste pour toi pour t'aimer un sourire...
Et c'est pour ton refus que j'ai gardé mes pleurs !

Un sonnet exprime toujours le doute. La belle,
manifestement, ne s'était pas engagée :

Herminie, Herminie ! oui, ton cœur est bien tendre ;
Sur terre où l'homme doit sans repos ni sommeil
Combattre, auprès de toi, sous ton regard vermeil,
Je vivrais calme, heureux, si je voulais t'entendre ;

Bien doux est ton amour, bien doux est ton conseil,
Tu serais mon bon ange, et tu voudrais me prendre
Sous ta garde, Herminie ! et tu voudrais me rendre
Heureux comme l'oiseau, qui s'échauffe au soleil !

L'ange gardien que Dieu nous donna dans ce monde,
A travers les écueils nous guide et nous seconde ;
Ici-bas, notre enfer ! le paradis au ciel !

Tu me mettrais, amie, à l'abri du tonnerre,
Avec toi, je ferais mon Eden de la terre...
Mais au moment suprême, irais-je vers le ciel ?

Et puis, de Paris, à sa mère, deux jours après le
mariage d'Herminie, la fameuse lettre, très « hugo-
lienne », dans laquelle l'extravagant mélange d'humour
grinçant et de larmes, perçant à travers le filtre de
la plaisanterie, évoque les douloureuses vibrations
d'une porte qui claque sur un passé proche, mais déjà
révolu. L'évocation scatologique, le ton exalté, l'aspect
polymorphe de cette missive, ainsi que la tragédie que
vivait au même moment son auteur et qui avait inspiré
cette lettre, peuvent faire penser à une certaine ébriété.

Photo: © M. Schmid

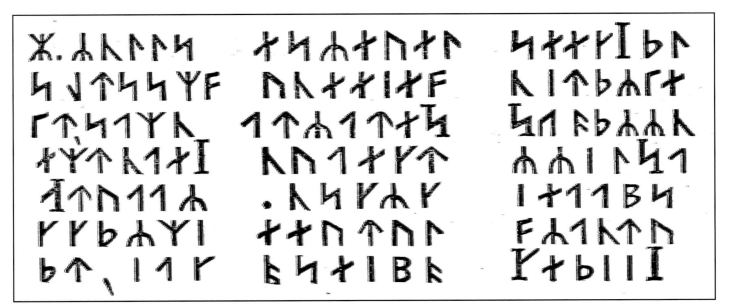

Problème cryptographique en caractères runiques donnant l'itinéraire du *Voyage au Centre de la Terre* au début du roman.

La mer Lidenbrock sur le chemin du centre de la Terre, Hetzel.

En voici quelques extraits :

Ma chère maman,

[...] Tu sais que c'est jeudi prochain à 8 heures du matin que je passe mon examen redoutable. Il faudra tacher de ne pas se dépouiller de son savoir avec sa redingote pour endosser la robe et la stupidité ! C'est là le quart d'heure de Rabelais, quand je dis quart d'heure, c'est bien deux heures de piqûres d'épingles ! Il y a de ces professeurs qui ont le merveilleux talent de se faire mentalement envoyer au diable trente-six fois par minute ! Oh ! pourquoi ne sont-ils pas morts pour la défense de l'ordre, ou ne sont-ils pas représentants du peuple ? Alors on apprendrait son droit huit jours avant de passer son examen, et l'on vivrait à l'endroit de la science du droit dans cette tranquillité ignorante, cette médiocrité dorée dont parle Horatius, cette nonchalante indolence qui fut le partage des Dieux ! [...] Papa me recommande de faire feu des quatre pieds ! Je crains bien d'être plutôt dans la position odorante du laxatif Sancho lorsqu'il détacha l'aiguillette de son haut de chausse, et qu'un parfum inaccoutumé vint chatouiller le nerf olfactique (sic) du Seigneur don Quichotte de la Manche ! Heureusement qu'il y a des inodores place St-Sulpice !

Hélas ! ma chère maman, tout n'est pas rose en cette vie, et tel qui se fait de brillants châteaux en Espagne, n'en trouve seu-

LES ENFANTS DU CAPITAINE GRANT

GRANDE PIÈCE A SPECTACLE

l'Œuvre la plus Populaire
DE
JULES VERNE

▲ Illustration par Riou pour *Les Enfants du capitaine Grant*, Hetzel (1868).
Le condor enleva l'enfant.

▶ Affiche en deux parties pour la pièce de théâtre *Les Enfants du capitaine Grant*, tirée du roman par Jules Verne et Adolphe Dennery.
Pièce en cinq actes, avec la musique de J.-J. Debillemont, créée au Théâtre de la Porte St-Martin, le 26 décembre 1878.
Affiche pour la Tournée Romain, par Louis Galice, Paris, vers 1900.

lement pas même en son pays ! Il est donc vrai que ce mariage a eu lieu ! *Consommatum est*, comme celui de St-Louis, pardon s'il m'échappe du latin, et l'anapesteco d'Eschyle serait bien de circonstance !

Du reste Morphée une nuit m'ouvrit la porte d'ivoire, et un songe funeste vint secouer ses ailes de chauve-souris aux ongles crochus sur ma paupière appesantie !

Un songe ? – me devrais-je inquiéter d'un songe ? La nuit s'avançait ! Vénus scintillait amoureusement à la voûte céleste, et cette pâle clarté dont parle le Cid, tombait des étoiles. Et l'aube douce et pâle, en attendant son heure, semblait – toute la nuit – errer au bas du ciel !

Les salons splendidement illuminés de bougies à 35 sols la livre resplendissaient de joie et de lumière ! – Qui causait de semblables réjouissances ? [...]

Deux jeunes époux se préparaient à faire à l'autel un nœud capable de résister au tranchant du divorce le mieux affilé. Ils étaient beaux tous deux, et selon la parole de J.-Jacques, leurs corps furent faits pour loger leurs âmes ! La mariée était vêtue de blanc, gracieux symbole de l'âme candide de son fiancé ; le marié était vêtu de noir, allusion mystique à la couleur de l'âme de sa fiancée ! Et pourtant les salons splendidement illuminés de bougies à 35 sols la livre resplendissaient de joie et de lumière. Et au dehors, un homme percé aux coudes, à la barbiche noire, à l'œil seul héritier présomptif de la transmission des couleurs et des formes, au teint rouge, à la jambe finement travaillée et guillochée, aiguisait ses dents sur le marteau de la porte.

Et les convives étaient dans cette situation tranquille et douce, qui n'était interrompue que par les succulents hoquets d'une digestion qui commençait à se faire. – Les verres se choquaient encore, et dans leurs innombrables facettes de cristal (sic) répercutaient aux yeux enflammés la lumière des bougies à 35 sols la livre ! – Et les jeunes époux serrés l'un près de l'autre, se souriaient et se parlaient tout bas. On eût dit deux beaux oiseaux essayant leurs ailes frémissantes pour s'envoler vers les régions de l'amour ! – Et le beau-père racontait des

PROCHAINEMENT AU THÉATRE

Tournée ROMAIN

61

▲ *Les Enfants du capitaine Grant,* Hetzel. Le *Duncan* contourne la presqu'île de Brunswick frôlant les hêtres antarctiques.

Affiche française pour *Les Enfants du capitaine Grant,* film de Walt Disney, par Robert Stevenson, USA-GB (1962). ▶

gaudrioles à la mère du fiancé ; et celle-ci souriait et lui pinçait le genoux (sic) ! Et la mère de la fiancée disait à son gendre : avez-vous jamais vu figure plus avenante que votre accordée ? Ne sont-ce pas là des mains accomplis ? Et ce cou-là ne prend-il pas à ravir toutes les façons d'un cygne ? Que je vous envie par moments, et que vous êtes heureux d'être homme, vilain libertin que vous êtes ! Et cependant, les salons splendidement illuminés de bougies à 35 sols la livre resplendissaient de joie et de lumière ! Et au dehors, un homme percé aux coudes aiguisait ses dents sur le marteau de la porte ! En ce moment, le fiancé se leva, et d'un ton pathétique comme au cinquième acte, il soupira :

Ô toi, dont les regards ont frappé sur mon cœur
Comme sur un tambour, bruyante charlatane,
Oh ! prends garde en tapant trop fort sur ton vainqueur
Qu'ils crèvent sa peau d'âne ! […]

Mais puisque je n'ai pas un si robuste cœur
Qu'il puisse résister, bruyante charlatane
Oh ! prends garde en tapant trop fort sur son (sic)
vainqueur
De crever sa peau d'âne ! […]

Et les applaudissements retentirent, et dans l'enivrement causé par cette poésie étincelante plusieurs verres furent brisés avec un bruit aigre. La fiancée était froide, et comme une étrange idée d'anciens amours passait dans elle.

Peu à peu les convives s'écoulèrent comme l'onde, la chambre nuptiale s'ouvrit devant les époux tremblants et les joies du ciel emplirent le cœur des fiancés !

Cependant, les bougies à 36 sols la livre s'éteignirent dans leurs bobèches suiffeuses et une fumée âcre et pénétrante remplit les salons vide de joie et de lumière.

Et le père de l'épouse à qui la mère de l'époux avait pincé le genoux, eut une marque noire que l'on montre encore aux voyageurs qui viennent la visiter. […]

Et toute la nuit, toute la nuit noire, un homme percé aux

Les Enfants du capitaine Grant, Hetzel. Martyre du révérend Walkner pendu par les Maoris qui ont bu son sang et mangé sa cervelle, les femmes lui ayant arraché les yeux.

coudes avait aiguisé ses dents sur le marteau de la porte.

Ah ! ma chère maman, à cette affreuse idée, je m'éveillai en sursaut, et ta lettre vint m'apprendre que mon rêve était une réalité ! Que de malheurs je prévois ; pauvre jeune homme ; mais je dirai toujours : Pardonne lui, Seigneur, il ne sait pas ce qu'il fait.

Quant à moi, je me consolerai en tuant le gros chat à la première rencontre ! [...]

ADieu ma chère maman, voilà bien des bêtises, mais à cette occasion, il fallait que mon cœur débordât ! Il fallait que le papier conservât le souvenir de cette cérémonie funèbre afin que je puisse dire un jour : Exegi monumentum [5] ! [...]

Ce document est capital à plus d'un titre. Manifestement écrit sous l'empire d'un choc émotionnel, l'emprise de quelque boisson alcoolisée et l'insomnie, il porte de nombreux messages, à l'adresse de sa mère, certes, mais aussi indirectement à son père, à qui Jules n'aurait pas osé adresser un tel écrit, et même à l'intention des lecteurs lointains que nous sommes, invoqués par le bâtisseur de ce mausolée de papier ! Indépendamment des multiples maladresses et fautes d'orthographe, révélatrices de l'état du jeune homme à ce moment cruel, celui-ci y manifeste déjà son dédain à l'égard des études de droit qu'il entreprend sous la contrainte et sa conviction que le mariage d'Herminie résulte d'une trahison de la belle, pour laquelle leur idylle n'est déjà plus qu'une vague réminiscence. Herminie n'est qu'une « charlatane » (pourquoi « bruyante » ?...) et Jules n'est qu'un « âne » ! L'augmentation du prix des bougies, qui passent de 35 à 36 sols la livre, est une allusion aux comptes d'apothicaire que son père commençait tout juste à lui imposer et dont la correspondance sera remplie durant les années de « vaches maigres ». Jules Verne fait aussi allusion à la période révolutionnaire de juin 1848 (le mois précédent !), à laquelle il s'était montré à peu près indifférent, en plein préparatifs d'examens, se retranchant chez lui pour y travailler à l'abri du remue-ménage de la rue. Les opinions politiques de Jules Verne ont peu varié, de sa jeunesse à ses vieux jours, balançant entre une certaine sympathie intellectuelle pour les idées généreuses des révolutionnaires, celles du socialisme, et son besoin sécuritaire de stabilité, impliquant un certain conservatisme et le rejet de la violence, de l'aventurisme politique, du militarisme. Le curieux «ADieu» final reflète d'une part l'instruction à forte imprégnation religieuse reçue au Petit Séminaire de Nantes, mais aussi constitue un message destiné à rassurer sa famille quant à la solidité de ses convictions religieuses, maintenant que, sorti du cocon nantais, il était exposé à toutes les tentations parisiennes, particulièrement dans les milieux estudiantins, en cette époque d'agitation révolutionnaire.

Quant au père, Pierre Verne, le bon bourgeois conservateur et conformiste qui n'était pas le destinataire de cette lettre peu ordinaire, il en a néanmoins été un lecteur attentif et y a aussi laissé son empreinte (révélatrice !) – en corrigeant et modifiant certains mots ou certaines phrases de façon à en changer le sens et à les rendre plus tolérables à ses yeux, ou plus orthodoxes. L'idée même de ce genre de correction (on la qualifierait de nos jours «d'incorrection»!) révèle un autoritarisme, une certaine froideur, un classicisme rigoureux et quasi exclusif, s'accommodant mal de l'inspiration romantique d'un tel onirisme épistolaire. Les lettres adressées par le jeune étudiant à sa mère sont plus détendues, originales et confidentielles que celles destinées à son père, plus étudiées sur le plan stratégique et psychologique, et moins spontanées. Elles ressemblent souvent à un rapport détaillé et circonstancié, répondant à des exigences paternelles précises.

▲ *Les Enfants du capitaine Grant*. En route pour la province d'Adélaïde.

◄ Cartonnage Hetzel dit « dos à l'ancre », (1898-1899).

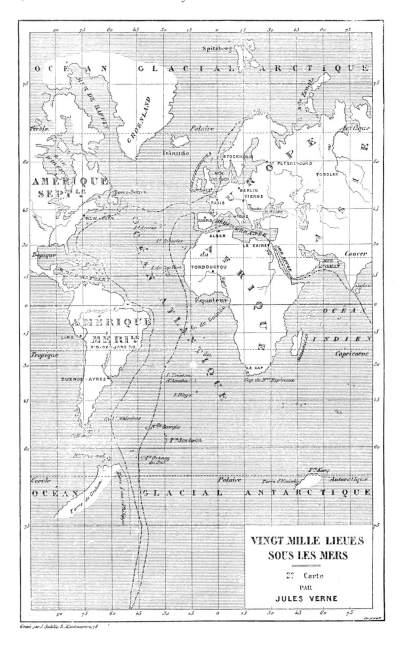

Vingt Mille lieues sous les mers, Hetzel (1871). Frontispice. ▶

Avec la « lettre du rêve », la partie adolescente de la jeunesse de Jules Verne a vécu, la frontière de l'âge adulte est franchie, pour autant qu'une limite précise distingue l'état d'adulte du paradis perdu de la prime jeunesse, dont l'adulte conserve, chaque fois que cela est possible, des pans entiers tout au long de sa vie. Il pourrait être plus exact de dire que Verne passe là, de l'état d'adolescent attardé à celui de jeune adulte. Reçu à ses examens de fin juillet 1848, il s'installe dans sa vie parisienne avec un ordre des priorités inverse de celui qui anime son père : pour Jules, le droit n'est pas le droit chemin menant à l'étude paternelle, mais un chemin de traverse, à emprunter en crabe, en diagonale, qui lui permette d'arriver… en littérature, en évitant tout choc frontal avec son père, pourvoyeur de ses maigres moyens d'existence. Aussi Jules ne se contente pas de continuer à versifier – ce qu'il fait pourtant –, mais s'efforce de se faire des relations, à partir de ses appuis nantais, se fait présenter de droite et de gauche, court les salons littéraires, multiplie les rencontres, impose partout la silhouette efflanquée de *ce pauvre jeune homme qu'on appelle Jules Verne*, comme il aime à se désigner lui-même.

L'amertume que lui ont laissée le lâchage et le mariage d'Herminie, devenue Madame Armand Terrien de La Haye, ne s'estompera que très progressivement. Il raie rageusement le nom de l'ex-aimée de toutes les dédicaces des poèmes qu'il lui avait destinés, qu'il conserve néanmoins précieusement ; il en réutilisera même certains par la suite. On peut discuter ce choix sur le plan du bon goût ou de la délicatesse des sentiments, lorsque bien plus tard, par exemple en 1861, il n'hésitera pas, avant de partir en voyage en Norvège en compagnie d'un ami, au moment précis où son épouse s'apprête à donner naissance à leur fils Michel (qui sera leur seul enfant), à dédier à sa femme, à peine modifié, l'un des poèmes écrits pour Herminie, qui avait porté la

dédicace «À une demoiselle que j'aime, et qui fait tout ce qu'elle peut pour ne pas le savoir ! »... Cependant, il écrit encore des poèmes à l'adresse d'Herminie, mais à présent c'est la voix de la vengeance qui l'inspire, et l'annonce du malheur qu'il lui prédit, comme s'il lui était dû en réparation du chagrin qu'elle lui a causé !

Oui, croyez-moi, m'amie, je vous dis, prenez garde !
Fuyez tous ces plaisirs, car ils sont inconstants,
et, bien qu'à vous frapper le malheur encore tarde,
Il viendra ! – La douleur est compagne du temps !

... Car rien n'est triste à voir
Comme une pauvre fille en pleurs, et jeune encore,
Que le passé poursuit, que le présent dévore,
Dont l'avenir se perd dans un horizon noir !

▲ *Vingt Mille lieues sous les mers*. Le cimetière de corail sous-marin, d'après Alphonse de Neuville, illustrateur du roman pour l'éditeur Hetzel.

Même sujet d'une série d'images espagnoles «Veinte mil Leguas de viaje submarino » des éditions Barsal à Barcelone (Espagne), vers 1920. ▶

Le capitaine Nemo à la barre du Nautilus. ▶▶

Si le divorce d'avec Herminie est long et douloureux, celui d'avec sa ville natale, Nantes – dont la « bonne » société n'a pas voulu du *pauvre jeune homme*, poète a ses heures (et peut-être un jour simple avoué) – sera brusque, violent et définitif, un véritable vomissement sur lequel il ne reviendra jamais. Il refusera de s'y établir, n'y retournera qu'occasionnellement et sans enthousiasme, manifestera à de nombreuses reprises son aversion pour la ville et sa société, dans ses lettres et ses poèmes.

Février 1851:

Il paraît que l'administration municipale a défendu Claudie de Georges Sand! Crétins! je ne sais pas à quel degré de perfection anti-progressive arrivera la ville de Nantes!

▲ *Vingt Mille lieues sous les mers*, Hetzel. De ces caisses éventrées s'échappaient des cascades de piastres et de bijoux.

Même sujet de la série espagnole « Veinte mil Leguas de viaje submarino » (Barsal) c. 1920, qui s'est inspirée des gravures de l'édition Hetzel. ▶

Affiche française pour le film Vingt mille Lieues sous les mers de Walt Disney, USA 1954, réalisé par Richard Fleischer. ▶▶

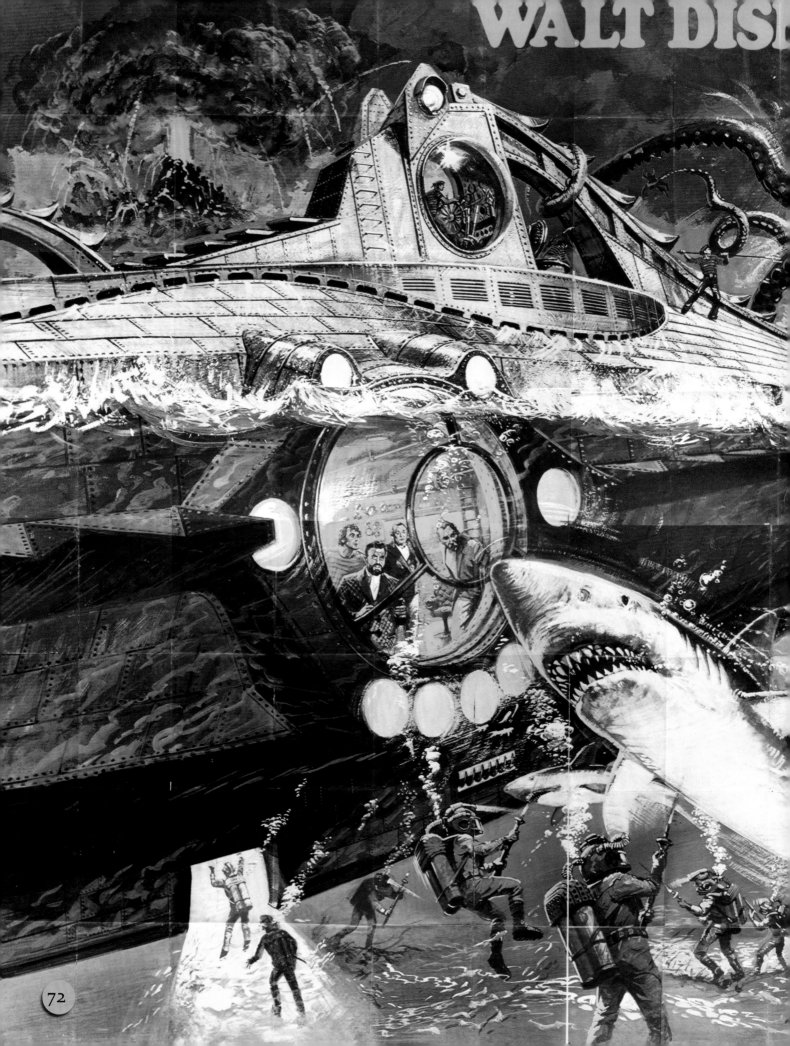

PRODUCTIONS
présente

d'après le
roman de JULES VERNE

20.000
lieues sous les Mers

avec

KIRK DOUGLAS
JAMES MASON
PAUL LUKAS · PETER LORRE
TECHNICOLOR® CINEMASCOPE
mise en scène de RICHARD FLEISCHER
scénario de EARL FELTON

© WALT DISNEY PRODUCTIONS   VISA N° 1573

▲ Premier cartonnage pour la première
édition illustrée, Hetzel (1871).

◀ Grande affiche de cinéma française
pour *Vingt Mille lieues sous les mers*,
(Walt Disney, Richard Fleischer 1954),
format : 300 × 420 cm.

73

Images de la série espagnole
« Veinte mil Leguas de viaje submarino » (éd. Barsal).

Décembre 1852:

Il faut que cette inepte ville de Nantes ne soit en partie habitée que par des crétins, des vachers, des albinos ! – Quel est encore l'imbécile qui a été dire que j'étais appointé; je te jure sur l'honneur, mon cher papa, que je suis fatigué des gens qui font des cancans sur mon compte, et si je les connaissais j'irais les calotter pour leur apprendre à se mêler de ce qui les regarde ! – Il faut qu'on ait pris à tâche de me nuire dans ton esprit.

Et quelle description fait Jules Verne de sa ville natale dans son cahier de poèmes, sous le titre *La Sixième ville de France?*

Un quartier neuf et présentable
Entre bon nombre de hideux;
Des sots bâtissant sur le sable,
En affaires peu scrupuleux;

De science un peuple incapable,
A son endroit toujours crasseux;
Quelques milliers de cerveaux creux
D'une bêtise indécrottable;

De riz, sucre un peuple marchand,
Sachant bien compter son argent,
Qui le jour la nuit le tourmente;

Le sexe en général fort laid,
Un clergé nul, un sot préfet,
pas de fontaines: c'est là Nantes !

Enfin, au milieu de ce *peuple de sots*, de ce *sexe en général si laid*, Jules distingue, en son cahier de poèmes, *Madame C.*, la responsable par sa médisance, de son malheur, de la perte d'Herminie. Et si quatre strophes

« L'épouvantable bête ! » s'écria-t-il. C'était un calmar de dimensions colossales. *Vingt Mille lieues sous les mers*, Hetzel ▶

Bande dessinée par R. Blondeau pour Hachette, 1951.

Image tirée de la série espagnole « Veinte mil Leguas de viaje submarino » (éd. Barsal) c.1920.

suffisent au poète pour régler ses comptes avec sa ville natale, il lui en faut quarante-deux pour venir à bout de sa description haineuse de la coupable ! Quelques-unes suffiront à caractériser ce portrait, en vérité peu engageant :

> Ô Muse, je t'implore, et pourtant je puis craindre
> Que ta voix se refuse à venir m'inspirer
> Et je ne voudrais pas – dieu le sait – te contraindre ;
> Il ne faut aujourd'hui, ni rire, ni pleurer ;
> C'est un monstre vivant que je vais ici peindre,
> Afin que l'univers puisse enfin l'abhorrer ! [...]

> Avec l'âge, il gagnait en vices, en hauteur ;
> Et la méchanceté, la cousine du crime,
> Egala, surpassa de sa vile laideur
> Tout ce qu'on peut voir de plus jésuitisme,
> Et son esprit hideux, contrefait, cacochyme,
> N'inspira bientôt que le dégoût et l'horreur ! [...]

> Cette femme elle était bigote, mais bigote,
> Qu'elle usait par an deux chaises, un escabeau
> Qu'elle eut vendu jusqu'à son dernier chicot,
> Pour sa place à l'Église ; et même la culotte
> De son pauvre mari. Elle l'eut fait capot !
> Dieu vous sauve à jamais de pareille dévote ! [...]

> Considérez un peu – ce qu'est l'hypocrisie,
> Sans cesse se masquant de la religion,
> Et toujours vous parlant de bonne orthodoxie
> De versets, oremus, patenotres farcie
> Sa main administrait la bénédiction
> Tue au même moment la réputation ! [...]

> Dieu ! qu'elle se fâcha ! – Ses lèvres dégoûtantes
> Déversaient sur son sein ses fureurs écumantes –

Affiche de cinéma française pour *Vingt Mille lieues sous les mers*, (Walt Disney, Richard Fleischer 1954). ▶

Ses dents – affreux chicots – paraissaient s'envoler,
Ses cheveux hérissés semblaient s'entortiller,
Comme des serpents gris. Ses prunelles bouillantes
S'injectaient d'un sang noir. Cela faisait trembler […]

Qu'on grave sur sa tombe : Ici gît femme sotte,
Méchante, corruptrice, excentrique bigote,
Vile, menteuse, laide, au cœur loin de la main,
Immonde, détruisant l'honneur de son prochain,
Carliste jusqu'aux os, diabolique, idiote,
Arrêtons-nous ici. J'irais jusqu'à demain !

Jules, on le voit, n'apprécie en religion ni l'hypocrisie, ni la bigoterie. Ce portrait, plus impressionniste qu'impressionnant sur le plan littéraire, permet toutefois d'entrevoir le bouillonnement des idées dans ce jeune esprit, plein d'humour même dans sa violence désespérée, encore gauche et très enfant par bien des aspects. Il n'est pas sans intérêt de constater à cette occasion que la poésie est un mode d'expression naturel et spontané chez Jules Verne dans les moments de bouleversement et d'intense émotion. Curieusement, cela n'a jamais été mis en évidence.

Jules s'installe désormais dans sa nouvelle vie parisienne, une vie d'étudiant sans passion autre que la littérature. Il court toutes les bonnes adresses, tous les « tuyaux » susceptibles de contribuer à son but unique : arriver en littérature. Et s'il abandonne, peu à peu, dans les années qui suivent, ses cahiers de poésies, il les reprendra un jour, bien plus tard dans sa vie, alors que trente-cinq ans se seront écoulés et que, à l'orée de ses vieux jours, blessé par balle et bouleversé à la suite d'un étrange attentat – qui sera évoqué à nouveau et discuté en son temps –, il restera alité plusieurs mois et souffrira aussi physiquement. C'est à ce moment seulement, à la faveur de cette pause forcée dans sa vie active, qu'il ressortira ces vieux cahiers croupissant au

▲ Le capitaine Nemo faisant le point (édition Hetzel).

En route pour la forêt sous-marine de l'Île Crespo. Planche hors texte d'après A. de Neuville, *Vingt Mille lieues sous les mers*, Hetzel. ▶

▲ Image d'une série de chromolithographies espagnoles *De la Tierra a la Luna* (éd. Barsal c. 1920), d'après *De la Terre à la Lune* de Jules Verne. Les artilleurs invalides du « Gun-Club », martyrs de leur science guerrière.

Le Voyage dans la Lune, Opéra-féérie de MM. Vanloo, Leterrier et Mortier, sur une musique de J. Offenbach et d'après le roman de Jules Verne *De la Terre à la Lune,* créé au Théâtre de la Gaîté le 26 octobre 1875. Gravure pour *L'Univers illustré* du 6 novembre 1875. ▶

fond d'un tiroir, pour y adjoindre une série de nouveaux poèmes, relatifs aux événements alors vécus.

L'édition, il y a une quinzaine d'années, de ces cahiers de poésies, a donné lieu dans sa préface à un commentaire inattendu, selon lequel « l'ambition première » de Jules Verne aurait été de se destiner à la poésie ! Si tel était le cas, il a bien fait d'y renoncer ! Mais, heureusement, sa correspondance vient infirmer cette allégation : Verne n'a jamais manifesté la moindre intention de se faire poète et, si ses poèmes sont amusants et instructifs à plus d'un titre quant à sa personnalité et aux influences subies, devenus son gagne-pain, ils l'auraient condamné à coup sûr à mourir de faim prématurément ! De fait, Verne ne les écrivait que pour lui-même, sans nulle intention de publication, comme l'ont fait – et le font encore – bon nombre de jeunes gens, poètes amateurs qui, s'ils ont caressé un temps le fantasme de la célébrité, par cette voie comme par d'autres, n'en ont jamais fait une véritable « ambition ».

Jules Verne a vingt ans, est fermement convaincu qu'il est fait pour la littérature, destiné à l'écriture, mais désespérant d'en convaincre un père plus que réticent, il s'efforce de ne pas le heurter de front tant que cela peut être évité, ce qui est une tournure d'esprit probablement acquise sous la férule des maîtres du séminaire, aussi bien que sous celle du papa autoritaire, aux idées bien arrêtées. Aussi, en bon marin, il louvoie, évite les obstacles, repousse les affrontements et, du bout des lèvres, mais non sans arrière-pensée, accepte de suivre le droit chemin, le chemin imposé, celui du droit, sa destinée selon le concept paternel.

Il a quitté le cocon familial et pris un semblant d'indépendance, vivant des maigres subsides alloués par un père comptant chaque sou, l'aspect vestimentaire restant assuré à distance par sa mère et, par l'intermédiaire complaisant d'amis et de connaissances nantais,

LE CANON

LE VOLCAN

LE BALLET DES FLOCONS.

LE MARCHÉ AUX FEMMES

LE CLAIR DE TERRE

THÉATRE DE LA GAITÉ. — *LE VOYAGE DANS LA LUNE*, opéra-féerie en quatre actes et vingt-trois tableaux, de MM. VANLOO, LETERRIER ET MORTIER Musique de M. J. OFFENBACH. — Voir la Chronique.

Affiche de la création de la féerie *Le Voyage dans la Lune*, au Théâtre de la Gaîté le 26 octobre 1875 sur la musique de J. Offenbach, d'après *De la Terre à la Lune*.

Gravure pour l'édition Hetzel de *De la Terre à la Lune*.

allant et venant entre Nantes et Paris. La correspondance de cette époque est surchargée de listes et de remarques de nature vestimentaire, souvent humoristiques, de comptes et décomptes, calculs minimalistes et pénibles marchandages d'un fils qui préfère cent fois les privations matérielles d'un séjour parisien, à la limite de la misère, à des études nantaises sans intérêt, privatives de toute possibilité d'accès aux milieux littéraires, sous la houlette paternelle et plongé dans ce milieu de bourgeoisie provinciale vis-à-vis duquel il a développé un véritable rejet. À Paris au moins, même le ventre creux, il lui est loisible de fréquenter les salons, d'y côtoyer l'admirable monde des lettres – et celui qui gravite autour de lui –, de tenter d'y briller ou tout au moins de s'y faire remarquer et d'y faire des rencontres, dont certaines deviendront des amitiés durables et un soutien dans une carrière déjà décidée, qui commence plus par l'infiltration du milieu que par des publications fracassantes. Mais Jules n'agit pas de manière occulte. Il ne cherche pas à masquer son attirance pour la littérature, sa conviction que là est son destin, ses rencontres souvent enthousiasmantes, ses essais, ses échecs et ses quelques petits succès. Il adresse à ses parents de nombreuses lettres, fort détaillées, et heureusement conservées pour la plupart. Elles sont généralement connues et publiées, parfois incomplètement ou mal transcrites, au fil des ans, des publications et des recherches. Elles seront à l'avenir rassemblées en une seule vaste publication, éclairant aussi bien les relations familiales que la genèse et le développement de la carrière littéraire de Verne, particulièrement dans cette période de 1848 à 1862, à l'issue de laquelle le « mariage littéraire» de l'auteur avec son éditeur, Pierre-Jules Hetzel, sera consommé, et le premier des *Voyages extraordinaires* sera sur les rails.

Gravure pour *Le Voyage dans la Lune*, dans *Le Monde Illustré* du 13 novembre 1875. ▶

Le Monde illustré. — N° 970.

Dessin de M. Scott.

THÉATRE DE LA GAITÉ. — *LE VOYAGE DANS LA LUNE*

Opéra-féerie en quatre actes. — Paroles de MM. Van Loo, Leterrier et A. Mortier. — Musique de J. Offenbach. — Décors de MM. Cornill, Fromont et Chéret. — Costumes de M. Grévin.

83

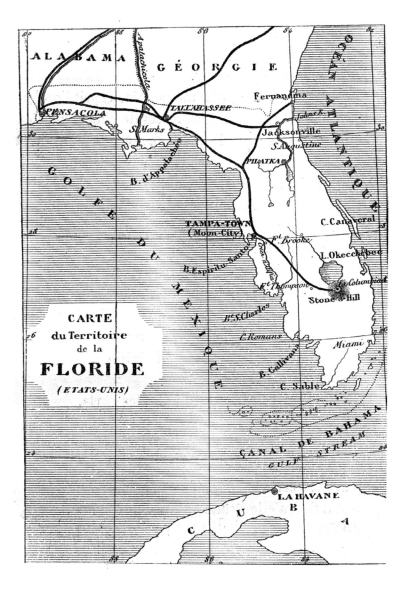

▲▶ Le tir du canon géant, la *Columbiad*, devait être dirigé vers le zénith. Or, la lune ne monte au zénith que dans les régions situées de 0° à 28° de latitude. Ces nécessités déterminèrent aux yeux d'Henri Garcet (et des membres du Gun-Club) le point précis du globe où devait être fondu l'intransportable canon, qui effectuerait sur place le tir lançant l'obus lunaire sur sa trajectoire. C'est pourquoi l'ingénieux mathématicien et cousin de Jules Verne sélectionna la Floride, plus précisément un lieu proche de la bourgade (petite à l'époque) de *Tampa*, proche de *Cap Canaveral*, où sera installé dans la réalité, un siècle plus tard, le site de lancement de la NASA (rebaptisé ultérieurement Cap Kennedy) d'où furent lancées les non moins gigantesques fusées *Saturne V* du programme *Apollo* de « conquête » de la Lune.

Dans cette correspondance, Jules évoque ses amourettes, ses besoins profonds de stabilité, de mariage, ses découragements, ses problèmes de santé, réels mais le plus souvent traités avec un humour sarcastique ; il décrit sa nourriture de façon caricaturale, sans la moindre animosité, et détaille chaque rencontre, chaque projet. Durant les premières années, les présentations de jeunes filles à marier passent nécessairement par Nantes et les familles concernées. Elles donnent lieu à d'épiques comptes rendus, dont certains sont réputés dans le monde vernien. Les huit années allant de l'installation de l'étudiant à Paris aux préparatifs de son mariage, célébré en janvier 1857, sont des années difficiles, de travail, de persévérance, de luttes, de résistance devant les difficultés. Celles-ci se projetteront dans son œuvre romancée et y joueront un rôle essentiel, entre autres, l'obsession de la nourriture ou du confort perdu, à retrouver au plus tôt. Le chauffage insuffisant, à cette époque d'hivers autrement plus rigoureux que ceux du début du XXIe siècle, provoqueront de nombreux refroidissements et une paralysie faciale récidivante qui, incomprise par la médecine d'alors, sera traitée par l'électrothérapie, à la mode à cette époque, qui lui laissera des séquelles à vie, sous forme d'un affaissement des muscles faciaux à gauche. Cette affection sera interprétée par Jules comme une « maladie des nerfs», susceptible de déboucher sur... la folie ! Aussi les personnages géniaux mais fous ne sont pas rares dans l'œuvre de Verne (Zacharius, l'horloger genevois obsédé par l'idée de se rendre maître du temps ; Hatteras, l'aventureux capitaine obsédé par le Nord, etc.), et il n'est pas douteux qu'ils sont représentatifs de cette angoisse ayant profondément marqué Verne : leur folie est irréversible (comme elle l'était, de fait, presque toujours, les fous étant aussi mal traités que maltraités par une médecine psychiatrique encore balbutiante !). Par ailleurs, les privations, aussi bien qu'un terrain héréditaire défavorable du côté du tube digestif, exposent le jeune Verne à des crises de coliques et des diarrhées fréquentes, que celui-ci commente dans ses lettres sous forme de récits et de plaisanteries à forte connotation scatologique.

Tous ces ennuis ne l'empêchent pas de travailler un peu à ses cours de droit et beaucoup à ses œuvres littéraires du moment. Poussé par Dumas fils, il est encouragé dans cette voie, interprétée alors comme la voie dramatique. Aussi, il se jette à corps perdu dans l'écriture de pièces de théâtre, comédies, drames, vaudevilles, tragédies, en prose ou en vers... et produira (ce dont le public ne se doute pas) plus de deux douzaines de pièces en une quinzaine d'années. Par la suite, même devenu romancier, il ne cessera de s'adonner au théâtre, écrivant encore diverses pièces, dont l'une sera à l'origine du fameux roman *Le Tour du monde en quatre-vingt jours*, qui, vu son succès sans précédent, sera transposé au théâtre en une pièce différente de la première qui, à son tour, deviendra un succès théâtral parmi les plus grands, avec des milliers de représentations. Elle est toujours représentée et adaptée cent trente ans après sa création!

D'autres seront des adaptations théâtrales de romans ou nouvelles. L'homme de théâtre sera toujours présent dans le romancier, qui saura exploiter au mieux, en faveur des romans, les mécanismes du théâtre, les techniques apprises et maîtrisées dans cette époque parisienne de sa jeunesse. On peut faire valoir l'idée que la réussite du romancier est, en grande partie, le succès de l'auteur dramatique travesti en romancier. La plus grande partie de ces pièces de jeunesse ne seront ni jouées, ni publiées. Quelques-unes cependant connaîtront un succès d'estime, l'une

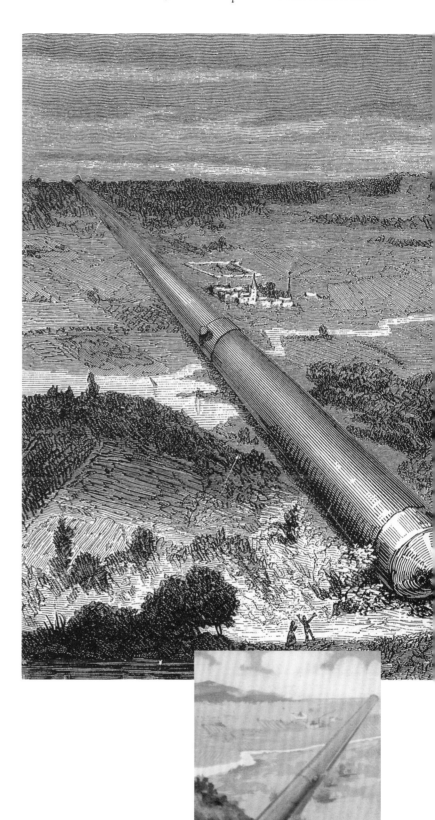

▲ Les objets nécessaires au voyage furent disposés avec ordre dans le wagon-projectile. Édition Barsal, c. 1920, image de la série *De la Tierra a la Luna*.

◄ Gravure correspondante de l'édition Hetzel pour *De la Terre à la Lune*, 1868.

Affiche pour le film *Le Voyage à la Lune d'après Jules Verne* (GB 1966) réalisé par Don Sharp. ▶

d'elles, *Les Pailles rompues*, dans laquelle Dumas fils eut une part reconnue par Verne, ayant même fait une quarantaine de représentations.

Outre le théâtre, divers essais occuperont le temps et les forces de Jules Verne : études littéraires, nouvelles, textes de chansons, etc. La plupart des nouvelles et études seront écrites sur commande de Pitre-Chevalier, un Breton qui s'était, lui aussi, pris d'amitié pour Jules et occupait le poste de Directeur du *Musée des Familles*, revue de bonne orthodoxie catholique, ce qui permit au père Verne de s'y abonner pour déguster la littérature imprimée de son fils.

En 1852, Jules Seveste, un autre Breton, Directeur du *Théâtre Lyrique*, offrira à Jules Verne un poste de secrétaire au théâtre, poste qu'il accepta sans hésitation, même mal payé ; mais, deux ans plus tard, Seveste mort dans l'épidémie de choléra qui frappe Paris, il refusera de prendre sa suite.

Il est remarquable que cette période consacrée au théâtre s'achève, en 1860 ou 1861, par l'écriture d'un roman *Paris au XXe siècle*, qui connaîtra un sort curieux et ne sera publié qu'en 1994.[6] Ce roman, encore maladroit par bien des aspects et marqué par l'habitude des dialogues, obligatoires au théâtre, situe parfaitement la nouvelle tendance et, de fait, le virage capital que prend l'écrivain conscient de son insuccès et décidé à tenter sa chance dans un autre domaine. L'intrigue est celle d'un jeune artiste, marginal dans la société de 1960, dominée par la science, la technologie et le capitalisme triomphants, dans laquelle les arts, et en particulier les Belles-Lettres, sont méprisés et largement oubliés. Les souffrances du héros et de ses rares semblables évoquent de manière limpide celles que Verne a connues au cours de la décennie écoulée, et la vision donnée par sa description de la société à venir,

modelée par la finance (qu'il connaît bien puisqu'il en a fait, depuis peu, son principal gagne-pain en tant que coulissier à la bourse !) et par la science (à travers ses retombées technologiques projetées en 1960), est dramatique, pessimiste et peu conforme à celle que lui attribue le rôle mythique de « Prophète de la Science » – qui, indûment, lui colle à la peau aujourd'hui encore –, mais par contre proche de celle ressentie de nos jours par une fraction importante de nos populations !... Cette vision, véritablement prophétique, des dangers de la science, achetée et exploitée par les puissances de l'argent, ne quittera jamais Jules Verne

et persistera en arrière-plan dans toute son œuvre; elle est révélée grâce au renouveau de l'intérêt porté à cette œuvre littéraire considérable, que l'on n'a appris que trop tardivement à lire aussi au second degré. «Exit» donc l'image infantile et fausse d'un Jules Verne «Enseignant de la Science» ou « Prophète du Progrès», à laquelle s'attachent encore des exégètes simplistes, à l'esprit conditionné par l'image du romancier telle qu'intégrée dans leur prime jeunesse. *Paris au XXe siècle*, un peu aménagé en 1863, fut présenté par Verne à l'éditeur Hetzel, à la suite du grand succès du premier roman publié, *Cinq Semaines en ballon* (1862),

Ce précieux projectile, étincelant aux rayons du soleil, était une magnifique pièce d'aluminium obtenue pour la première fois en masse aussi considérable. Un résultat prodigieux !
(*De la Terre à la Lune*, Hetzel, d'après De Montaut.)

ce qui l'avait encouragé à tenter cette offre; il fut impitoyablement rejeté par Hetzel, avec des arguments pertinents, touchant cependant plus à la forme qu'au fond. Mais il est hors de doute qu'Hetzel avait perçu la contradiction fondamentale entre le nouveau concept qu'il développait pour donner une impulsion nouvelle à sa maison d'édition (résumée par le mot d'ordre *Éducation et Récréation*) et le thème fondamental présenté dans *Paris au XXᵉ siècle,* contraire à l'apologie de la science dont il voulait Verne comme chantre. Cela est la véritable raison de ce refus, paternaliste mais définitif, qui enterra ce manuscrit pour cent trente ans et le mit définitivement hors de la sphère des *Voyages extraordinaires*. Dans ceux-ci pourtant Jules Verne fera passer bien des œuvres critiques à l'égard de la science, surtout lorsqu'elle se met au service du pouvoir. Il est tout à fait intéressant de constater, grâce à la publication de ce roman (décevant, il est vrai, sur le plan de la forme littéraire) que Jules Verne avait une conscience claire de ces questions, avant même d'avoir entrepris les *Voyages extraordinaires*, la grande œuvre de sa vie. Ce premier roman anticipateur refusé exprime déjà ces préoccupations liées à une connaissance – à ce stade surprenante – des technologies de leur avenir prévisible et de leurs rapports avec la société. Dans ce décor des plus pessimistes, celui qui plus tard sera qualifié de « Père de la Science-fiction » se meut lui-même sous les traits du héros, Michel Dufrénoy, dans une intrigue désespérante, de nature autobiographique. Il est significatif que le fils de Jules Verne, né en 1861 peu après l'écriture de ce roman – le premier de la période de maturité de l'écrivain, fut prénommé Michel, ce qui n'est pas une coïncidence ! Ce Michel-là, le Michel réel, sera en revanche un personnage bien différent du modèle idéalisé dans le roman de son père ! Mais cela est une autre histoire.

Jules Verne et la science

L'un des détails révélateurs de ce que *Le voyage au centre de la Terre* est une merveilleuse et fantastique hérésie scientifique, et non la forme romancée d'un enseignement des sciences de la Terre, se trouve dans la manière selon laquelle Verne traite la question, essentielle, de la température souterraine. Celle-ci, nécessairement aurait dû s'élever à mesure que les voyageurs descendaient dans les profondeurs de la croûte terrestre. La thérorie du «feu central» l'affirmait, qui avait cours auprès des géologues du temps, et la température, qui aurait dû s'élever au cours de leur progression, les aurait forcés à interrompre la descente et à rebrousser chemin, à commencer par leur prédécesseur, Arne Sknussem lui-même!

Un chercheur vernien a relevé un passage du roman qui caractérise remarquablement le genre de pirouette auquel se livrait Jules Verne pour contourner les impossibilités scientifiques, nécessité sans laquelle il n'aurait pu réussir à faire œuvre de création littéraire[7]. À la fin du roman, Axel évoque la position de son oncle et la sienne propre par rapport au problème, ici crucial, du «feu central»:

Comme ses théories, appuyées sur des faits certains, contredisaient les systèmes de la science sur la question du feu central, il soutint par la plume et par la parole de remarquables discussions avec les savants de tous pays.

Pour mon compte, je ne puis admettre sa théorie du refroidissement: en dépit de ce que j'ai vu, je crois et je croirai toujours à la chaleur centrale, mais j'avoue que certaines circonstances encore mal définies peuvent modifier cette loi sous l'action de phénomènes naturels[8].

On peut admirer comme par cette simple cabriole, Verne se joue des faits établis, mais sans contester la science, bien au contraire! C'est là un exemple parmi bien d'autres de l'art avec lequel Jules Verne se jouait de la science, aussi bien qu'il en usait lorsqu'elle était conforme à son dessein, ou lorsqu'elle lui était utile à justifier son propos.

La science était pour Verne une matière première dont il usait d'une façon ou d'une autre, selon les besoins artistiques de sa création. En aucun cas, il ne s'érigeait en enseignant de la science, usant du roman comme véhicule, ainsi que certains l'ont cru, et le premier sont éditeur P.-J. Hetzel qui, avec le concours habile et non désintéressé de Verne, s'était vite persuadé des talents scientifiques et didactiques du jeune romancier!

L'une des priorités du jeune Verne, à peine transplanté à Paris, est d'entendre Victor Hugo, l'idole de sa jeunesse, s'exprimer à la Chambre des Députés. Août 1848:

Oh! bonheur! Victor Hugo, que je voulais voir à tout prix, a parlé pendant une demi-heure. Je le connais maintenant. Pour le voir à sa place, j'ai écrasé une dame et arraché la lorgnette des mains d'un inconnu.

Bien plus tard, lors d'une interview donnée en 1893, il précisera:

▲ *Une Ville flottante* par Jules Verne. Les notables du Far-West emplissaient le grand salon du *Great-Eastern*. Gravure de l'édition Hetzel, illustrée par Férat.

◀ Troisième cartonnage dit « aux deux éléphants », Hetzel, 1877-1880.

On bâtissait, on ajustait, on charpentait, on gréait, on peignait, au milieu d'un incomparable désordre. Planche hors texte, *Une Ville flottante*, dès 1892. ▶

▲ Le colossal navire ressentait à peine les coups de tangage.

1869 est l'année d'écriture d'*Une Ville flottante* ; dans ce roman, Jules Verne met en scène sur le *Great-Eastern* les amours contrariées d'un couple séparé de force, à la suite d'un mariage imposé par un père affairiste. Le sort réunit les protagonistes à bord du paquebot géant, l'amour désespéré, le mari aventurier, tapageur et débauché, et la femme, Hellen, qui a perdu la raison, folle d'amour et folle par amour. Au dénouement, le misérable mari paie ses forfaits et les amants injustement séparés sont réunis, l'amour ayant rendu la raison à la belle égarée. Etrange sujet, s'intégrant mal à la ligne éditoriale d'Hetzel, à l'exception du décor : le *Great-Eastern*. On peut se demander si Mme Estelle Duchesne a fréquenté les salons du paquebot en même temps que Verne en 1867, à peine deux ans auparavant.

Le *Great-Eastern*, 7 novembre 1857. Lithographie anglaise d'après Edwin Weedon. (longueur : 695 pieds ; largeur : 118 pieds ; tonnage : 22 500 tonneaux). ▶

Au moment de monter à Paris, j'étais entièrement occupé par mes projets littéraires. J'ai été beaucoup influencé par Victor Hugo, même très passionné par la lecture et la relecture de ses œuvres. Je pouvais réciter des pages entières de Notre-Dame de Paris *mais c'étaient ses œuvres dramatiques qui m'ont influencé le plus, et c'est sous cette influence qu'à l'âge de dix-sept ans, j'ai écrit un nombre de tragédies et de comédies, pour ne pas parler des romans.*

Il faudrait lire : « j'ai commencé à écrire… », car cette influence, en réalité, s'atténue et ne couvre pas toute la période parisienne. Mais il est vrai qu'en 1848, l'étudiant en droit avait commencé un deuxième roman *Jededias Jamet*, très hugolien, resté inachevé et qui sera publié en 1993, dans le cadre d'un recueil de nouvelles inédites, sous le titre *San Carlos*.

Quant aux amis étudiants à Paris, Jules Verne se fait peu de nouvelles relations, recherchant celles-ci plutôt dans les salons littéraires. Il s'en explique dans la même interview :

Je ne puis dire avoir beaucoup fréquenté les chambres des autres étudiants, car nous autres Bretons sommes, vous savez, un peuple à l'esprit de clan, et presque tous mes amis étaient des camarades du lycée de Nantes, montés à l'Université de Paris en même temps que moi.

Et encore, parlant des amis dont il fit la connaissance pendant ses études :

L'ami à qui je dois la plus grande dette de gratitude et d'affection est Alexandre Dumas fils, que j'ai rencontré pour la première fois à l'âge de vingt et un ans. Nous sommes devenus amis presque tout de suite Il a été le premier à m'encourager. Je puis dire que c'était mon premier protecteur. Je ne le vois plus du tout maintenant, mais tant que je vivrai, je n'oublierai jamais sa gentillesse envers moi, ni la dette que j'ai envers lui. Il m'a présenté à son père ; il a travaillé en collaboration avec moi. Nous avons écrit ensemble une pièce appelée Les Pailles rompues.

Cette comédie en vers en un acte, créée le 12 juin 1850 au *Théâtre Historique*, fut en effet dédiée à Alexandre Dumas par Jules Verne, et son succès contribua certainement à l'entêtement de Verne à persévérer dans le théâtre durant la décennie entière. Trente-cinq ans plus tard, en 1885, Jules Verne en témoignage de cette indéfectible amitié, dédiera son roman *Mathias Sandorf* à son ami, surnommant cette œuvre le *Monte Cristo* des *Voyages extraordinaires*.

La recherche d'appuis, généralement en vue de projets littéraires, mais aussi de personnages influents, est par nature une démarche calculatrice, froide et quelque peu hypocrite. Un exemple cocace en est l'approche du banquier Vernes, le presque homonyme, initiée en 1854 déjà grâce à une correspondance de Pierre Verne, le père, qui en homme d'affaires, ne verrait pas d'un mauvais œil son fils se lier à ce banquier féru de généalogie familiale... En 1856, Jules développe des projets boursiers en liaison avec les préparatifs de son mariage, et renoue ce contact perdu. Il écrit en juin :

Je vais très probablement aller revoir M. Vernes de la banque ; si tu venais à Paris, comme tu n'as jamais fait connaissance avec lui, ce serait une bonne occasion de visiter enfin ce nouveau parent.

En juillet, Jules relate sa visite au « nouveau parent » :

▲ *Aventure de trois Russes et de trois Anglais*, Hetzel, 1872, illustration d'après Férat. Quelle lutte ! Quels cris discordants dans cette mêlée ! Aux aboiements du singe s'unissaient les hurlements de Palander. On ne savait plus lequel des deux était le singe ou le mathématicien.

Un Hollandais et un Hottentot se prélassant sur les bords du fleuve Orange. ▶

J'ai prétexté pour avoir cessé mes visites une longue absence de Paris dans cette première entrevue, tu penses bien que je n'ai pas voulu lui parler directement d'affaires de Bourse, ni solliciter son influence à brûle-pourpoint ; mais j'ai laissé voir qu'indépendamment de la littérature, j'aimerais bien à faire autre chose. Enfin, nous nous reverrons. C'est un singulier bonhomme, qui passe son temps à rechercher dans le monde entier tous les membres de sa famille ; il est en correspondance avec tous les départements ; il fait faire des fouilles généalogiques dans tous les lieux possibles. En un mot, il est Vernomane dans toute l'acception du mot. Il m'a montré quelques nouvelles découvertes qu'il avait faites dans ce genre. C'est une passion qui n'a rien de blâmable, et pourvu qu'il me soit utile, je lui permets de découvrir des parents jusque sous la hotte des chiffonniers de Paris.

En septembre :

Je n'ai pas revu M. Vernes. Je ne me crois pas en froid avec lui, car il m'a bien reçu. Seulement ma visite a été abrégée par une visite (sic) et je n'ai donc pas pu lui parler de mes projets de Bourse. Je voudrais bien que tu vinsses à Paris ; nous le reverrions ensemble ; en tous cas, je compte bien me servir de lui.

Parions que le « singulier bonhomme vernomane », en dépit de son adoption en tant que « nouveau parent », eût été réticent à ce que Jules « se serve de lui », ou à lui « être utile », s'il avait pu lire le dédain qu'il inspirait à son futur protégé !

Très tôt, le jeune Nantais devenu Parisien perçoit le caractère relatif de sa liberté nouvellement acquise : le père entrouvre difficilement les cordons de sa bourse. L'argent manque, sans qu'il puisse trop ouvertement s'en plaindre. Qu'à cela ne tienne : les comptes précis exigés par le mesquin avoué paternel devront, à eux seuls, en rendre compte. Il ne reçoit qu'un subside mensuel de cent francs. En dépit des difficultés que le futur homme de lettres prétend avoir à faire la moindre

JULES VERNE

AVENTURES DE TROIS RUSSES ET DE TROIS ANGLAIS DANS L'AFRIQUE AUSTRALE

PANNEMAKER.

CHAPITRE PREMIER

▲ *Le Pays des Fourrures*, le chasseur canadien avait offert cette magnifique fourrure avec tant de grâce qu'un refus eût été blessant.

◄ *Le Pays des Fourrures*, Hetzel 1873, cartonnage « aux deux éléphants » (1877 à 1880).

addition, ses démonstrations chiffrées parviendront à augmenter la pension à cent cinquante francs, bien que parfois il ne lui en parviendra que cent vingt-cinq. Malgré l'augmentation, il connaît la faim, le froid, et toutes sortes de privations (vêtements, spectacles, et surtout… livres !).

L'un de ses bons amis de Nantes, heureusement nommé Édouard Bonamy, partage avec lui son logement d'étudiant, par souci d'économies. Malheureusement, Jules Verne a deux « talons d'Achille », de ceux qui, plus que les bras et les jambes, font l'homme : la tête et le ventre. Bien qu'il n'en soit pas convaincu, la faiblesse n'est pas, comme il le craint affreusement, sans oser l'évoquer ouvertement, au niveau de la partie centrale de son système nerveux, le cerveau ! Elle se situe là où elle se manifeste : au visage. C'est d'une paralysie faciale récidivante, fort désagréable et, surtout, très angoissante en ce milieu de XIXᵉ siècle qui ne sait pas en distinguer l'origine. À cet égard sont parlantes les lignes qu'il écrit à chacune de ces crises, et qu'il convient aussi de lire… entre les lignes. Le ventre, on l'a vu, est un puissant handicap, hérité des Allotte par sa mère que, lassé de ces interminables crises de coliques et de diarrhées, il finit par accuser, comme si la pauvre femme avait eu le choix ! À distance, pour ce qui nous concerne, cette affection, doublée d'une boulimie peut-être réactionnelle, mais qui n'arrangeait certainement pas cet état de choses, procure au lecteur de cette correspondance familiale des moments de franche hilarité produite par l'humour scatologique grinçant avec lequel Verne décrit ces petites misères de la vie humaine. Notons encore, à propos de ce type d'humour, relativement mal noté de nos jours, que le XIXᵉ siècle s'en accommodait fort bien, probablement parce que vivant encore à ce propos sur un mode d'inconfort quotidien, à peu de chose près équivalent à

LE PAYS DES FOURRURES

Jules Verne

103. DESSINS PAR P. FERAT & BAUREPAIRE

▲ L'épanouissement des flammes volcaniques produisaient des effets de lumière qu'aucune plume, qu'aucun pinceau ne sauraient rendre ! Choc de rayons véritablement magique !

Il fallait exterminer ces redoutables animaux. Des coups de feu éclatèrent au milieu des noirs tourbillons de fumée. ▶

celui des temps passés, et aujourd'hui pratiquement oublié sous nos latitudes. Ce n'est pas par hasard que les « vespasiennes » de Paris étaient surnommées les « inodores »!

Tout ceci, peines d'argent, peines d'amour, peines faciales et gastro-intestinales, s'entremêle dans les lettres du jeune Jules Verne, assaisonnées de descriptions hilarantes, en un capharnaüm amusant exprimant cependant les peines et les craintes réelles du jeune auteur, qui conditionnent son existence, marquent sa personnalité et portent les germes de certaines constantes des futurs *Voyages extraordinaires*.

Voici ce que donne ce mélange dès le début de la période parisienne (novembre 1848):

Cher papa, [...] Je ne vous ai pas écrit plutôt (sic), parce que j'attendais l'arrivée de la caisse; je l'ai reçue en bon état; mais la lettre de voiture portait pour transport 4,75 que j'ai dû payer. Comme elle était chez Mme Arnous, le transport a été de 1 franc. Je vais te donner ici la note que tu me demandes, cette lettre sera pleine de chiffres. [...] J'ai trouvé dans la maison une ouvrière qui raccommode, pantalon, gilets, paletot, c'est fort commode. Quant à ma blanchisseuse, j'ai choisi une de ces femmes qui travaillent hors de Paris; les blanchisseuses des rues en effet, déchirent, usent le linge, le brûlent pour vous le donner promptement. La mienne vient tous les dix jours à Paris. Quant au prix, je ne le sais pas encore au juste, mais la pièce la plus élevée, la chemise coûtera 6 sols. Qu'en dit maman ? – Cette femme se charge d'entretenir le linge en état; mais ces réparations seront en sus. À la fin du mois, je vous donnerai la note exacte de tout cela. Outre les dépenses de papier, encre, etc., etc., car je n'avais rien, j'ai dû me procurer un vêtement pour la chambre; j'en manquais complètement. Ce que j'ai trouvé de plus chaud et de meilleur marché a été une robe de chambre; c'est une excellente acquisition, dont la jouissance est toujours plus vive et plus sentie. J'ai dit jeudi, cher

▲ *Le Tour du Monde en 80 jours*, Hetzel, 1873, illlustré par A. De Neuville et L. Benett. Philéas Fogg: l'un plus beaux gentlemen de la haute société anglaise. Il parlait aussi peu que possible et semblait d'autant plus mystérieux qu'il était silencieux (d'après De Neuville).

Affiche de la création de la pièce du *Tour du Monde en 80 jours* au *Théâtre de la Porte St-Martin*. Le 7 novembre 1874. Cet exemplaire a appartenu à Jules Verne. ▶

papa, que j'aurais pour 150 francs de vêtements à peu près que je désire payer de suite.

En partant tu m'as recommandé de tâcher de me nourrir pour 2 francs par jour, déjeuner au dîner. Cela peut se faire quelquefois mais pas toujours.

Toutes les fois que je puis aller à la taverne, qui est à une lieue de chez moi, c'est très bien. Là, pour 22 sols, je trouve une nourriture saine et c'est ce dont j'ai besoin. Depuis que je suis à Paris, les coliques ne me quittent guère, malgré toutes mes précautions. L'autre nuit, j'ai eu de très violents vomissements qui n'ont pas eu heureusement de suite; mon estomac, que je commence à trouver assez incommode, ne me permet guère de jouer avec la qualité des mets; et ce n'est pas en dînant à bas prix que je pourrai le contenter sans qu'il se plaigne, et Dieu sait ce que seraient ses lamentations, si la providence n'avait pas mis l'oasis dans le désert... et les inodores dans Paris. Or lorsqu'il pleuvra, neigera, outre le temps que demande cette course, je ne pourrai guère aller jusqu'à cette taverne. La plupart du temps, il me faudra dîner dans mon quartier; et tout en mangeant peu, et simplement, il faudra bien que les 40 sols y passent. D'un autre côté, mon déjeuner me coûte au moins 4 sols. Pain et lait, et souvent un pain de 2 sols ne suffit pas. Joignez à cela les indispensables cinq centimes du garçon, j'en aurai bien souvent pour 47 ou 48 sols par jour. Je te prie d'examiner tout cela, cher papa, afin de baser la pension sur des calculs bien arrêtés. Je vais te parler brièvement pour que tu les comprennes, des dépenses portées ci-dessous. J'ai pour 20 francs de livres de droit [...] Le portier de ma maison m'a coûté 5 francs, dépenses des plus nécessaires au moyen de laquelle sans doute Hercule dompta Cerbère! J'ai déjà besoin de souliers, et les souliers coûtent plus cher à Paris qu'à Nantes. Tu verras figurer beaucoup de x, ce sont les dépenses à échoir à la fin du mois, et dont j'ignore le montant. Je vois déjà que par mois, j'aurai ces dépenses-ci: chambre 30, nourriture 70, cela fait déjà 100 francs.

J'aurai en outre le bois, l'huile, les vêtements, les gants, souliers, chapeau, blanchissage, raccommodage (le café et sucre

compris dans les déjeuners), lettres, et enfin les menus plaisirs ;
c'est aujourd'hui que je m'aperçois que menu est un superlatif.
Ah ! quand on voit tout ce qu'il faut pour vivre en société, on en
est à regretter Jean-Jacques, et son état de pure nature ! Voici
maintenant les dépenses faites.

300 francs voyage et installation,	
comprenant loyer, vaisselle, complète, porteurs	72
inscription	15
livres de droit	20
portier	5
papier, plumes	4,5
tailleur à compte	100
divers à jour	15,75
huile	1,70
café	1
robe	22
sucre	1
total	259,95
Ôtez les 259,95 de 300, il reste	40,05
Ôtez encore boîte	6
	34,05
Or, j'ai encore en dépenses au 12 décembre	
chambre	30
déjeuners	x
bois	x
lettres	x
souliers	x

◄ Projets d'illustrations pour *Le Tour du Monde en 80 jours*, dessins originaux
par Charles Revel, lavis, gouache et mine de plomb. Hetzel n'a pas retenu cet
illustrateur en 1873.

Affiche Louis Galice, c. 1905. ►

Le bois me coûtera à peu près 6 francs par mois, parce que je fais de moitié avec Édouard. Bref je n'ai encore rien dépensé pour moi, si ce n'est une paire de gants [...] Ainsi, mon cher papa, tu peux procéder sur ces données à l'établissement des comptes ; elles sont exactes, vu que je tiens un compte exact de tout, et je t'assure que Hercule en soutenant le monde ne se fatigue pas tant que moi [9].

[...] Écrivez-moi, souvent. Je n'ai pas eu encore de lettres de vous ; quelques mots seulement. Je veux de longues lettres, j'en ai besoin ; aussi jamais je ne suis plus content que lorsque ma portière me dit avec un gracieux sourire, sourire payé 5 francs, Monsieur, c'est une lettre qu'est vous le facteur m'a dit...

Adieu, mon cher papa, et maman, je vous embrasse tous, des lettres, des lettres, des nouvelles de Paul, et d'Anna, et des autres.

Ton fils qui t'aime.
J. Verne

La fatigue, certainement réelle, explique-t-elle à elle seule la lacune qui lui fait confondre Atlas et Hercule ?

Le 27 novembre 1848 :
Sous le rapport physique, chère maman, je te ressemble beaucoup. Les intestins me font souffrir, je mange pourtant fort

105

▲ Non loin s'élevaient Ellora et ses pagodes admirables (d'après Benett).
Le Tour du Monde en 80 jours, Hetzel.

Affiche par l'imprimerie Emile Lévy, c. 1886. ▶

peu, sont-ce les mets d'une qualité inférieure ? Je ne sais. Pourtant, j'ai bien pris garde de ne pas boire d'eau de Seine pure, j'ai toujours eu soin d'en détruire le principe malfaisant par un mélange quelconque. [...] *Ma maudite montre me coûte 6 francs de réparation, mon parapluie 15 francs, j'ai été obligé de me fournir d'une paire de bottes et une de souliers, de sorte que, sans avoir rien dépensé pour moi, je me trouve aussi à sec que le trésor public !*

Il s'en fallait encore de dix à quinze ans pour que les micro-organismes soient découverts par Louis Pasteur !...

Le 6 décembre 1848 :
Quant au pantalon noir dont tu m'as parlé, mon cher papa, je l'ai sur le cœur, et ne l'ai jamais eu sur les jambes ! Ce pantalon, c'est Paul qui l'a commandé et essayé quand il fut question qu'il vienne à Paris. Je ne me suis pas fait faire de pantalon noir, bien que le besoin s'en fît grandement sentir. Je voudrais bien que mon compte de chaque mois fût établi car je m'y perds. En tous cas, j'ai besoin d'argent avant le douze !

J'ai encore une passion malheureuse ! Je suis dans le plus affreux dénuement de livres de littérature, et j'ai des crispations nerveuses quand je passe devant la boutique d'un libraire ! Je ne puis me passer de livres, c'est impossible ! [...] Que fait-on, que dit-on à Nantes ? Enragés Cavaignacistes de Nantais. Mais Cavaignac est admirablement coulé à Paris, tous les journaux se rallient à Napoléon !

On ne sait s'il y aura du trouble. En tous cas, je ne m'en mêle pas. [...] Demain Mme de Barrère me présente je ne sais où. En tous cas elle me fera faire connaissance avec un jeune homme ami intime de Victor Hugo ; lequel jeune homme pourra réaliser le plus cher de mes rêves. [...]

L'examen de droit avance, c'est pour le mois de janvier, il est fort ennuyeux, plus assommant que difficile.

106

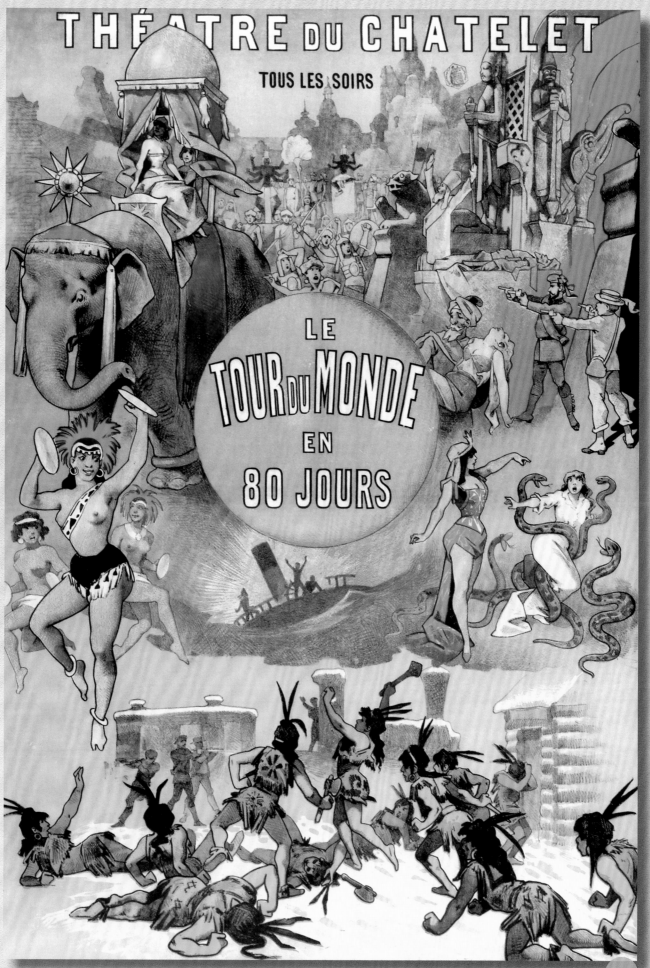

▲ Hetzel, premier
cartonnage « aux bouquets
de roses » pour *Le Tour du
Monde en 80 jours*, 1873.

◀ Illustration d'après
Henri Meyer, pour *Le
Petit Journal*, supplément
illustré du 13 mars 1898.
Héliogravure pour la pièce
Le Tour du Monde en 80 jours
magnifiquement reprise
au *Châtelet* par M. Floury.

Deux vues stéréoscopiques d'une série de 24 consacrées à la pièce *Le Tour du Monde en 80 jours* (photographies prises au Théâtre du Châtelet vers 1890).Ci-dessus n° 10 : Le pont du steamer (16e tableau). Ci-dessous n° 8 : La ligne du Pacifique (12e tableau).

Le 12 décembre 1848 :

Mon cher papa,

J'ai reçu hier le mandat que tu m'as envoyé et j'en ai touché le montant sans difficulté. Ma santé n'est pas fameuse et le docteur m'ordonne une nourriture plus abondante. Il en résultera certainement une dépense supplémentaire de 1 franc par jour. Bien que les élections soient faites, il se pourrait fort bien qu'il y ait du bruit. Hier soir d'immenses troupes d'hommes ont parcouru les boulevards avec d'horribles vociférations. De fortes patrouilles circulaient dans les rues ; partout des groupes fort animés. On est, en général, pour Bonaparte et à moins d'une fraude insigne, on présume qu'il doit être nommé. Une guerre, une émeute ne peuvent être maintenant que guerre civile ; pour qui prendre parti ? Qui représentera le parti de l'ordre ? Sous quel drapeau se ranger ? La garde nationale, la mobile, l'armée ? Tout sera divisé. Qu'arrivera-t-il ? On ne sait vraiment pas ce que cela va devenir ! Quant à moi, cric, crac, je ferme ma porte, et je reste chez moi à travailler, pourvu qu'on ne me tracasse pas. Qu'ils se débrouillent comme ils voudront. Quant à la société de Mme de Barrère, cher papa, quant aux réceptions des auteurs dramatiques, sois tranquille, je sais ce qu'il y a à prendre et laisser. Mais en tous cas, et avec une bonne règle de conduite, je crois qu'il y a beaucoup plus à gagner qu'à perdre. C'est vraiment un plaisir par trop incompris à Nantes que celui d'être au courant de la littérature, de s'occuper de la tournure qu'elle prend, de voir les différentes phase par où elle passe […] Il y a des études profondes à faire sur le genre présent et surtout sur le genre à venir. Malheureusement cette infernale politique mange tout, et couvre toute la belle poésie de son manteau prosaïque ! Au diable ministres et présidents, s'il reste encore en France un poète pour faire tressaillir les cœurs !

Que voilà bien un étudiant sans pulsions révolutionnaires et d'une extraordinaire indifférence en politique ! Le *Cric, crac, je ferme ma porte* est devenu fameux !

Nellie Bly, célèbre voyageuse et correspondante à New York du *World*. Envoyée par son journal, elle fit le tour du monde en 72 jours 6 heures et 11 minutes (du 14 novembre 1889 au 25 janvier 1890). Portrait photographique par G. P. Hall & son paru dans le supplément du *World* le 2 février 1890. Cet exemplaire avait été adressé par Nellie Bly à Jules Verne qu'elle avait rencontré à Amiens au cours de son voyage.

Le 27 décembre :

Ma santé se raffermit, les coliques ne reviennent plus que de loin en loin, comme les derniers éclairs d'un orage ! Les trois repas par jour font très bon effet. Et un peu de viande le matin. Mais comme tu le penses, cela augmente les frais de nourriture. Cela monte à 2 fr., par jour, à peu près, soit, ma foi, je ne suis pas capable de multiplier 2,75 par 30 – parce qu'il y a des centimes ! Du reste, cela a augmenté les dépenses. De plus, il va falloir donner des étrennes au garçon et au portier. C'est pour cela, que je voudrais avoir un peu d'argent avant le 1er janvier 1849. C'est pour cela qu'il faudrait que tu me répondisses, le même jour que tu recevras ma lettre. Je suis presque au bout de mon examen. C'est heureux, car sans être difficile, il est bien ennuyeux.

Déjà à la fin de cette année 1848, Pierre Verne, à moins d'être sourd et aveugle, ne pouvait pas ne pas percevoir la différence de ton dès lors qu'il était question de littérature... ou de droit !

Le Tour du Monde en 80 jours, Hetzel, deux gravures d'après Benett.

▲ Ces vieillards avaient tous 80 ans au moins ; à cet âge, ils avaient le privilège de porter la couleur jaune, qui est la couleur impériale.

Et l'on passa ! Et ce fut comme un éclair. On ne vit rien du pont. Mais à peine le train avait-il franchi la rivière, que le pont, définitivement ruiné s'abîmait avec fracas (d'après Benett). ▶

Affiche française pour le film *Le Tour du Monde en 80 jours*, USA, produit par Michael Todd et réalisé par John Farrow et Michael Anderson (1956). ▶▶

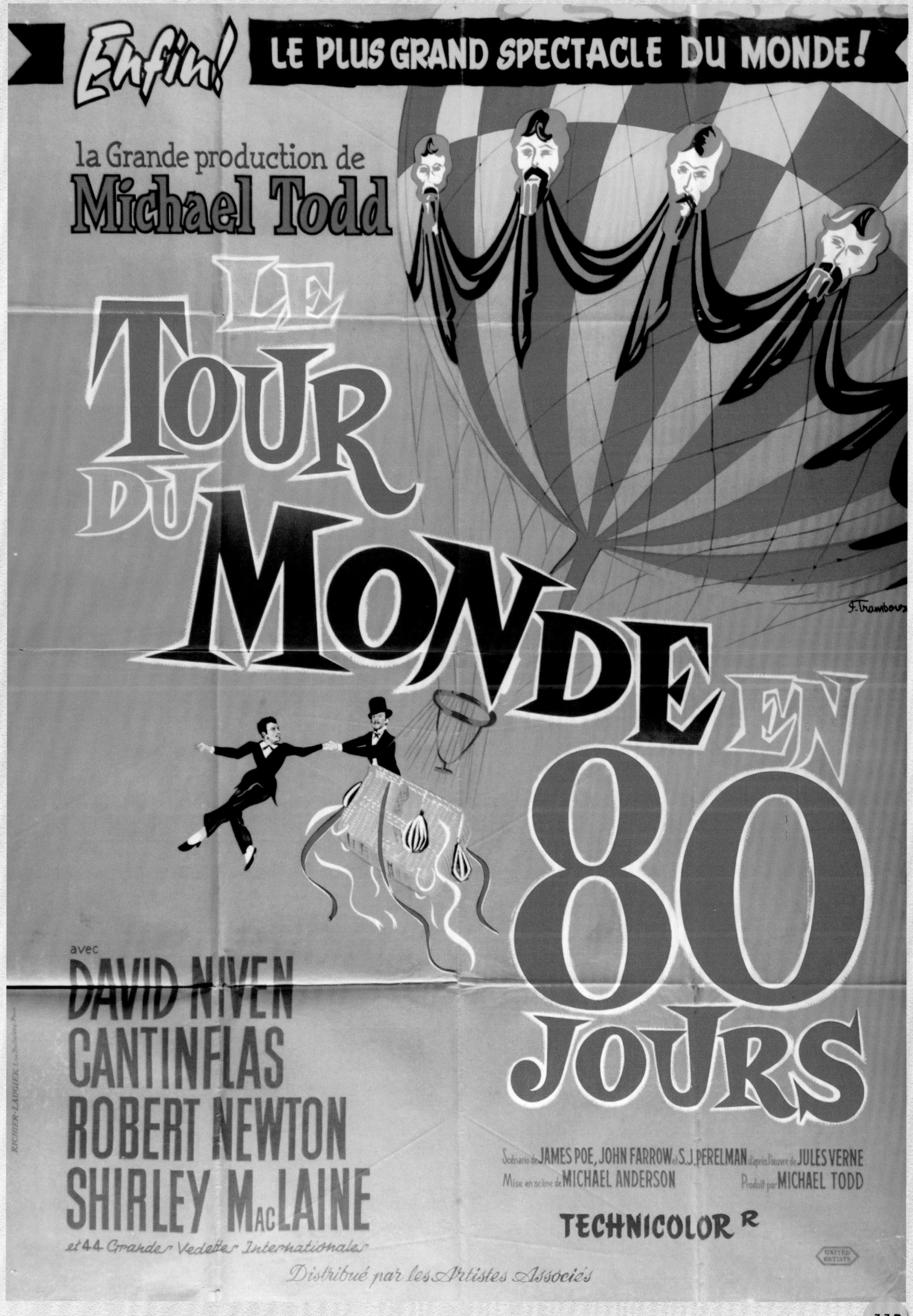
Enfin!
LE PLUS GRAND SPECTACLE DU MONDE!
la Grande production de
Michael Todd
LE TOUR DU MONDE EN 80 JOURS
avec
DAVID NIVEN
CANTINFLAS
ROBERT NEWTON
SHIRLEY MacLAINE
et 44 Grandes Vedettes Internationales
Scénario de JAMES POE, JOHN FARROW et S.J. PERELMAN d'après l'oeuvre de JULES VERNE
Mise en scène de MICHAEL ANDERSON
Produit par MICHAEL TODD
TECHNICOLOR R
UNITED ARTISTS
Distribué par les Artistes Associés
RICHIER-LAUGIER

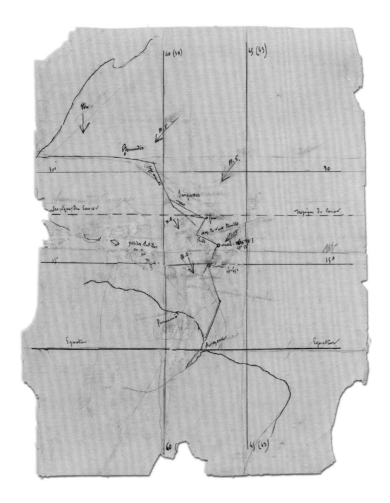

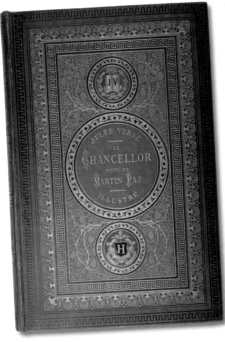

▲ Dessin autographe inédit de Jules Verne à la plume et au crayon sur papier pelure, retraçant, pour la préparation du roman *Le Chancellor*, la trajectoire du bateau devenu un radeau.

◀ (Hetzel, 1875). Premier cartonnage dit « aux initiales JV-JH » pour le titre isolé.

Gravure montrant *Le Chancellor*, au départ, d'après Riou l'illustrateur du roman. ▶

Le 8 janvier 1849 :

N'aurais-tu donc pas reçu mon cher papa, cette lettre que je t'ai écrite, où je te disais que les suppositions à l'endroit de ma non économie n'étaient pas fondées ; où je te montrais que cette somme par moi demandée, était destinée au paiement d'une inscription, et d'étrennes de garçon et portier ? Je me suis pourtant hâté d'écrire cette lettre, parce que je ne voulais pas que ces mauvaises idées sur mon compte puissent troubler ta joie à l'occasion du nouvel an ! Ce que je pensais devoir arriver d'après ta lettre, mon cher papa ! [...]

Tu sais que ce n'est que 60 francs que j'ai reçu. Car il faut ôter :

> *inscription 15*
> *étrennes 15*
> *tes étrennes 10*
> *à ôter 40*

Il me reste donc à recevoir le complément, plus les frais d'examen qui sont de 95 francs, et les quelques étrennes qui pourraient exister....

Mes relations littéraires se sont bien étendues. Une autre fois, je vous conterai tout cela. Mon examen sera passé vers le 20 du mois !

Les missives précédentes ont rendu le père grincheux. Il adresse à Jules une lettre pleine de reproches et de remontrances, l'accusant entre autres de n'avoir en vue qu'une carrière littéraire, d'être sur le point d'abandonner le droit, de ne plus vouloir faire sa vie à Nantes, etc. Pierre Verne est évidemment dans le vrai. Mais Jules, constatant qu'il est allé trop loin avec ses allusions transparentes et répétitives, cherche à corriger le tir *in extremis* et engage une retraite stratégique, avec des effets d'avocat en plaidoirie :

Le 24 janvier 1849 :

Mon cher papa,

J'ai lu et relu trois fois la longue lettre que tu viens de m'écrire, et je ne peux pas comprendre sous l'empire de quelles

▲ A onze heures, les cloisons du *Chancellor* éclatent, laissant passage à l'air chaud et à la fumée. Aussitôt des torrents de vapeur s'échappent et une longue langue de flamme vient lécher le mât.
Le Chancellor, Hetzel 1875, illustré par Férat.

Les survivants du *Chancellor* réfugiés sur un radeau, à l'image de celui de *La Méduse*. ▶

pensées tu l'as tracée ! Je te remercie beaucoup de tes excellents conseils, mais il me semble que jusqu'ici je n'ai fait que suivre cette ligne de conduite, et me suis constamment tenu en dehors de tout ce qui pouvait se passer d'excentrique à mes yeux. Moi-même, j'ai été le premier à reconnaître ce qu'il y avait de bon et de mauvais à prendre et à laisser dans ces sociétés d'artistes, dont le nom vous effraye bien plus que la chose ne le mérite. Il faut que je ne sais quels bruits aient été répandus sur mon compte. [...] Et d'abord, parlons de droit ! [...]

Je ne crois pas que ce soit la première fois dans ma lettre que tu aies pu dire : que mon examen est ennuyeux ! que je voudrais bien en avoir fini avec ce fatras de textes et lois ! [...] Je passe mon examen mardi prochain, et je t'assure que j'en perds la tête ! Je crois pouvoir affirmer que je serai reçu ; il ne faut jurer de rien !

J'ai beaucoup travaillé, et je travaille encore et c'est précisément pour cela que je voudrais en avoir fini avec cet examen de licence. Mais est-ce à dire que je vais me croiser les bras ensuite, et ne plus m'occuper de droit ? [...] Ne sais-je pas que ma thèse doit être passée vers le mois d'août, et qu'à cette époque je serai reçu avocat ? Mais, mon cher papa, est-ce que, si j'avais même une autre carrière en vue, j'en serais venu jusqu'à ce point pour abandonner mes études ou les retarder ? Est-ce que ce ne serait pas de la folie toute pure ? Évidemment si, et si j'ai parfois quelques idées singulières dans la tête, du moins je ne perds pas complètement la raison ! [...]

Maintenant, mon cher papa, tu t'es beaucoup ému de quelques mots qui selon moi n'ont aucune portée ; et moi ! que sais-je ? Je compare mon avenir à celui de Paul ; et nous faisons quelques châteaux en Espagne ! [...]

Quant à cette observation que je vais prendre la province en pitié, mon cher papa, tu sais ce qu'il en est ! tu n'ignores pas l'attrait irrésistible qu'a Paris pour tout le monde, et pour tous les jeunes gens en particulier ! Il est certain que j'aimerais mieux vivre à Paris qu'à Nantes ; cela ne fait pas le moindre doute, et c'est du reste ce qu'on entend dire de tous les côtés. Mais ceci est je crois affaire d'habitude et avec mon caractère, tu le sais, *on se plaît partout où l'on se trouve ! Ainsi il n'y aura que cette différence entre ces deux existences : à Paris, je ne regrette point Nantes mais à Nantes, je regretterai un peu Paris, ce qui ne m'empêchera pas d'y vivre fort tranquillement. [...]*

Tu m'as cité la fable du chien qui jette sa proie pour de l'ombre, et je crois qu'elle n'eut jamais été mieux appliquée, si mes idées eussent été telles ! J'ai été le premier à reconnaître l'excellence de ma position à Nantes, et j'en ai été fier ! Et j'ai dû et devrai toujours te remercier, mon cher papa, de me l'avoir ainsi faite : mais j'ai toujours dit que je serai avocat. Si par suite de mes études littéraires qui, comme tu le reconnais parfaitement, servent dans toutes les positions, je me trouvais avoir quelques idées d'essais en ce genre, je te l'ai répété bien souvent ce ne devait être qu'un accessoire qui n'écarte en rien du but proposé ! je suis plus positif que cela ! Mais cependant, tu me dis ceci : veux-tu dire que tu seras académicien, poète couronné, romancier émérite ? Si je devais devenir tel, mon cher papa, tu serais le premier à me pousser dans cette carrière ! et le premier

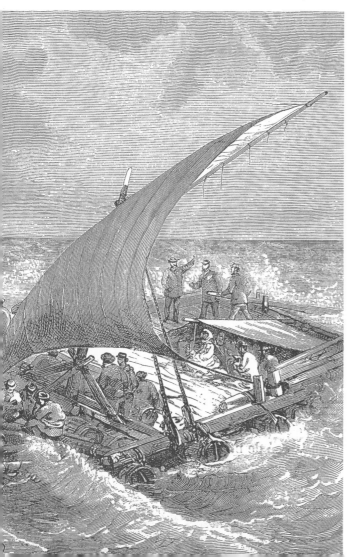

tu en serais fier ! Car c'est la plus belle position qu'on puisse avoir dans le monde ! Et si je devais le devenir, ma vocation m'y pousserait irrésistiblement ! Mais nous n'en sommes pas là !

Nous n'en sommes pas là, mais nous y serons bientôt ! Manifestement, Jules Verne, en bon avocat plaide le faux en sachant le vrai, et sa plaidoirie a parfois quelques accents de vérité... Le père s'y est-il

JULES VERNE

LE DOCTEUR OX

COLLECTION HETZEL

▲ Frontispice de l'édition Hetzel (Bayard)

◄ Cartonnage brun-lilas clair, dit « aux intiales JV-JH » (1875).

Le Docteur Ox, recueil de nouvelles parues d'abord au *Musée des Familles* entre 1851 et 1872, puis chez Hetzel en édition illustrée (1874). Il contient les nouvelles suivantes illlustrées chacune par un autre artiste dont les noms figurent entre parenthèses. – *Le Docteur Ox* (Froelich) – *Maître Zacharius* (Schuler) – *Un Drame dans les airs* (Bayard et Marie) – *Un Hivernage dans les glaces* (Marie et Yon), auxquelles s'ajoute un récit de Paul Verne (frère de Jules) : *Quarantième Ascension française au Mont-Blanc* (Yon).

La ville de Quiquendone (d'après de Bar) qu'il est inutile de chercher même sur les meilleures cartes des Flandres. ►

laissé prendre ? Il y a toujours eu un grand nombre d'amateurs dans l'art de manier le mensonge et de le travestir ; et parmi eux des artistes : les avocats et les avoués !… Dans deux ans à peine, la vérité sortira du puits ! Jules Verne la connaît déjà. Il laisse son père cultiver quelques illusions, et à payer la pension, modique il est vrai, d'un fils qui connaît son destin, mais pas le chemin.

Cependant, Jules a raison sur tous les plans : le moment venu, son père sera, en effet fier de lui, et l'encouragera à embrasser cette carrière « d'artiste », qui l'inquiétait tant autrefois, ce seul mot le plongeant dans l'angoisse.

Ces lettres à ses parents, nombreuses et détaillées, sont pour la plupart connues aujourd'hui et en bonne partie publiées, au fil des ans et des recherches. Elles devraient toutefois être réunies dans une publication aussi complète que possible, qui éclairera mieux encore cette période de jeunesse, la plus intéressante pour l'étude de l'écrivain, car on y trouve les événements et les personnes qui ont joué un rôle à l'époque des premiers essais littéraires et dans l'œuvre à venir. Connue des spécialistes, mais ignorée du grand public, cette correspondance intimiste évoque les rencontres de Verne, ses amourettes, ses espoirs et ses découragements ; il détaille ses premiers écrits et leur destinée, les affections dont il souffre et toutes les misères, grandes et petites, de sa vie quotidienne. Elles sont souvent conditionnées par la maigreur des subsides paternels qu'il démontre par des calculs précis à l'adresse d'un père qui, par profession et par nature, est habitué à compter chaque sou. S'il s'en plaint indirectement, il n'en fait jamais reproche.

On doit regretter l'absence des lettres de son père ou de sa mère, l'écrivain ayant détruit, l'âge venant, toute la correspondance de sa jeunesse. Il pensait, à tort ou à raison, que, sa notoriété aidant, elle finirait par dévoiler

NOUVELLES.

UNE FANTAISIE DU DOCTEUR OX.

Quiquendone. Dessin de A. de Bar.

▲ Gravure pour *Le Docteur Ox* au *Musée des Familles* (d'après U. Parent) : une représentation agitée à Quiquendone.

Maître Zacharius (Hetzel). Cet orgueilleux vieillard demeurait immobile, insensible et muet comme une statue de pierre. ▶

Un Hivernage dans les glaces (Hetzel). *La Jeune-Hardie* allait hiverner aux abords du Groenland. ▼

sur la place publique les relations, sentiments et événements les plus intimes, dont la seule place devait rester, selon lui, celle du cœur. Cependant, à travers les réponses du fils, il est parfois possible sinon aisé de déduire les doutes ou les angoisses des parents.

Il est certain que cette période d'incertitudes et de bourse plate, dont Verne aura le plus grand mal à sortir, aura sur son œuvre une influence considérable. Créant dans l'espace clos de sa chambre d'étudiant mal chauffée, comme sur un îlot battu par les vents, ce Robinson maigrichon, fréquemment enrhumé, affamé, se plonge dans la foule parisienne qui évoque en lui un océan en mouvement, indifférent à son sort, au milieu duquel il s'efforce de surnager, de trouver sa place. Le « complexe de l'île » s'ancre profondément en lui, et se manifestera déjà dans certaines de ses premières œuvres, mais surtout dans sa création romancée, sous la forme d'une recherche centrée sur la survie, mais au moins autant sur le confort à retrouver, l'indispensable se joignant à l'utile pour apporter le retour du superflu, si agréable. Cependant, ce qui demeure constant dans cette longue période de mûrissement littéraire qui l'amène en 1862 à franchir le seuil de l'éditeur Pierre-Jules Hetzel, c'est la certitude inébranlable que ce sera *la littérature* et rien d'autre ! Ce sera donc le temps de l'écriture acharnée, multidirectionnelle, qui verra se succéder essais, comédies, vaudevilles, drames en prose ou en vers, nouvelles, chansons et finalement, ses premiers romans achevés, au nombre de deux: *Paris au XXᵉ siècle* (1860) et *Cinq Semaines en ballon* (1862), qui connurent un sort opposé.

Et les femmes, dans tout cela ? Étudiant au milieu d'un groupe de copains presque tous Bretons comme lui, Verne est inscrit en bonne place au dîner hebdomadaire des « Onze-sans-femme », tous célibataires « endurcis ». On y mange certes, mais y fait-on ripaille ? On y boit, cela oui, et surtout on rit, on plaisante, on cancane, on déclame, on bavarde entre hommes. Avec une

▲ *L'Île mystérieuse* (Hetzel 1875).
Les passagers parvinrent à se dégager
des mailles du filet. Le ballon, délesté
de leur poids, fut repris par le vent.

◄ Essai pour un premier cartonnage de
L'Île mystérieuse, non retenu par Hetzel.

Affiche française pour le film franco-
italo-espagnol *L'Île mystérieuse* (1973)
réalisé par Juan-Antonio Bardem
et Henri Colpi. ▶

certaine vraisemblance, un texte intitulé *Lamentations d'un poil de cul de femme* a été attribué à Jules Verne[10], et pourrait correspondre à la fin de cette période d'insouciance, cependant soucieuse. En quelques années, Jules Verne se trouvera le dernier des « Onze-sans-femme », le seul à n'avoir pas encore trouvé chaussure à son pied ! En 1850, Jules a été reçu avocat et la bataille épistolaire avec un père de plus en plus pressant devient ardue. Verne, on le sait, achève avec l'aide de Dumas fils *Les Pailles rompues*. Ce n'est pas sa première pièce de théâtre, mais la première à avoir été représentée, et elle connaît un succès suffisant qui justifie douze représentations auxquelles Dumas n'est sans doute pas étranger. Pour vivre, il faut manger ; pour manger, il faut de l'argent ; donc il faut le gagner : Jules se prive de tout pour obtenir ces représentations.

Il écrit : *15 fr. Ce que m'a rapporté cette pièce qui a à peu près couvert les dépenses qu'elle m'avait occasionné. Aussi, avais-je tout sacrifié pour un succès littéraire, ce qui valait mieux qu'un succès pécuniaire. L'argent viendra ensuite...*

Eh oui, pour gagner de l'argent, il ne suffit pas d'écrire : il faut se faire représenter et se faire éditer ; pour cela, il faut des amis. Jules le sait depuis 1848, et c'est ce travail préparatoire de trois années qui commence à produire ses fruits, encore bien pauvres, il est vrai. Dumas s'est chargé de trouver à imprimer la pièce, qui le sera aux frais d'un autre ami de Verne, un Nantais, Charles Maisonneuve ; il sera remercié en vers :

Je suis ton débiteur d'argent et d'amitié.
Comme ma bourse, ami, n'a jamais rien payé,
Ce sera mon cœur seul qui te paiera mes dettes.

Et à Alexandre Dumas fils :

De votre appui, Monsieur, hautement je m'honore
Puisque grâce à vos soins, je suis resté vainqueur.
En me donnant la main, vous me donniez plus encore
Car là, chacun le sait, est placé votre cœur.

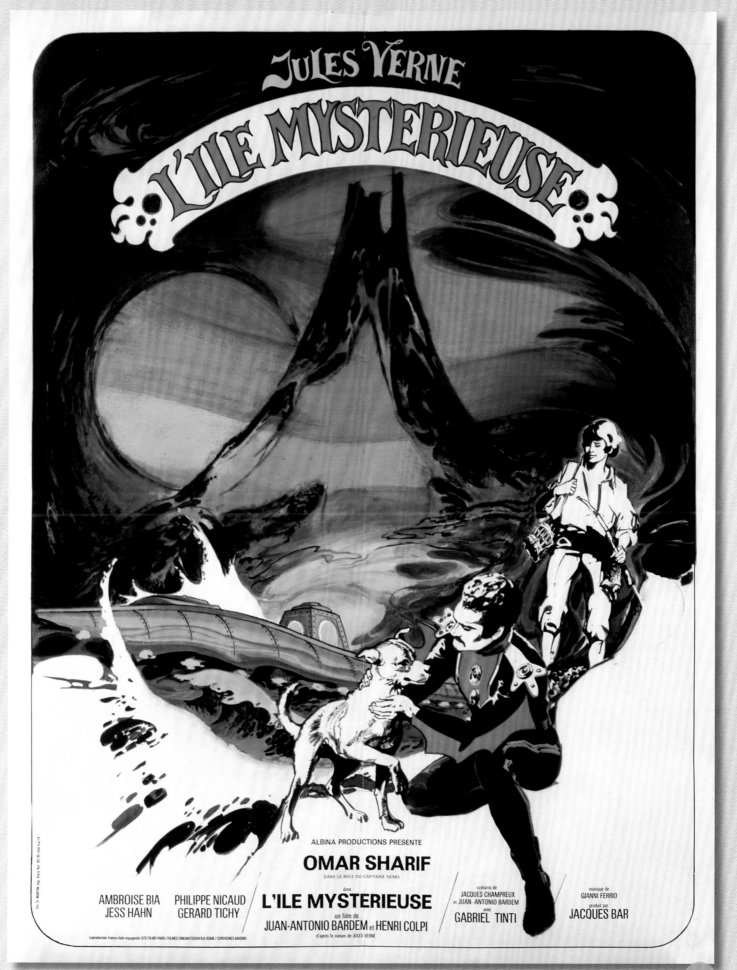

JULES VERNE
L'ILE MYSTERIEUSE

ALBINA PRODUCTIONS PRESENTE

OMAR SHARIF

DANS LE ROLE DU CAPITAINE NEMO

AMBROISE BIA — PHILIPPE NICAUD — dans **L'ILE MYSTERIEUSE**
JESS HAHN — GERARD TICHY — un film de
JUAN-ANTONIO BARDEM et HENRI COLPI
d'après le roman de JULES VERNE

scénario de
JACQUES CHAMPREUX
et JUAN-ANTONIO BARDEM
avec
GABRIEL TINTI

musique de
GIANNI FERRIO
produit par
JACQUES BAR

coproduction franco-italo-espagnole CITE FILMS-PARIS / FILMES CINEMATOGRAFICA-ROME / COPERCINES-MADRID

▲ *L'Île mystérieuse* (Hetzel). Top donnait la chasse aux reptiles avec un acharnement qui faisait craindre pour lui.

Affiche française pour le film *L'Île mystérieuse* (USA-GB, 1961) réalisé par C.-R. Endfield. ▶

Quant à son père, qui critique la pièce sévèrement comme à son habitude sous l'angle de la pudibonderie, mais sans l'avoir encore lue, Jules écrit :

Tu pourras par toi-même juger la pièce. Je n'ai jamais prétendu que la mère pût y mener sa fille, je ne suis pas chargé de l'éducation des vierges en France.

On sent que le ton a changé. Le jeune écrivain prend de l'assurance, ose exprimer son agacement, quitte à contrarier son père :

Je travaille, et si mes œuvres n'ont pas un résultat prochain, j'attendrai ! Ne croyez pas, surtout, que je m'amuse ici, mais il y a une fatalité qui m'y cloue ; je puis faire un bon littérateur et ne serais qu'un mauvais avocat, ne voyant dans toutes choses que le côté comique et la forme artistique, et ne prenant pas la réalité sérieuse des objets.

Mais il faut bien que le père consente à prolonger les subsides versés, de plus en plus à contrecœur :

Il est funeste qu'au point de vue pécuniaire la position ne soit pas aussi brillante, et c'est là mon plus grand ennui au milieu de mes préoccupations de toutes sortes. C'est donc bien comme une grâce spéciale que j'envisage la pension paternelle et si la situation se prolonge, ce ne devra même plus être qu'à titre de prévention. Si, cependant, plus tard, par mes travaux, il y avait quelque illustrations répandue sur la famille, cela ne ferait de tort à personne ; il faut donc agir dans le présent et avoir foi dans l'avenir.

Il ne se doutait pas alors que cet avenir, il aurait encore à l'attendre douze ans ! Quelques rares comédies seront jouées, certaines même publiées. Des études et nouvelles sont commandées par Pitre-Chevalier qui, dès 1845, a pris la direction du *Musée des Familles* (paru de 1833 à 1900) et publie ses textes dès 1851. L'un des premiers sera une nouvelle, *Un Voyage en ballon*, l'histoire d'une ascension compromise en raison des tribulations occasionnées en pleine tempête par un passager clandestin dément. On le voit, les fous interviennent précocement dans l'œuvre de Jules Verne, dans la période où se succèdent les crises de paralysie faciale, et ils seront nombreux.

Déjà, Verne avait trouvé la source de cette nouvelle dans le récit d'une aventure réelle. Les récits de voyages, parus dans la presse de l'époque furent l'une des sources principales de la documentation et de l'inspiration de Verne, tout au long de sa vie. Jour après jour, il lisait, prenait des notes qu'il collationnait et classait pour les avoir toujours à disposition. Vers 1897, au cours d'une interview, il admit avoir ainsi rassemblé plus de vingt mille fiches encore inutilisées[11] !

Ainsi, le *Musée des Familles* publiera, en 1851, outre le Voyage en ballon, une étude *Les Premiers navires de la marine mexicaine*, en 1852 une comédie en un acte écrite en collaboration avec Pitre-Chevalier, *Les Châteaux en Californie (ou Pierre qui roule n'amasse pas mousse)*, et une autre nouvelle *L'Amérique du Sud, mœurs péruviennes : Martin Paz*. Par la suite, parurent encore, avec Pitre-Chevalier, lui-même écrivain régionaliste breton, une nouvelle fantastique *Maître Zacharius ou L'Horloger qui avait perdu son âme* (1854), le seul texte que Verne écrivit jamais où l'action se passe en Suisse et dans lequel, à nouveau, le personnage principal est un fou, qui croit pouvoir, grâce à son talent et ses connaissances techniques, maîtriser le temps !

Puis viendra une autre nouvelle, aujourd'hui considérée comme l'un des principaux textes précurseurs des *Voyages extraordinaires*, *Un Hivernage dans les glaces* (1855), le dernier des textes parus sous la houlette de Pitre-Chevalier, qui décédera en 1863, laissant place à un nouveau directeur, également un Breton et ami de Verne, Charles Wallut. Avec ce dernier, la collaboration reprendra aussitôt par la publication d'une étude sur

les ballons, en particulier celui de Nadar, le *Géant*, et sur les idées d'avant-garde prônées par celui-ci, à propos du développement des dirigeables, dont celui des appareils «plus lourds que l'air», notamment les premières conceptions de l'hélicoptère, lancées par Ponton d'Amécourt et de La Landelle. Cette étude prenait tout naturellement place dans ce qui était la grande effervescence technique du moment, et coïncidait avec le succès de librairie qu'était devenu le premier des *Voyages extraordinaires*, lancé par Hetzel en 1862, *Cinq semaines en ballon*. Nadar, qui était devenu un ami de Verne, a eu sur lui une grande influence quant au développement de son intérêt pour la science et les techniques. Il fut en définitive l'un des principaux responsables de la voie du succès pour Verne, puisque

▲ *L'Île mystérieuse* (Hetzel). Montés à la cime de l'arbre, ils durent faire des prodiges d'adresse pour dégager l'énorme aérostat dégonflé.

L'Île mystérieuse, disque vinyle (33 t., 30 cm) éd. Festival, adapté du roman de Jules Verne par Pierre Marteville. ▶

Affiche française pour le film *Michel Strogoff* (France/Italie/Allemagne, 1956) produit par Émile Natan et réalisé par Carmine Gallone. Le plus grand succès commercial français de l'année 1956. ▶▶

c'est lui qui sera à l'origine de la rencontre capitale entre celui-ci et P.-J. Hetzel, l'éditeur déjà célèbre qui, avec la publication de ce roman, ouvrira à Verne la route de la gloire.

La collaboration avec Charles Wallut et le Musée se poursuivit avec une étude littéraire, *Edgar Poë et ses œuvres* (1864), prouvant si besoin est l'intérêt particulier que Verne portait depuis toujours à la littérature fantastique ; puis vint une longue nouvelle historique, sur le thème de la Bretagne royaliste au temps de la Révolution, *Le Comte de Chanteleine*, dont les Hetzel, le père et le fils, ne voulurent pas. Curieusement, elle ne fut réimprimée qu'en 1971, par l'éditeur suisse Rencontre, dans une édito collective, avant d'apparaître en 1994 en édition originale[12] ! En 1865, parut une nouvelle *Les Forceurs de blocus*, puis en 1872 un autre récit fantastique, devenu célèbre, *Le Docteur Ox* qui est encore représenté aujourd'hui sous la forme d'une d'opérette. Celle-ci avait été créée cinq ans après au *Théâtre des Variétés*, sur la musique d'Offenbach et le livret de Philippe Gille, un des « Onze-sans-femme » et amis de jeunesse de Verne. Si le docteur Ox n'est pas fou à proprement parler, il n'en est pas très loin : dans cette « fantaisie », le brave *Ox* et son préparateur *Ygène*, informés des propriétés euphorisantes du gaz *oxygène*, complotent et exécutent leur projet, plus proche de la déraison que du bon sens ; il s'agit de transformer l'humeur de leurs concitoyens de la bourgade flamande imaginaire de Quiquendone (que Verne décrit comme *calmes, froids, modérés, flegmatiques, aux désirs restreints et à l'existence modeste*). Ox finit par convaincre le bourgmestre van Tricasse, qui cultive l'indécision comme la vertu ultime, que la ville doit vivre avec son temps et transformer le système d'éclairage municipal des rues, qui sera nouvellement alimenté en… oxygène. Sitôt dit, sitôt fait, et… il faut lire la nouvelle pour savoir ce qui arrive aux pauvres Quiquendonois !

La plupart des récits parus au *Musée* furent repris par Hetzel, mais dans des versions censurées, modifiées selon ses exigences, et qui parfois y ont beaucoup perdu. La Société Jules Verne les reprend aujourd'hui pour les publier en édition originale, le *Musée des Familles* étant devenu introuvable. Mais au moment où il commençait à collaborer avec Pitre-Chevalier, Jules Verne travaillait déjà énormément (ce qu'il n'a cessé de faire jusqu'à son dernier jour) et avait produit nombre de pièces de théâtre, jouées ou non[13], qui apparaissent dans la liste chronologique des œuvres de l'écrivain donnée à la fin de l'ouvrage.

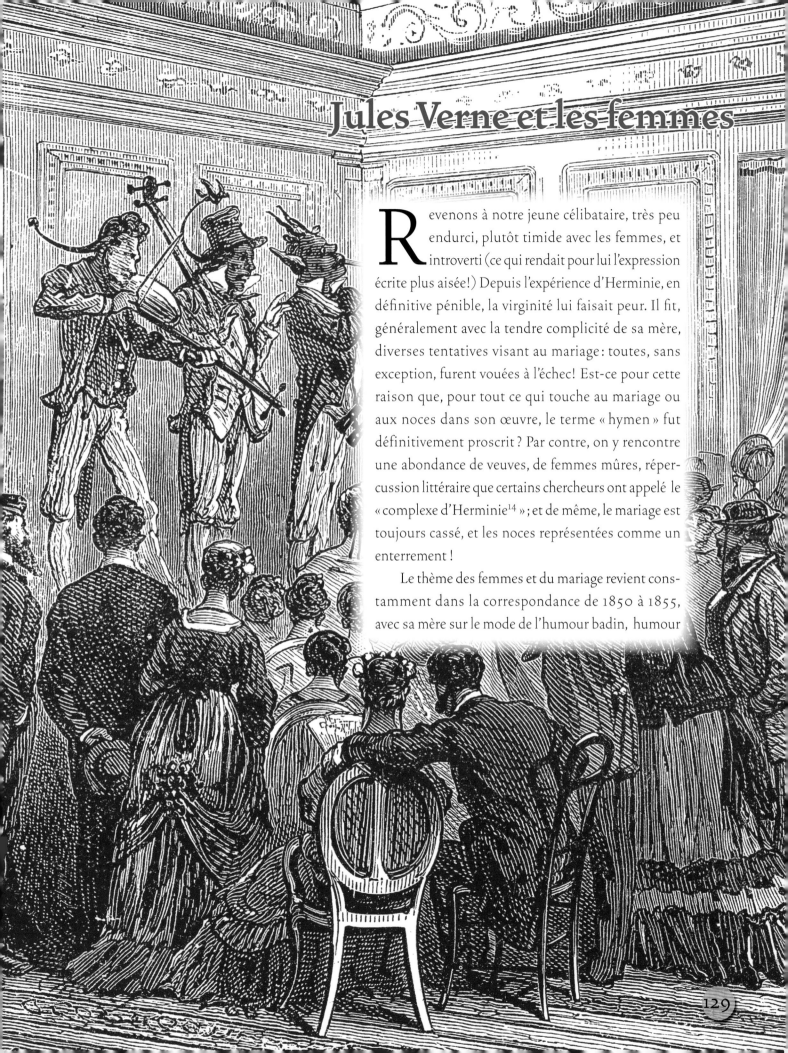

Jules Verne et les femmes

Revenons à notre jeune célibataire, très peu endurci, plutôt timide avec les femmes, et introverti (ce qui rendait pour lui l'expression écrite plus aisée!) Depuis l'expérience d'Herminie, en définitive pénible, la virginité lui faisait peur. Il fit, généralement avec la tendre complicité de sa mère, diverses tentatives visant au mariage : toutes, sans exception, furent vouées à l'échec! Est-ce pour cette raison que, pour tout ce qui touche au mariage ou aux noces dans son œuvre, le terme « hymen » fut définitivement proscrit ? Par contre, on y rencontre une abondance de veuves, de femmes mûres, répercussion littéraire que certains chercheurs ont appelé le « complexe d'Herminie[14] » ; et de même, le mariage est toujours cassé, et les noces représentées comme un enterrement !

Le thème des femmes et du mariage revient constamment dans la correspondance de 1850 à 1855, avec sa mère sur le mode de l'humour badin, humour

▲ *Michel Strogoff* (Hetzel, 1876), illustré par Férat. Le tsar parut satisfait : « Va donc, Michel Strogoff, dit-il, va pour Dieu, pour la Russie, pour mon frère et pour moi ! »

Affiche française pour le film franco-italien de 1961 *Le Triomphe de Michel Strogoff* ou *La Deuxième mission de Michel Strogoff*, suite au *Strogoff* de 1956, produit par le même Émile Natan et réalisé par W. Tourjansky. ▶

gaulois et même grivois avec ses amis proches dont, au premier rang, est Ernest Genevois, un autre Nantais. Avec son père, il n'ose que très rarement effleurer ce sujet !

Ainsi, peu après l'épreuve du mariage d'Herminie, à l'époque (courte) du célibat des « Onze-sans-femme », il répond à sa mère, qui a évoqué une jeune créole :

Que t'ai-je donc fait, ma chère maman, pour vouloir me marier ; il faut que tu m'en veuilles à la mort sans que je sache pourquoi ; me marier avec une créole, mais c'est unir le Vésuve et l'Etna ; merci, que de Pompéi et d'Herculanum nous engloutirions, sans compter les 15 000 livres de rente ; enfin, j'autorise cette jeune Bourbonnaise à faire officiellement la demande de ma main ! ».

Ou encore (mars 1850) :

Tu me dis que le célibat est triste pour les hommes et pour les femmes, c'est vrai pour ces dernières ; mais je ne connais pas d'état au monde plus heureux pour un homme. »

Avril 1851 :

J'épouse la femme que tu me trouveras ; j'épouse les yeux fermés, et la bourse ouverte ; choisis, ma chère mère, c'est sérieux ! ».

Mai 1851 :

Et mon mariage, ma chère maman ; tu ne m'en reparles plus ; est ce que j'ai été refusé ? Ce serait fort humiliant. Je parle fort sérieusement ; marie-moi, si cela te fait plaisir, je ne demande pas mieux.

On voit que, très vite, il n'est plus question de badiner sur un sujet redevenu d'actualité. Les « Onze-sans-femme » s'effilochent, se dispersent, se marient les uns après les autres, comme tous les amis du jeune littérateur, qui travaille avec acharnement et se sent seul. Sa mère a perçu le changement de ton, et de son côté, elle aussi travaille avec acharnement au sein de la bonne société nantaise pour lever un lièvre en faveur de son fils solitaire, malheureux et, pire que tout... pauvre !

LES FILMS MODERNES

CURD JURGENS
CAPUCINE

LE TRIOMPHE
DE MICHEL STROGOFF
INSPIRE DE JULES VERNE

MISE EN SCENE DE **W. TOURJANSKY** . SCENARIO ORIGINAL, ADAPTATION « DIALOGUES DE **MARC-GILBERT SAUVAJON**

PIERRE MASSIMI . JACQUES BEZARD . DANIEL EMILFORK . RAYMOND GEROME
INKIJINOFF . GEORGES LYCAN . HENRI NASSIET . PIERJAC . CLAUDE TITRE
SIMONE VALERE

DYALISCOPE
COULEURS **EASTMANCOLOR**

Musique de HUBERT GIRAUD   Directeur de la Photographie EDMOND SECHAN   **UN FILM DE EMILE NATAN**   Directeur de production L. GOULIAN   Décors de RENE RENOUX

Imp. AFFICHES GAILLARD PARIS   Imprimé en France

131

▲ Affiche de théâtre pour la pièce *Michel Strogoff*,
Tournée Romain, vers 1899, signée Louis Galice.

Affiche de théâtre pour la pièce *Michel Strogoff*, Tournée
Doria, vers 1900, signée P. Chapellier. ▶

Déjà avant la déception d'Herminie, Jules avait
essuyé une autre rebuffade, celle de sa cousine Caroline Tronson, devenue Madame Dezaunay. En 1853,
Jules s'apprête à guider ce couple, de passage à Paris,
mais de mauvaise grâce :

*Je serai aussi aimable que le comporte mon caractère
biscornu, avec les dénommés Dezaunay ; enfin sa femme
va donc entrevoir Paris ; il paraît qu'elle est un peu moins
enceinte que d'habitude, puisqu'elle se permet cette excursion
antigestative.* Biscornu a-t-il ici le sens de « deux fois
cornu » ? Le nombre d'échecs amoureux, il est vrai, ne
cesse de croître.

À l'instigation de sa mère, Jules se rend à Nantes en 1853, pour assister à un bal travesti où il aura l'occasion de courtiser la belle Laurence Janmar. Gravitant autour d'elle, il l'entend souffler à l'une de ses amies que les fanons de baleine de son corset tout neuf lui meurtrissent les côtes. Aussitôt, la tentation d'une gauloiserie aux accents maritimes le tenaille. Incapable d'y résister, quelles qu'en soient les conséquences, Jules lance et déclame son compliment : *Ah que ne puis-je pêcher la baleine sur ces côtes ?* Peu après, Laurence confiera ce qui se trouvait sur ces côtes au dénommé Duverger, qui recueillera les fruits de l'initiative du poète!...

Mortagne...

Avril 1854. Madame Verne mère aura eu des vues sur une jeune fille bien née de Mortagne. Cette suggestion est l'occasion d'une visite fictive dont la relation laisse percer une grande amertume, presque un désespoir :

C'est le vrai moment de me marier, ma chère mère, si bien que je t'engage à te mettre en campagne ; munis-toi de tout ce qu'il faut pour me présenter comme un garçon très conjugal, parfaitement assaisonné et cuit à point ; en un mot, fais l'article fils à marier et place-moi entre les mains d'une jeune fille bien

133

▲ *Michel Strogoff* (Hetzel). Scène de l'aveuglement de Michel Strogoff par les Tartares. « Tu es venu pour voir, espion des Russes. Tu as vu pour la dernière fois. Dans un instant, tes yeux seront à jamais fermés à la lumière ! »

Affiche française pour le film *Michel Strogoff* produit par Albatross/Films de France en 1926, réalisé par W. Tourjansky. Casting par Ivan Mosjoukine. ▶

Michel Strogoff (Hetzel). L'énorme bête, fendue du ventre à la gorge, tomba sur le sol comme une masse inerte. ▶▶

élevée, et bien riche. S'il le faut, j'irai vivre à Mortagne ; jamais de la vie je n'avais autant songé à cette cité vendéenne, et elle m'apparaît sous des couleurs roses ; j'aperçois mes propriétés grassement étendues au soleil, mes fermes en plein rapport, mes champs en pleine moisson ; le beau-père est un homme encore âgé avec des idées assez stupides sur les choses de ce monde ; mais c'est un brave homme au fond, ayant juste ce qu'il faut de ventre pour qu'on tape dessus sans se déranger ; la belle-mère fait des conserves, cueille ses poules, élève ses confitures, et se livre à tous ces soins d'un ménage campagnard qui caractérisent ces esprits étroits ; quant à leur fille (ma phâme), elle n'est ni bien, ni mal, ni bête, ni fine, ni amusante, ni désagréable, elle me donne régulièrement un fils ou une fille tous les neuf mois, ce qui me rend aussi heureux que la fin d'un conte de fée, où le prince et la princesse vivent très heureux, et ont beaucoup d'enfants ! N'est-ce pas là mon avenir ? Si vraiment le bonheur, en ce monde, consiste à avoir le cerveau atrophié, et à exister de l'existence des canards au milieu d'une mare, seulement tâchons d'avoir la mare la plus propre possible. J'espère que me voici rangé, ne va pas croire que je me moque et que je plaisante sur un sujet aussi grave ! – non, le jugement est incrusté dans ma tête ; j'aime les champs, j'adore la vie du ménage, j'idolâtre les enfants, je me souviens de Mortagne, j'oublie Laurence [...].

Ainsi, me voici un garçon sage et, si tu veux t'en mêler, je te jure que tu seras grand-mère avant un an !

Cette visite à Mortagne n'a certainement jamais eu lieu, et n'est présentée par Jules que pour permettre ce développement désabusé, déguisé en farce.

Mi-avril :

J'étudie encore plus que je ne travaille ; car j'aperçois des systèmes nouveaux, j'aspire avec ardeur au moment où j'aurai quitté ce théâtre lyrique qui m'assomme ; j'attends la fermeture.

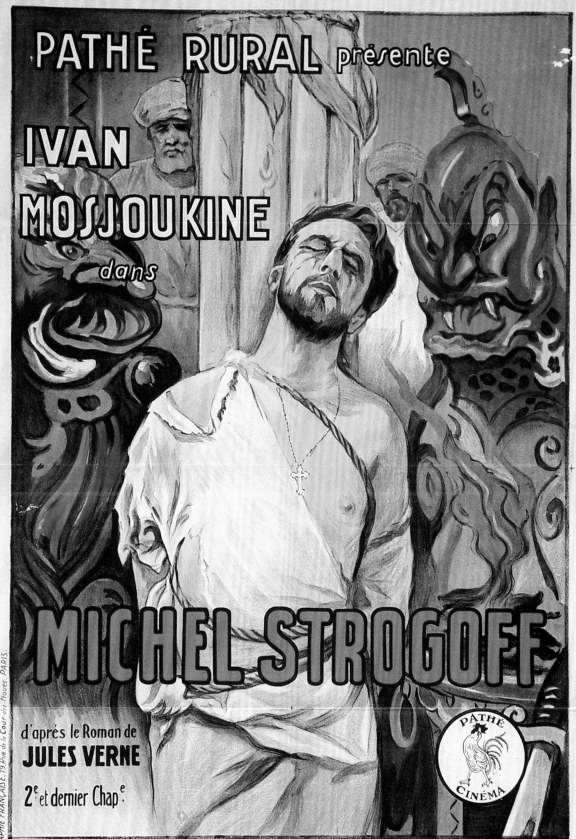

Photo : © Staffan Widstrand

«J'aperçois des systèmes nouveaux»

Peut-être est-ce déjà les prémices des grands changements en vue, l'amorce du virage vers le voyage imaginaire. Le voyage de Mortage est déjà un voyage fantastique, peu ordinaire.

Fin avril:

Je compte donc payer cinq sols à l'arrivée du prochain courrier, et pour cette modique somme, être rassuré sur le mariage très consommé de Marie-Thérèse et sur le mariage peu consommé de Laurence.

Avec quelle attention, le jeune Verne suit-il encore le parcours conjugal des jeunes femmes qui avaient suscité son intérêt!...

Une autre lettre, également adressée de Mortagne, mais un mois plus tard, confirme que la première a reflété un voyage autre que fictif:

Ma chère mère,

Voici bien longtemps que je ne t'ai écrit, tu dois me croire mort et enterré dans ce trou vendéen. Mais rassure toi, je n'ai été que très malade; voici dans quelles circonstances: Tu te souviens de la façon désobligeante dont je fus reçu à ma première visite et dans quelle sorte de plats cette maison semble avoir l'habitude de recevoir les lettres de présentation... Je rentrai à l'hôtel de la Double Corne, fort confus de mon premier pas; avec tout cela je ne connaissais pas encore ma prétendue, et il faudrait, me disais-je, que ses vertus fussent millionnaires, pour racheter les défauts et les ridicules de sa famille. Pour les distraire, j'allai promener mes ennuis en dehors de la ville. J'errais péniblement, le soleil m'envoyait des rayons fort railleurs, et les arbres me faisaient des grimaces, j'étais tout honteux du rôle ridiculo-conjugal que

◀ Au Théâtre du Châtelet: *Michel Strogoff,*
16ᵉ tableau Cronstadt, signé Émile Lévy (c. 1890)

je jouais... Soudain, je fus accosté par un homme gros, mais laid, laid, mais grotesque, mais bête, bête, mais... à manger des chardons à tous ses repas; je le reconnus immédiatement pour l'un des ancêtres d'Erménegilde (n'est-ce pas ainsi que se nomme ma fiancée). C'était effectivement son père, le notaire retiré de la circulation, l'ami du postillon. Il me frappa spirituellement sur le ventre, mais avec une violence telle que j'eus envie de rendre mon déjeuner. Il ne s'en étonna pas. C'est la manière dont on se donne la main dans ce pays pour faire connaissance. « Eh bien, me dit-il, je n'étais pas là quand ma femme vous a reçu ce matin, j'étais allé pour mon fumier » Oouh ! fis-je en aparté ! C'est trop d'honneur, Monsieur répondis-je à voix haute... – « Un excellent fumier, me dit-il. Je fais moi-même avec du pissat de vache. C'est le plus clair de mon revenu ! – Je n'ai pas encore eu le plaisir de voir Mlle Erménegilde, dis-je, pour détourner la conversation. – Ma fille m'accompagnait, elle s'y entend parfaitement d'ailleurs, ce fumier lui fournira sa dot, mon compère !... Le pissat de vache, voyez-vous, a des propriétés putréfiantes qui... au surplus, moi qui vous parle, j'ai aussi des propriétés... – Putréfiantes, pensai-je ! – des propriétés, continua-t-il, où je fais élever des bestiaux! Ce que je leur donne en sollicitude, ils me le rendent en fumier! Monsieur, c'est à ne pas croire le parti que l'on peut tirer de cette industrie. J'ai mon frère qui fait de la poudrette, eh bien, je crois qu'il gagne moins que votre serviteur. J'ai un agent vigoureux dans le pissat ! (Il était dit que je ne pourrais détourner ce pissat) - Exemple, me dit-il; il se baissa et ramassa un crottin de cheval qui flânait sur la route, il le dépouilla de ses parties ligneuses avec une aisance qui dénotait une grande habitude... - Sentez, me dit-il en me le mettant sur le nez. Je reculai avec un certain effroi ! - N'ayez pas peur, dit-il en riant, ça me connaît ! Jolies connaissances qu'il a là, pensai-je. D'ailleurs il n'a presque pas d'odeur, et par mon génie je suis parvenu à lui en donner au moyen de ce précieux pissat qui le pourrit, le décompose, le putréfie et en fait une matière essentiellement infecte, propre... – Sale, dis-je. – Non, propre à engraisser la terre. Vous comprenez, me dit il avec orgueil, que j'agis sur une grande échelle, j'ai des étangs de pissat et des montagnes de fumier, c'est

au point que j'ai fait installer un bateau sur mon étang et que je m'y promène en famille, vous nous accompagnerez, vous verrez comme c'est drôle !... Cet homme, ma chère maman, cet homme a tout simplement le génie de la M. A ces discours nauséabonds, mon cœur se souleva, je me crus non pas à Mortagne, mais à La Villette ! Il me passa des voitures Domange et compagnie à travers le cerveau, et à coup sûr, j'aurais rendu mon déjeuner, si la tape de mon beau-père n'avait déjà accompli ce ruineux sacrifice. Cependant, M.X. (si j'avais connu ces particularités, je l'aurais nommé M.Q.) avait pris mon bras sous le sien, et nous parcourions la campagne ; cet homme, par une attraction toute particulière, aimait à marcher dans les chemins boueux et à raser les murs, il en résulta des rencontres et des inconvénients qui donnèrent lieu à des dissertations putrides.

Nous ne tardâmes pas à arriver à l'une de ses propriétés territoriales destinées à l'élevage des animaux domestiques ! domestiques ! c'est-à-dire que si un domestique se comportait avec moi comme le fit l'un de ces animaux, je l'enverrais aux galères. Enfin, que ne supporterait-on pour arriver à être heureux ! Pauvre Erménégilde, comme il te faudra être belle et séduisante pour que je consente à épouser en toi la personne de tes aïeux.

Écoute-moi, ma chère mère, je suis venu à Mortagne avec les plus sages intentions du monde, mon cœur est celui d'un homme rangé, ce qui n'exclut pas la poésie, et j'étais disposé à trouver tout poétique dans cette mémorable journée ; aussi quand mon beau-père me dit : – Qu'est-ce que vous pensez de cette colline qui est enfermée dans mon parc (c'était une élévation fort verdoyante et d'un aspect enchanteur) ? Aussi je lui dis sans hésiter : ce site me séduit et j'aimerais à y faire bâtir un petit hermitage sur le penchant, il me plairait d'y aller avec ma promise m'y étendre au clair de lune.

– Hé hé hé fit M. X. – Comment Hé hé ? – Oui, hé hé... c'est une colline de fumier, hé hé... Sur mon honneur, j'aurais autant aimé une gifle, fût-ce une de ces gifles qui vous rentrent le nez dans la bouche et le font sortir par la nuque... Mais sans prendre garde à mon ébahissement, mon beau-père me fit

▲ Affiche italienne pour le film italo-germano-français *Michele Strogoff, corriere dello tzar* (Michel Strogoff, le courrier du tsar), réalisé par Visconti en 1970.

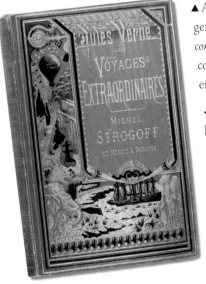

◀ *Michel Strogoff* (Hetzel, 1876), l'un des deux premiers cartonnages concomitants, celui-ci dit « à la bannière » ou « à la banderole ».

Affichette belge pour le film *Michel Strogoff* (France-Italie-Allemagne), Émile Natan 1956, réalisateur : Carmine Gallone. ▶

entrer dans ses étables ! Toutes les vaches étaient parquées dans leur enclos privé. Mon beau-père les caressait et les appelait par leur nom. A l'une, il avait donné celui de sa fille, à l'autre celui de sa femme, enfin il était en pleine famille, et du ton dont il en parlait, il ne semblait pas qu'il établit une grande distinction entre elles et ses plus proches parents ; je vis même le moment où il allait me proposer en mariage une belle vache blanche tachetée. Malgré ma répugnance, il me fallut approcher d'elle. A ce moment, cette vache lança un vent, mais un vent à la décorner ; je fus tout décontenancé ; mais M.X. se mit à rire aux larmes, comme si elle avait dit un mot spirituel… Moi, je me reculai instinctivement, mais en passant derrière elle, je reçus la plus insolente ruade au bas des reins, mais une de ces ruades qui vous font rentrer le nez dans la bouche et le font sortir par la nuque. Tu penses, ma chère maman, que je tombai du coup, et justement dans le ruisseau où coulait le fameux pissat. Je

n'y tins plus, et me relevai avec colère, mais on fut obligé de me transporter à mon hôtel, où je garde le lit depuis trois semaines. Enfin, je vais mieux et je repartirai pour Paris dès que j'aurai vu Erménégilde.

Ton pauvre fils tout éclopé.
Jules Verne

A cet humour agraire un peu lourd, Jules Verne joint sans gêne l'humour scatologique qui à cette époque apparaît fréquemment dans sa correspondance à ses proches, sa mère et son ami Genevois. Il en fait particulièrement usage lorsqu'il est question de ses fréquentes coliques et diarrhées, mais l'auteur de cette originale relation d'un voyage imaginé n'était probablement pas dans son état normal lorsqu'il écrivit cette lettre qui, par certains aspects, rappelle la

Grande Tournée
de
Michel
STROGOFF

1899

Mr. ROMAIN dans le rôle de MICHEL STROGOFF

142

fameuse « lettre du rêve ». A cette époque, Verne usait sans doute du « sirop d'éther », alors à la mode ; connu depuis 1846, l'éther en solution alcoolique, permettait sous couleur thérapeutique d'obtenir un état d'ébriété et d'agitation recherché par ses consommateurs. Quoi qu'il en soit, ce récit de voyage fantasque est destiné à clore la discussion relative au beau parti campagnard suggéré – probablement avec des pincettes par sa mère. Il peut, sans démériter, être placé aux côtés des premiers récits de voyages extraordinaires de Jules Verne, préludant aux romans qui feront sa gloire.

Outre la prétendue Erménégilde X., dont l'existence n'est pas avérée, d'autres filles à marier passèrent de manière fugace dans la vie, sinon dans le cœur du jeune Verne. L'une d'elles fut Ninette Chéguillaume, une amie de Laurence Janmar, qui assista à la tentative de pêche à la baleine dans laquelle Jules échoua, ayant mené sa barque avec trop de hardiesse. Cependant, Laurence (ou du moins ses charmes, avait laissé une forte impression au poète qui, en septembre, écrivait encore à sa mère :

Tu me diras si Mlle Laurence je ne sais plus comment, qui a refusé ma main, est mariée maintenant, ou sur le point de l'être, tu sais que je prends un vif intérêt à cette jeune personne qui a plus d'une fois passé dans mes rêves et qui a eu le privilège d'occuper exclusivement ma pensée pendant quelques mois ; j'aimerai donc à être au courant de son existence ; des penchants de son cœur. Elle ne sait pas, l'infortunée, quel brillant parti elle a refusé là, pour épouser un jour un colimaçon comme Jean Cormier ou tout autre ; enfin c'était écrit !

En décembre, la visite d'un cousin lui apprend le mariage d'une autre jeune femme, autrefois également courtisée par le jeune écrivain, malheureux en amour avec une grande constance, et est l'occasion d'un bilan :

Il m'a appris un événement grave : l'union de Mlle Héloïse David avec M. Lemarchand, les cheveux blancs mêlés aux che-

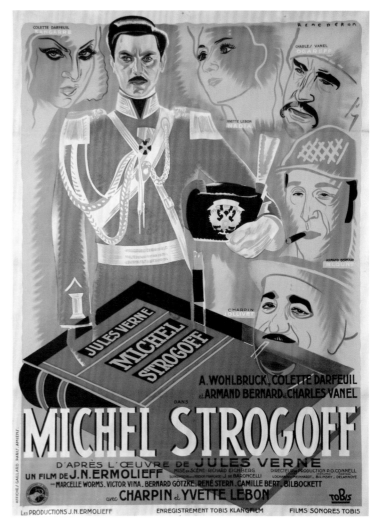

▲ Affiche française pour le film franco-allemand *Michel Strogoff* réalisé par R. Eichberg, produit J.N. Ermolieff (1936.)

Cartonnage tardif « titre dans l'éventail », *Michel Strogoff*, Hetzel 1905 à 1910. ▶

◀ Importante biographie promotionnelle (Gr.in-4°) retraçant la carrière d'acteur de M. Romain de 1880 à 1898, en faveur de la « Grande Tournée Romain de Michel Strogoff en 1899 ».

Le Monde solaire vu par Camille Flammarion ; frontispice de son ouvrage de vulgarisation astronomique *Les Terres du Ciel* paru en 1877 à la Librairie Académique Didier.

veux noirs, le demi-siècle marié au quart de siècle […] mais je n'ai rien pu lui répondre à cet égard car il ignore peut-être que son nom si gracieux a été tracé sur le calepin de l'amour par les cinq boudins roses qui forment la main d'Héloïse. […] Je pense donc, ma chère mère, que tu me feras connaître la vérité à ce sujet. Ce mariage m'étonne d'autant moins que j'ai fait autrefois la cour à Mlle Héloïse, et toutes les jeunes filles que j'honore de mes bontés se marient toutes invariablement dans un temps rapproché ! Voire ! Mme Dezaunay, Mme Papin, Mme Terrien de la Haye, Mme Duverger et enfin Mlle Louise François. Je ne souhaite pas à Paul cette singulière propriété.

Bien que Jules fasse remonter sa liste d'échecs amoureux à l'une de ses premières amourettes, sa cousine Caroline ayant précédé la fameuse Herminie, la liste, n'est pas close. Dans sa chronologie, Mlle François était sans doute le dernier bon parti auquel il fallait renoncer puisqu'en mars 1855, Jules écrivait à son père : *Je suis d'accord avec vous sur le commencement des opérations faites près de M. François ; mais le siège a certainement été abandonné.* Et en mai : *Je vous embrasse tous.*

Ton fils respectueux qui voudrait bien se marier.

Devant l'urgence, on ne se gênait pas pour courir deux lièvres à la fois, et même à deux chasseurs, dès lors qu'ils étaient frères ; en juin :

Mon cher père,
La situation devient fort grave : il est bien évident que si l'affaire peut aboutir, il faut à tout prix s'en mêler activement, que ce soit Paul ou moi, peu importe, si cela ne sort pas de la famille. Dans un cas pareil, pour mon compte, j'en passerai par tout ce que l'on voudra. Mais il faudrait arriver à connaître le fond de la pensée du père Chéguillaume, et je ne vois pas trop comment vous pourrez y arriver. Néanmoins, je trouve comme vous, très singulier cette confidence du père de la demoiselle ; il devait bien penser qu'il parlait ainsi à un père orné de deux fils

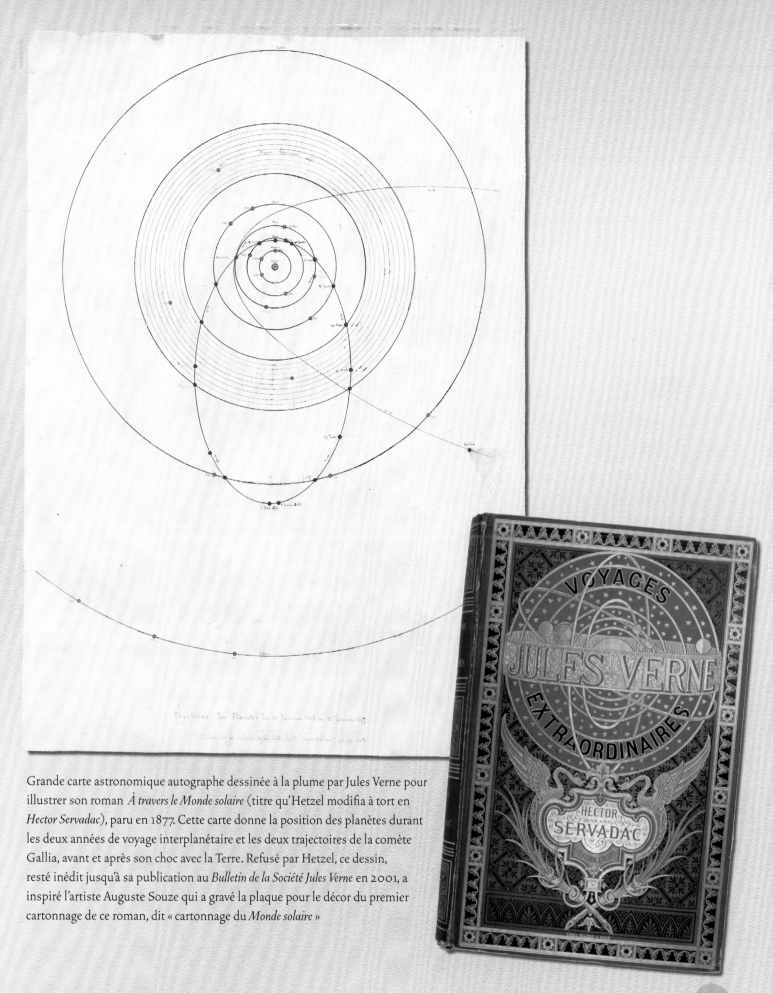

Grande carte astronomique autographe dessinée à la plume par Jules Verne pour illustrer son roman *À travers le Monde solaire* (titre qu'Hetzel modifia à tort en *Hector Servadac*), paru en 1877. Cette carte donne la position des planètes durant les deux années de voyage interplanétaire et les deux trajectoires de la comète Gallia, avant et après son choc avec la Terre. Refusé par Hetzel, ce dessin, resté inédit jusqu'à sa publication au *Bulletin de la Société Jules Verne* en 2001, a inspiré l'artiste Auguste Souze qui a gravé la plaque pour le décor du premier cartonnage de ce roman, dit « cartonnage du *Monde solaire* »

▲ *À travers le Monde solaire* (Hetzel), illustré par Philippoteaux.
Un des servants amena sur un chariot un projectile plein, qui ne
pesait pas moins de 200 livres.

À travers le Monde solaire (Hetzel). La comète de Donati
brillait avec splendeur au milieu des constellations boréales. ▶

parfaitement nubiles, et cet argument *ad hominem* me semble
assez concluant : c'est, comme on dit au whist, une invite au
roi ; il faut donc, mon cher père, que tu apprennes à jouer. Anna
pourrait peut-être savoir quelque chose de Ninette, et sans se
compromettre d'aucune façon ; car enfin, si on ne tente rien, on
ne saura rien et je le répète, la chose en vaut la peine.

Je crois qu'on peut hardiment présumer du consentement
de Paul ; il ne voudra pas plus que moi manquer une pareille
occasion. [...]

Ainsi donc, mon cher père, je t'engage, de nouveau à provoquer toute espèce d'explication à ce sujet ; tu dois avoir maints
motifs pour voir et revoir M. Chéguillaume ; il faut donc qu'il
se déboutonne une bonne fois.

Car je le redis, quand un beau-père parle ainsi dans des
circonstances pareilles, il doit s'attendre à ce qu'on lui réponde :
prenez mon ours, et surtout prenez mes ours, quand on en a
plusieurs. Je crois que l'on peut toujours écrire ces incidents à
Paul, mais il faut agir sans retard, et je vous jure que je parle très
sérieusement. [...] Et sur ce, je vous embrasse tous, et j'attends
de promptes réponses sur l'affaire pendante.

Diantre ! quelle précipitation, quelle pression le
« chasseur » exerce-t-il sur son père ! Ninette Chéguillaume était loin d'être une inconnue pour les deux
frères, dans les cercles fréquentés à Nantes, et la précipitation de Jules à ne pas rater une telle « affaire », qui
doit absolument *rester dans la famille*, s'explique par la
fortune connue du père, très vraisemblablement un
bon client de l'étude de Pierre Verne.

Quelques jours plus tard à sa mère, retour de la
litanie :

Ton fils qui voudrait bien se marier.
Jules Verne

Puis, le lendemain :
Je n'ai point encore rencontré les Chéguillaume. J'avais pré-
venu les désirs paternels, moi très astucieux, en écrivant une lettre

au père Chéguillaume et en lui offrant une loge. Il était absent [...] Donc, je leur récrivis une lettre contenant un coupon de loge. Mais pédale et damnation ! Ils étaient à Fontainebleau de sorte que la loge est demeurée inoccupée. Le père de la jeune Ninette ! (Sa jeune Ninette !) m'écrivit de nouveau pour me remercier et m'exprimer tous ses regrets, mais... il ne m'a point offert la main de sa fille, l'ingrat, le marchand de coton qu'il est !. comme si je n'étais pas aussi propre qu'un autre à faire le bonheur de cette jeune et riche héritière. La prochaine fois que j'irai à Nantes, je l'enlèverai, j'y suis parfaitement résolu... [...]

Adieu, ma chère mère.
Jules Verne qui, sacristi, voudrait bien se marier
avec une jeune personne riche !

Novembre, toujours à sa mère :
Puisque Mlle Méry (?) est un parti aussi brillant que Ninette, tu n'as qu'une chose à faire. Prends ton chapeau à plumes, ton schall des Indes, ta robe en moire antique ; fais-toi conduire par Moreau dans la famille désolée, et demande pour moi la main de la jeune demoiselle. On sonnera immédiatement un domestique, qui te mettra à la porte.

Et fin décembre :
Tu me dis, en terminant, que tu me souhaites ce que je sais ; est-ce une tendre épouse ? ma foi, je ne dirais point non, et je parle très sérieusement ; tu connais mes idées à cet égard.

Si on ne les connaissait pas, ses idées à ce sujet, ou plutôt son idée devenue pratiquement une idée fixe, un simple coup d'œil à cette correspondance comblerait cette lacune ! A présent, on peut comprendre pourquoi le 10 janvier 1857, Jules Verne était marié !

Quant à affirmer qu'il était tombé amoureux de sa future épouse, Honorine de Viane (une veuve encore jeune, il est vrai – 26 ans –, mais nantie de deux

enfants, comme il l'affirme à sa mère quelques jours après leur rencontre, comme nous le verrons, c'est aller un peu vite en besogne[15] ! Prendre ses désirs pour des réalités, se faire des illusions et commettre des erreurs par impatience, telles que se croire amoureux (tant le besoin de l'être est devenu grand !), n'est-ce pas le propre de l'homme, et tout particulièrement celui de la jeunesse ?... Enfin, accordons le bénéfice du doute

▲ Frontispice pour *Les Indes-Noires* (Hetzel, 1877) d'après Férat, illustrateur du roman..

◀ Cartonnage Hetzel dit « au portrait imprimé » (de Jules Verne) pour le couplage des deux romans *Les Indes-Noires* et *Le Chancellor* (1891).

Les Indes-Noires (Hetzel). La cité ouvrière souterraine de Coal-City. Ces maisons de mineurs, construites en brique, sur les rives du lac Malcolm étaient éclairées « a giorno » par de nombreux disques électriques remplaçant le disque solaire (d'après Férat). ▶

aux amoureux, ou qui se croient tels ; à vrai dire, la différence, sur le moment même, est imperceptible. Seule l'évolution des choses, par la suite, peut faire office de révélateur. Le couple Verne se maintiendra jusqu'à la mort, comme cela était presque toujours le cas à cette époque où la pression conjuguée des conventions sociales, familiales et religieuses était telle qu'elle décourageait toute velléité de séparation. Dans la mesure où certains détails de la vie personnelle de Jules Verne, et celle du couple, ont pu aujourd'hui apparaître ou transparaître, on est fondé à penser que, sur le plan des affaires amoureuses, ce coup de foudre est, en effet, quelque peu suspect.

Février 1856 :
Tout en faisant mes affaires, je ne vois pas pourquoi je ne dénicherais pas une épouse dans le monde parisien, une jeune fille riche qui aurait fait une faute, par exemple, ou qui serait disposée à la faire et allez donc !

Il est vrai aussi que Jules était un tel blagueur lorsqu'il se sentait libre dans ses échanges (ce qui était presque toujours le cas avec sa mère, son frère et quelques amis proches), qu'il se croyait obligé de préciser qu'il était sérieux, lorsque cela arrivait !... Le lecteur l'aura sûrement noté.

Mars 1856, à son père : *C'est aujourd'hui que se marie Marcé ; hier un autre ami se mariait également ; il n'y a que nous.*

Victor Marcé, un ancien condisciple de Jules Verne au Lycée de Nantes (où il avait été meilleur élève que Verne, obtenant p. ex. le 1er prix de dissertation latine alors que Jules n'obtenait que le 5e accessit...) avait gardé avec lui des relations amicales[16]. Il était même devenu le médecin de Jules Verne, sans avoir encore obtenu son doctorat, et le soignait de son mieux lors des crises successives de paralysie faciale et de ses fréquents dérangements intestinaux. Jules avait une grande confiance en les compétences de son ami, contrairement à celles des médecins en général, dont il se défiait énormément, suivant en cela l'exemple de Molière. A cette époque, en effet, les moyens diagnostiques et thérapeutiques laissaient encore fort à désirer, comparés à la situation actuelle. La fréquente impuissance de la médecine, son incapacité et ses erreurs courantes, justifiaient une méfiance dont Jules Verne ne se départira jamais

Avril :

Tu me demandes, ma chère mère, des nouvelles du mariage de mon ami Marcé ; que veux-tu que je te dise à ce sujet. [...] Le jeudi après-midi je me suis rendu à Saint-Germain-des-Prés pour assister aux obsèques. (Ici le père, à qui la lettre n'était pas adressée, outré par l'humour noir «a contrario», de son fils, rature *aux obsèques* et remplace la formule qui lui déplaît par *à la bénédiction nuptiale !)*

Je dois l'avouer, j'ai été singulièrement ému quand j'ai vu s'avancer le cortège funèbre, (Pierre Verne remplace l'adjectif, selon lui inadéquat, par *conjugal !) les deux suisses en habit de gala, tout galonnés et hallebardés, marchaient en tête avec un sérieux imperturbable, en faisant résonner le pavé du temple. Le père les suivait en conduisant la douce victime à l'autel. L'époux marchait après et rayonnait dans son bonheur ; les parents, les frères, les sœurs s'avançaient ensuite, graves comme des sénateurs romains, tandis que l'orgue vigoureusement attaqué par un artiste payé au moins dix francs l'heure, se livrait à toute la fougue de ses claviers, de ses pédales, de ses trompettes, de ses tonnerres. Je le répète, j'ai été singulièrement ému, c'est-à-dire que j'ai été pris d'un fou rire qui dure encore. Jamais, non jamais, je ne pourrai figurer sérieusement dans une cérémonie de ce genre. Je trouve cela du plus haut comique. Et pourtant...*

Oui, et pourtant, si funèbre que lui paraît le *sacrifice*, il s'y précipite de toute la fougue de ses impatients vingt-sept ans...

En même temps, après une longue période d'apparentes tergiversations d'une stratégie dilatoire, il finit par refuser très nettement l'offre que lui fait son père depuis des années, de reprise de son cabinet d'avoué à Nantes. Sitôt avocat, il met les pieds au mur et refuse l'état d'avocat : son père lui propose de devenir avocat stagiaire, tout en continuant à tenter sa chance en littérature durant son temps libre. Avec un raisonnement structuré, il rejette fermement cette suggestion. Ce sera la littérature, et rien que la littérature ! Un jour, il en est persuadé, il en tirera de quoi vivre, et sans doute aussi largement que les grands noms de l'époque.

Que son père se rassure donc ! Mars 1851 :

▲ *Les Indes-Noires* (Hetzel). Lampe Davy.

Les Indes-Noires (Hetzel). Au moment où Harry levait sa lampe, un vif déplacement de l'air s'opéra comme s'il eût été causé par un battement d'ailes invisibles. ▶

Les Indes-Noires (Hetzel). D'une voix forte, le vieillard criait : « Le grisou ! Le grisou ! Malheur à tous ! Malheur ! » ▶▶

carrières sont simultanément poursuivies, l'une tuera l'autre, et chez moi, le barreau n'aurait pas grande espérance de longévité. Travailler dans une étude ne me rapportera rien avant 15 mois ! Lelarge vient de mettre plus de deux ans pour arriver à gagner 600 francs chez un notaire ! J'ai vu cela partout. [...]

Quitter Paris deux ans, c'est perdre toutes mes connaissances, annihiler le résultat de mes démarches. [...] C'est me remettre au bout de deux ans en présence des obstacles que j'ai franchis, avec moins d'ardeur pour combattre, moins de force pour avancer, moins de jeunesse pour espérer.

On ne travaille pas comme clerc huit heures par jour, à Paris ! Quand on est clerc, on est clerc, et pas autre chose. Mon but est de gagner de l'argent, et non pas de me créer un autre avenir. Tu me dis, mon cher papa, que Dumas et autres n'ont pas le sol ; c'est qu'ils manquent d'ordre, et non pas d'argent. A. Dumas gagne ses 300 000 francs par an. Dumas fils, sans se gêner, 12 000 à 15 000 francs, Eugène Sue est millionnaire, Scribe 4 fois millionnaire, Hugo 25 000 de rente, Féval, tous, tous, tous ont une fort jolie aisance et ne se repentent pas de la voie qu'ils ont suivie !

Mon cher papa,

Tu me dis de réfléchir avant de te répondre ! Mais la méditation prend sa source dans les montagnes polaires de l'incertitude et du découragement ! – la contrée de mon existence est située moins au nord, et plus près de la zone torride et passionnée [...] J'ai donc tout médité ! [...] Il m'est pénible de ne pouvoir me suffire – également pénible pour vous de me soutenir. [...] Quant au travail d'avocat, rappelle-toi tes propres paroles ! Il ne faut pas courir deux lièvres en même temps ! Travailler dans une étude m'oblige à venir à 7 1/2 heures du matin pour n'en sortir qu'à 9 heures du soir ! Que me restera-t-il pour moi ? [...] La littérature avant tout, puisque là seulement je puis réussir, puisque mon esprit est invariablement fixé sur ce point ! A quoi bon répéter toutes mes idées à ce sujet ; tu les connais bien, mon cher papa, et tu sais toi-même que tôt ou tard, que je fasse du droit pendant deux ans ou non, si les deux

Ce diorama intitulé *Voyage au fond de la mer*, précurseur des images en mouvement, fut fabriqué et commercialisé peu avant 1900, par L. Saussine éditeur, Paris, sans l'autorisation d'Hetzel. Cependant, les images de ce jeu sont adaptées des illustrations de *Vingt Mille Lieues sous les mers* dans l'édition Hetzel.

Les nombreuses difficultés rencontrées à faire accepter et jouer ses pièces, le faible et irrégulier revenu qu'il tire à grand-peine de ses écrits, et qui nécessitent une contribution mensuelle de son père, incitent le jeune écrivain à voir les choses en face, mais ne le font pas reculer ou se décourager.

Quant à l'étude paternelle, il est catégorique. Janvier 1852 :

Mon cher papa, que te répondre ? Je ne sais ; j'ai consulté mes amis, je leur ai montré ta lettre, et leur réponse unanime a été celle-ci : toute personne qui ne serait pas dans ma position serait folle de ne pas accepter immédiatement tes propositions ; mais je ne discuterai pas la certitude de mon avenir ; je me bornerai à voir si je ferais bien de prendre ta charge, au point de vue moral, et matériel.

▲ *Un capitaine de quinze ans* (Hetzel, 1878). Planche hors texte d'après l'original d'Henri Meyer. C'étaient bien de ces pachydermes à grosse tête, à large museau renflé, dont la bouche est armée de dents qui la dépassent de plus d'un pied, et sont trapus sur leurs jambes courtes. Des hippopotames en Amérique !

Un capitaine de quinze ans (Hetzel). Des femmes et des enfants ont été saisis et entraînés par les crocodiles jusqu'à leurs « terrains de pâture » où ils seront noyés, car cet amphibie ne mange sa proie que lorsqu'elle est arrivée à un certain degré de décomposition. ▶

Combien de fois ne t'ai-je pas entendu te plaindre de l'instabilité des privilèges; dans un temps de bouleversement comme le nôtre, n'est-il donc pas toujours à craindre que la valeur d'une charge soit entièrement perdue; quelle serait donc la position d'un homme qui l'ayant achetée fort cher en serait dépouillé un jour. Rappelle-toi tes anxiétés, mon cher papa; je les ai vivement partagées, je le jure, et tu comprendras quelle grave hésitation j'apporte à cette affaire.

D'un autre côté, je commence à bien me connaître; ces coups de tête contre lesquels tu cherches à me prémunir, je les ferais tôt ou tard; j'en suis certain; la carrière qui me conviendrait le plus, ce serait celle que je poursuis; mes ambitions pécuniaires ne sont pas grandes; si je parviens à gagner 3000 à 4000 francs, je serais satisfait; mes désirs ne croîtront pas avec ma fortune; si je ne puis parvenir, non par manque de talent, mais par défaut de patience, par découragement, eh bien, ce qui me conviendra le plus au monde, ce sera le barreau, qui me ramènerait à Paris. [...] Adieu, mon cher papa, je suis on ne peut plus touché de tes bonnes offres, nous avons tous bien de la reconnaissance à te montrer, puisque jusqu'à présent tu nous as constamment entretenus et secourus; mais ne suis-je pas dans le vrai en raisonnant d'après mes propres impressions; c'est parce je sais ce que je suis, que je comprends ce que je serai un jour; comment donc me charger d'une étude que tu as fait si bonne, que ne pouvant gagner entre mes mains, elle ne pourrait qu'y dépérir?

L'épouse, Honorine

Ce furent là, certes, les années difficiles, entre les déceptions littéraires, les déconfitures amoureuses et les turpitudes de sa santé, dues en partie à la médiocre qualité des mets que la platitude de sa bourse lui permet seule, et avec parcimonie. Cependant, il tiendra longtemps, en vrai marin breton, face à la marée montante des ennuis et des sources d'inquiétude. Il

▲ *Un capitaine de quinze ans* (Hetzel). Les bêtes fauves occupaient le pays.

Chromolithographies d'une série espagnole *Un Capitán de 15 años*, vers 1920, éditeur inconnu. ▶

Cartonnage tardif « titre dans l'éventail » pour *Un capitaine de quinze ans* (Hetzel 1905 à 1910). ▼

153

LES TRIBULATIONS

JULES VERNE

D'UN CHINOIS EN CHINE

DESSINS PAR BENETT

ne craquera qu'en 1856, à bout de patience, se jetant simultanément dans les bras de la jeune veuve Honorine, et dans ceux du frère de celle-ci, Ferdinand, qui lui conseille vivement d'acheter une part de charge d'agent de change et de se constituer une clientèle indépendante, en touchant des commissions sur les affaires de Bourse à lui confiées. A aucun moment il n'abandonnera son cap vers la littérature, vers laquelle il tend obstinément, contre vents et marées, à l'image de l'un des premiers héros de ses romans, le capitaine Hatteras qui, quoi qu'il arrive, poursuit sa route vers le Nord, de manière obsessionnelle, inébranlable.

Amiens, mai 1856. Jules Verne se rend aux noces de son ami Auguste Lelarge devenu clerc de notaire, qui épouse une demoiselle Aimée de Viane dont la sœur Honorine plaît à l'invité. Quelques jours après cette rencontre, il relate les festivités et événements ayant marqué son séjour :

▲ *Les Tribulations d'un Chinois en Chine* (Hetzel). Ces « hommes-barques » voguaient de conserve. On eût dit une troupe d'énormes goélands qui, l'aile tendue à la brise, glissaient légèrement à la surface des eaux.

◀ *Les Tribulations d'un Chinois en Chine* (Hetzel). Le travail du brancardier se réduisait à celui de l'homme de barre au gouvernail d'un navire : il n'avait qu'à se maintenir en bonne direction.

◀◀ Frontispice pour *Les Tribulations d'un Chinois en Chine* (Hetzel, 1879) d'après un dessin de Benett, illustrateur du roman.

Il devait être bien près de minuit lorsque le guide, s'arrêtant, montra dans le nord une longue ligne noire qui se profilait vaguement sur le fond un peu plus clair du ciel. « La Grande Muraille », dit-il. ▶

Ma chère mère,

Je vais donc te donner longuement des détails de la noce Auguste Lelarge ; je suis encore à Amiens, où les charmantes sollicitations de la famille m'ont obligé à rester plus longtemps que je ne pensais ; je ne retournerai que dimanche soir à Paris ; j'aurai donc passé là huit jours, au milieu des galas, des baisers, des serrements de mains, des embrassades, des pleurs de joie, des larmes de plaisir, des retours de noce, des émotions conjugales, des émotions hyménéennes, des pâtés d'Amiens, des andouillettes farcies, des jambons truculents, des premiers déjeuners qui durent une heure, des seconds déjeuners qui durent trois heures, des dîners qui commencent à six heures et finissent à onze heures du soir, ah ! si je ne meurs pas d'indigestion, j'aurai de la chance ; mais non ; je me porte bien, je dors, je mange, je ris, et j'ai plus que jamais des idées très arrêtées sur le mariage ; je veux me marier, il faut me marier, je dois me marier ; il n'est pas possible que la femme qui doit m'aimer ne soit pas encore pondue, comme a dit Napoléon au pont de Montereau.

Cette famille Devianne dans laquelle entre Auguste est une famille charmante composée d'une jeune veuve très aimable, sœur de la mariée qui semble fort heureuse, et d'un jeune homme de mon âge, agent de change à Âmiens, y gagnant beaucoup d'argent, et qui est bien le plus gentil garçon que la terre ait porté.

Le père est un vieux militaire en retraite et qui est mieux que ne le sont généralement ces guerriers retirés du service, et la mère est une femme d'excessivement d'esprit.

Je ne sais pas, ma chère mère, si tu ne trouveras pas quelque différence entre le style de cette page et celle qui la précède, tu n'es pas habituée à me voir faire ainsi un éloge général de toute une famille, et ta perspicacité naturelle va te faire croire qu'il y a quelque chose là-dessous !

Je crois bien que je suis amoureux de la jeune veuve de 26 ans ! Ah ! pourquoi a-t-elle deux enfants ! je n'ai pas de chance ! Je tombe toujours sur des impossibilités d'une espèce ou d'une autre ; il y a sept ou huit mois qu'elle est veuve ; son mari est mort poitrinaire et à la suite d'imprudence. Mais je ne sais pas pourquoi je te parle de tout cela ; à quoi bon ?

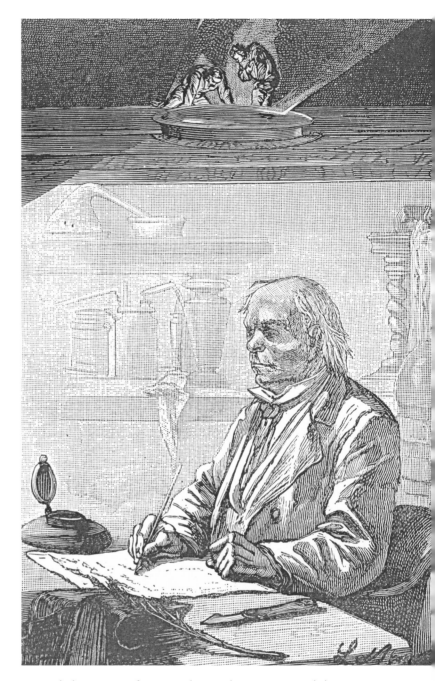

Herr Schultze avait été frappé pendant qu'il écrivait. Le Roi de l'Acier était devant sa table, tenant une plume de géant, grande comme une lance, et il semblait écrire encore ! N'eût été le regard atone de ses pupilles dilatées, on l'aurait cru vivant. Ce cadavre était là depuis un mois.

◄ Dessin original de Léon Benett pour l'illustration des *Cinq Cents millions de la Bégum*.

▲ Gravure correspondante parue dans l'édition Hetzel 1879.

Les Cinq Cents Millions de la Bégum (Hetzel). Planche hors texte polychrome d'après un dessin original de Léon Benett, apparue dans l'édition illustrée de 1902. « Ils manœuvraient dans les avenues ».

Ce texte appelle impérativement quelques remarques : alors que jusque-là la moindre des rencontres féminines, faite ou à faire, en rapport avec des espérances matrimoniales, était abondamment commentée et faisait l'objet de nombreuses spéculations épistolaires, celle-ci, pourtant décisive, marquant un tournant dans sa vie de célibataire, n'est rapportée que de façon lapidaire, comparé au luxe de détails ornant la description des festins pantagruéliques auxquels, malgré les précautions qu'aurait exigé la fragilité de son tube digestif, il n'hésite pas à faire honneur, s'étonnant lui-même de sa soudaine résistance aux abus alcooliques et gastronomiques ! Il finit, en effet, sa lettre ainsi : *Je pense que toutes vos santés sont bonnes ; la mienne est incroyable, et résiste parfaitement à tous ces divers excès.* On reste pantois du fait, patent, que Jules donne plus d'importance à ces considérations d'ordre alimentaires ou digestives qu'au portrait de la femme qui l'a séduit, et dont il se croit amoureux ! Il est même cocasse de considérer qu'en fait, ce portrait, dont il était prévisible que sa mère serait friande, en est étrangement absent ; c'est un rapport, par contre, plus disert et enthousiaste à propos du futur beau-frère, Ferdinand : *le plus gentil garçon que la terre ait porté !...*

Même cet appétit gargantuesque est surprenant au moment où l'on tombe amoureux : le coup de foudre s'accompagne généralement d'une perte d'appétit due à une brusque poussée d'adrénaline ! Or, Jules ne cesse de se féliciter du bon comportement de ses entrailles, mais reste – et restera – des plus discrets quant au moindre détail concernant sa future femme ! Après cette première lettre portant à Nantes la grande nouvelle, noyée sous diverses considérations, avant tout gastronomiques, Jules Verne n'évoquera plus sa promise autrement qu'à propos de détails triviaux se rapportant à la dot, au choix des cadeaux de mariage, etc., et évitera soigneusement toute description physique ou confidence sentimentale… On ne peut qu'en rester stupéfait et tenter d'en tirer des conclusions logiques.

À l'inverse, Jules dans ses lettres suivantes parle si abondamment du frère, Ferdinand, son futur beau-frère, et avec tant d'enthousiasme qu'on pourrait l'en croire amoureux : *Il y a dans cette famille De Viane un frère de mon âge, qui est bien le plus charmant garçon de la terre ; il s'est associé avec un de ses amis […]* Et il poursuit avec de nombreux détails sur la manière de s'enrichir par la méthode « Devianne », et sa décision prise de Jules Verne, convaincu par cet habile financier de suivre son exemple aussitôt que possible, dès que Pierre Verne aura accepté de financer l'opération essentielle : l'achat d'une part de charge d'agent de change. *Voilà donc une belle position financière pour un jeune homme, et qui de plus*

▲ *Les Cinq Cents Millions de la Bégum* (Hetzel, c.1902). M. Krupp est arrivé à fondre des blocs d'acier de cinq cent mille kilogrammes.
Herr Schultze ne connaît pas de limites : demandez-lui un canon d'un poids quelconque et d'une puissance quelle qu'elle soit, il vous servira ce canon, brillant comme un sou neuf !

◄ *Les Cinq Cents Millions de la Bégum* (Hetzel, 1879).
Un embranchement ferré reliant le territoire de la ville nouvelle de France-Ville à celle de Sacramento.

▲ Gravure in texte. *La Maison à vapeur* (Hetzel, 1880), illustré par
L. Benett. Une masse de cinquante à soixante éléphants marchait
maintenant derrière notre Steam-House en rangs pressés.

Dessin original inédit par Benett pour *La Maison à vapeur* (Hetzel), repris
en gravure in texte. Deux faisceaux lumineux furent projetés, mais la
lumière électrique, impuissante à percer cette opaque brume, ne put
l'éclairer qu'en avant et la rive demeura absolument invisible. ▶

n'offre aucun risque. Ce jugement catégorique n'empor-
tera pas la conviction de l'avoué nantais qui néanmoins
se laissera fléchir peu à peu, mettra sa méfiance en
réserve et la main au portefeuille.

Cependant, entre mai et décembre 1856, se succèdent les analyses du marché boursier, de ses mécanismes, de la sûreté de la voie et des procédés de Ferdinand de Viane dont Jules Verne chante les louanges sur
tous les tons avec un enthousiasme qui convaincrait de
plus résistants que son père, et qui, très curieusement,
éclipse presque totalement sa fiancée. La conversion
à la Bourse, qui lui paraît offrir la voie royale du gain
facile à qui veut, comme lui, consacrer le plus clair
de son temps et de ses efforts à tout autre chose que
la Finance, est devenu manifestement une priorité
absolue qui va jusqu'à faire passer au second plan son
impatience d'en finir avec le célibat, chose désormais

acquise. Consacrer maintenant une frange de son temps à l'impitoyable nécessité de gagner de l'argent lui semble le moyen de vivre pour la littérature, à défaut de pouvoir vivre de la littérature. C'est là, et de loin, le plus important. Aussi il multiplie les lettres à son père et, au moyen de talentueuses descriptions de ses projets, et de tableaux idéalisés de la situation nouvelle qu'il en attend, il s'efforce de le convaincre d'en accepter le principe et surtout le financement. Entre temps, quoiqu'il fasse la cour plus à son futur beau-frère qu'à sa promise, les choses se mettent en place officiellement, avec les lenteurs et la gravité correspondant à ces circonstances solennelles d'union des familles à travers celle du couple. Pierre Verne fait la demande en mariage officielle au nom de son fils, et M. de Viane père lui répond avec la componction appropriée. Seule la réponse nous est parvenue :

Amiens, le 1er novembre 1856,

Monsieur,

Lorsque Monsieur votre fils m'a fait connaître les sentiments qui l'animaient, j'ai cru devoir lui faire les réflexions que m'avaient suggérés sa détermination. Maintenant que votre assentiment lui est donné, je ne puis qu'accueillir avec plaisir la demande que vous nous faites en son nom. Les moments que j'ai passé avec Monsieur Jules m'ont suffi pour l'apprécier. Les sentiments de délicatesse et d'affection qu'il nous a exprimés parlent assez en sa faveur. Aussi est-ce avec confiance que nous mettons entre ses mains le Bonheur de notre fille, et l'avenir de ses jeunes enfants. Nous comprenons que le moment où il sera donné à Monsieur Jules de réaliser l'union qu'il a arrêtée soit impatiemment attendu. Monsieur Jules peut compter sur le concours de ma famille pour arriver à la position qu'il ambitionne ; nous faisons ici des vœux pour que ses efforts soient couronnés de succès. Nous connaissons Monsieur votre fils, et vous monsieur, ne connaissez ma fille que par la renommée dont Monsieur Jules

▲ Gravure hors texte couleur pour *La Maison à vapeur* (Hetzel). Nana Sahib se réfugie dans les grottes d'*Ellora*.

Gravure in texte pour *La Maison à vapeur*, (Hetzel). Ces singes s'étaient installés sur la croupe, sur le cou, jusqu'à l'extrémité de sa trompe et ne s'effrayaient pas des jets de vapeur. ▶

165

▲ *La Jangada, Huit Cents Lieues sur l'Amazone* (Hetzel 1881). Illustrateur : L. Benett. Telle était cette jangada ou radeau du fleuve de la dimension d'un îlot, transportant son personnel et sa cargaison qui descendrait le cours de l'Amazone.

◄ *La Jangada* (Hetzel). Premier cartonnage dit « aux deux éléphants ».

s'est fait le complaisant organe. Aussi, Monsieur, serons-nous heureux de vous voir tous au milieu de nous ; vous y trouverez simplicité et Bon accueil. Ma femme et moi vous prions d'offrir nos civilités à Madame Verne et de recevoir pour vous, Monsieur, l'expression de nos sentiments distingués.

Deviane

Le « vieux guerrier » ne s'était pas trop mal tiré de sa corvée protocolaire qui, en dépit de son ton nécessairement compassé, apporte quelques détails complémentaires : l'impatience de Jules à « enterrer » son célibat n'avait pas été cachée par l'intéressé. Le concours du beau-frère, nécessaire à Jules pour trouver à s'insérer dans le milieu fermé des intervenants en Bourse, et pour fournir relations et connaissances, était promis mais… tacitement suspendu à la concrétisation du mariage. C'était en quelque sorte donnant donnant, mariage contre acquisition d'une situation « sérieuse » pour Jules, celle de littérateur étant déconsidérée. Et la situation n'étant pas acquise sans l'investissement de 50 000 francs[17] sollicités du père, tout dépendait de son bon vouloir. Cela explique les nombreuses missives persuasives du deuxième semestre de 1856. Au début de cette période, le beau-frère est un modèle idéalisé.

Fin mai :

Ce jeune homme très intelligent a parfaitement compris que le seul moyen de parvenir à quelque chose était de travailler dans ce sens ; il est avocat, et n'a voulu être ni notaire, ni avoué, car ces positions sont bien loin d'être aussi lucratives qu'elles l'étaient autrefois, et s'amoindriront encore ; il s'est donc décidé et réussit parfaitement.

Le rapport de cause à effet entre l'état de crève-la-faim littéraire de Jules, et l'impossibilité de trouver à se marier, ne lui a pas échappé :

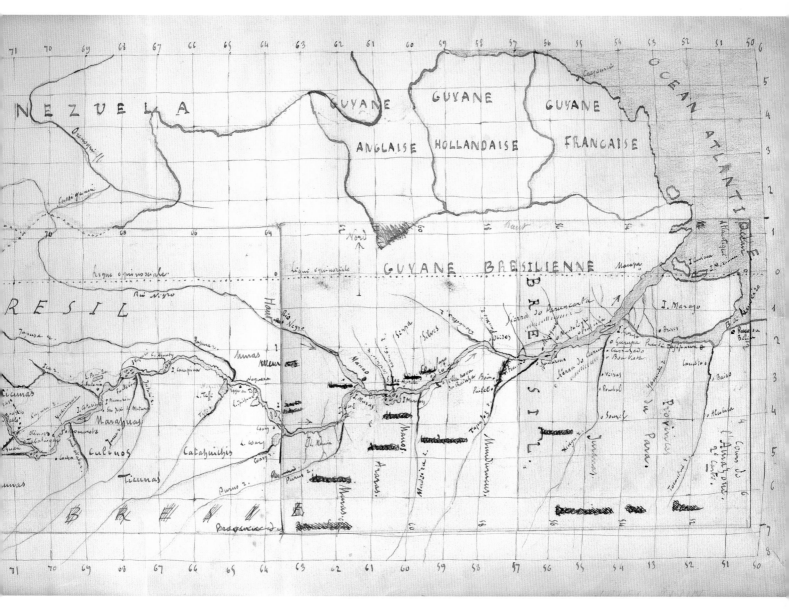

J'en reviens à ceci, j'ai du temps et de l'activité à utiliser ! profitons-en. Si j'ai du talent littéraire, je le verrai bien, et j'arriverai forcément car jamais je ne cesserai de travailler ces œuvres qui me séduisent d'autant plus qu'elles deviennent sérieuses. Mais il me faut une position, et une position offrable, même aux gens qui n'admettent pas les gens de lettres; la première occasion de me marier, je la saisis d'ailleurs; j'ai par-dessus la tête de la vie de garçon, qui m'est à charge; et j'en suis là, avec tous mes amis, qui pensent comme moi, je t'assure, et dont les uns se marient, et dont les autres cherchent à en faire autant; cela peut paraître drôle, mais j'ai besoin d'être heureux, ni plus ni moins... Or, une situation d'argent, tout en me permettant de vivre à Paris, peut faciliter beaucoup les choses.

Grand dessin manuscrit autographe inédit de Jules Verne pour le roman *La Jangada* (Hetzel), intitulé *Cours de l'Amazône*. L'écrivain voulait en faire une vaste carte dépliante décrivant le cours du fleuve à l'horizontale. Hetzel en accepta le principe, mais la réduisit à deux cartes « pleine page » verticales (effectivement publiées dans l'édition illustrée), obligeant Verne à modifier ses écritures pour passer de l'horizontale à la verticale. Une fois les cartes gravées, l'auteur récupéra les découpages de sa carte initiale, et les réinséra à leur emplacement d'origine, reconstituant son travail dans un état le plus proche possible de l'original.

Juin :

J'écris aujourd'hui même à Amiens pour que l'on s'occupe activement d'une bonne affaire qui te sera soumise et pour laquelle j'aurai grand plaisir à te voir venir à Paris ; tu me dis que tu te défies un peu de ce M. Devianne ; c'est tout simple, tu ne le connais pas ; d'ailleurs il ne s'agit pas de faire une affaire avec lui, qui habite Amiens, mais bien à Paris. Du reste, il est inutile de raisonner en l'air sur une affaire qui n'existe pas ; une fois la combinaison trouvée, on verra quelles garanties elle offre. [...] Je m'aperçois qu'on ne peut arriver avec une pièce importante avant un âge bien plus avancé que le mien ! Or, cette situation est triste, et je prétends utiliser mon temps et mon séjour à Paris d'une façon plus lucrative tout en suivant mes inspirations littéraires.

Et encore :

Je veux que décidément mes affaires s'arrangent. Ne va pas dire, mon cher père, que je me décourage ; non, loin de là, et dans

▲ *L'Ecole des Robinsons* (Hetzel). Couché à plat ventre, ses yeux parcouraient avidement tout l'horizon... C'était la mer qui le formait. Il se retourna... La mer encore... L'immense mer l'entourant de toute part ! « Une île ! »

◄ Premier cartonnage dit « aux initiales JV-JH » *L'Ecole des Robinsons* (Hetzel 1882), illustré par L. Benett.

« Nous mangerons bien un ou deux poulets ! » s'écria Tartelett, dont la mâchoire claquait d'avance. ▶

un temps donné, j'arriverai en littérature ; je le sens bien, mais, en attendant, le temps passe et ne rapporte rien, et il me répugne de vivre encore dans les ennuis et les expédients. D'autre part, j'avoue désirer beaucoup une position offrable et présentable, parce que vraiment la solitude me pèse ; or, chez moi, le cœur est un vide désespérant et franchement je me marierais bien ; cela prouve que je suis dans l'âge où le sentiment de l'union, de la liaison, domine ; eh bien, il vaut mieux qu'elle soit légitime ; c'est, je pense, ton avis et celui de maman ; or, tant que je serai candidat surnuméraire à la littérature, les père et mère me tourneront le dos, et ils auront raison.

Encore des déclarations qui permettent de mettre en doute celle émise un mois auparavant : *Je crois bien que je suis amoureux de la jeune veuve. Je crois bien* met déjà une sourdine à cette déclaration ! Quant à la phrase *la première occasion de me marier*, je la saisis d'ailleurs, elle permet de cerner de près les contours de ce coup de foudre « mou » ! Et aussi de renforcer le doute qui saisit l'observateur à la disproportion que présente cette correspondance dans laquelle Honorine n'a qu'une part excessivement faible, comme s'il était d'ores et déjà convenu des motifs ayant généré cet « amour » et ce mariage, et comme s'il n'y avait rien de plus à y ajouter. De fait, l'absence d'une quelconque peinture de l'aspect physique, de la beauté de sa future épouse, ou de celle des sentiments animant le jeune homme, à elle seule pose problème. Le coup de foudre, l'amour vrai, ébranlent si puissamment l'âme qu'ils n'auraient pas manqué, s'ils étaient présents, de soulever celle du fiancé, de dominer sa pensée, de se manifester dans ses écrits.

Or, de tels tableaux dans les lettres de Jules sont rares, on l'a vu, et si discrets qu'ils apparaissent froids. Cela ne s'explique que par de l'indifférence, surtout si on les compare avec l'abondance des détails intimes qui jusque-là parsemaient, avec franchise et décontraction,

Frontispice pour *Le Rayon Vert* (Hetzel 1882), illustré par L. Benett.

▲ *Kéraban-Le-Têtu*. Planche hors texte : Van Mitten admirait la charmante église de Sainte-Hypata du joli village de Gagri.

◄ Premier cartonnage « aux deux éléphants » pour *Kéraban-Le-Têtu* (Hetzel, 1883), illustré par L. Benett.

les lettres à sa mère. Ainsi Aimée, la future belle-sœur, dont l'aspect avait paru peu engageant à Jules, témoin de son mariage, bénéficie-t-elle d'un véritable traitement de faveur, comparé à celui de la pauvre Honorine, qui pourtant l'avait séduit. En juin, Jules répond à la curiosité de l'une de ses sœurs : *La gente Mathilde me reproche de ne point avoir parlé de la beauté et de l'esprit de Madame Lelarge jeune. Elle est assez jolie, très grande, les lèvres un peu trop pincées pour que le cœur y puisse jamais arriver, – moralement bien entendu – car j'aime à croire qu'elle vomit à l'occasion, comme une personne naturelle. Je dis donc moralement, parce que je ne la crois pas très bonne – j'en ai eu des preuves. [...] Quant à son esprit, c'est un peu genre Angèle, avec plus d'aplomb, ou plutôt genre Herminie, qui ne brillent guère de ce côté.*

Voilà un portrait complet, donné en quelques brefs mais percutants coups de pinceau. On constate que, le temps passant, Herminie était descendue de son piédestal, même si elle était encore présente. Si on se représente bien la belle-sœur, le tableau décrivant *la beauté et l'esprit* d'Honorine manque singulièrement à la galerie des portraits des de Viane ! Apparemment, il n'était ni demandé à Nantes, ni spontanément offert de Paris !

Il convient donc de publier ici l'une des très rares lettres de cette année 1856 à comporter un passage se rapportant à Honorine et aux sentiments qui lient les futurs époux. Cette lettre est inédite dans son texte original, bien que certains passages ont été cités par la très peu scrupuleuse « biographe » de Verne, Mme Allotte de la Fuÿe qui, fidèle à sa déplorable habitude, a modifié et tripoté les passages sélectionnés.

Les voici donc en préambule, dans l'ordre dans lequel elle les fit paraître :

Je trouve le temps long, je ne serais pas franc en disant le contraire... Écris la demande officielle, mon cher père, prends ta plus belle écriture, celle avec laquelle tu as sollicité la main de maman. Je n'ai pu t'écrire d'Amiens, n'ayant eu de temps pour le faire que le matin, dans une chambre d'hôtel, où la température faisait éclore des Esquimaux et des ours blancs. Présenté à la famille, j'ai fait toutes mes visites comme un homme naturel, sans rechigner. Le père, pour un ex-cuirassier, a des sentiments réellement humains, et sa cuirasse a dû le gêner plus d'une fois. Honorine et moi sommes d'avis de faire le moins de noces et fracas possible. Elle a un mobilier très simple : canapé, quatre fauteuils, quatre chaises, garniture de cheminée, acajou, velours rouge et bronze. Ce n'est pas le canapé qui est en bronze, ni la pendule en velours rouge. J'achèterai l'argenterie et le reste. Dès que j'aurai fini mon apprentissage chez Giblain, ma situation sera très bonne. Hier soir, j'ai manqué une belle occasion de fiche le camp sur Bruxelles avec Honorine et d'avoir une position magnifique. Je portais 500 000 francs de titres dans ma valise, et 95 000 francs de billets de banque, que de Viane m'avait remis pour Giblain. Enfin j'ai patienté. Je vous embrasse tous et vraiment, sans illusions, ni imaginations folles, je crois avoir trouvé le bonheur.

Voici le texte original et véridique de cette lettre, non datée, mais nécessairement d'octobre 1856, puisqu'elle précède de peu la demande en mariage de M. Verne père. La réponse de M. de Viane, déjà vue était datée du 1er novembre :

Paris, dimanche [octobre 1856]

Mon cher père,

J'ai attendu mon retour à Paris pour t'écrire plus commodément, car je n'avais de temps pour le faire que le matin dans une chambre d'hôtel, où la température faisait éclore des Esquimaux et des Ours Blancs. J'ai été reçu de la façon la plus affectueuse et présenté à toute la famille. J'ai fait toutes mes visites, comme un homme naturel, sans rechigner ; dis-le à maman. Il y a eu plusieurs dîners dans la maison paternelle. Ce sera vraiment une famille qui vous plaira bien ; le père pour un officier de cuirassier en retraite a des sentiments très humains,

▲ « Des torches !... des torches !... » s'écria Kéraban.

Kéraban-Le-Têtu (Hetzel). Les eaux étaient calmes et les bateliers n'eurent aucune peine à diriger le bac, tantôt au moyen de longues gaffes, tantôt avec de larges pelles. ▶

Photo: © Munoz

et sa cuirasse a dû le gêner plus d'une fois pour embrasser ses enfants; ceux-ci d'ailleurs devaient redouter ses étreintes. Ferdinand Devianne a dit que le jour du mariage, il rendrait la dot de sa sœur qui est de 105 000 francs. Ainsi pas de craintes à cet égard. Honorine n'a que 45 000 fr. de dot quand sa fille (sic) en a reçu cinquante, parce qu'elle a eu un trousseau que l'on n'a pas donné à la dernière. Aussi, chose agréable pour entrer en mariage, nous n'aurons ni linge, ni meubles à acheter : ce qu'elle a et ce que j'ai est plus que suffisant. Le salon sera très simple, un canapé, 4 fauteuils, 4 chaises, garniture de cheminée, le tout moderne en velours rouge, acajou, et bronze. (Ce n'est pas la pendule qui est en velours, ni les meubles qui sont en bronze) Il n'y aura donc que de l'argenterie à acheter, car la sienne, qui était très vieille, a été vendue. Le linge est très beau, très complet, et abondant. Maintenant, mon cher père, Honorine et moi, nous nous aimons plus que jamais, inutile de le dire. Elle n'est point ambitieuse, elle a déjà pas mal de toilettes; nous sommes donc tous d'avis qu'on fera le moins de noce possible ; nous verrons plus tard s'il vaudra mieux la faire à Paris qu'à Amiens, car j'en reviens toujours à mon idée.

Je crois maintenant, mon cher père, que tu pourrais écrire à Amiens pour établir les relations officielles entre les deux familles. J'ai bien vu qu'on attendait donc une lettre de toi, et je te serais très reconnaissant de vouloir bien t'exécuter.

Si tu veux le faire directement, c'est à Monsieur Devianne, 48, boulevard Fontaine à Amiens, qu'il faut adresser ta lettre, à moins que tu n'aimes mieux m'envoyer ton épître. Je te recommande de prendre ta belle écriture, celle avec laquelle tu as demandé la main de maman.

La famille Devianne est très honorable et de très bonne naissance des deux côtés ; les parents maternels étaient des présidents de cour, etc. Réponds-moi donc à ce sujet, mon cher père, surtout en m'envoyant ta lettre. Dès que j'aurai fait mon apprentissage chez M. Giblain, ma position sera belle tout de suite ; c'est convenu avec le frère.

J'avais une belle occasion de ficher le camp à Bruxelles cette nuit ; j'avais 600 000 francs de titres dans ma valise et

▲ *L'Archipel en Feu* (Hetzel 1884). Si résolue qu'elle fût, que pouvait cette petite troupe, commandée par le capitaine Todros, contre les cinq ou six cents pirates qui occupaient alors le gaillard d'avant, le pont et les hunes.
D'après l'illustrateur L. Benett.

◄ Cartonnage tardif « à l'éventail, titre dans le cartouche » pour le couplage de *L'Etoile du Sud* et *L'Archipel en Feu* (Hetzel, c.1910).

Affiche française pour le film franco-anglais *L'Etoile du Sud* (1968), réalisé par Sidney Hayers. ▶

NAT WACHSBERGER présente

tout l'univers fabuleux de JULES VERNE

toute la magie du style de JEAN GIONO

GEORGE SEGAL · URSULA ANDRESS · ORSON WELLES
IAN HENDRY · JOHNNY SEKKA dans

L'ÉTOILE DU SUD

TECHNISCOPE   TECHNICOLOR

d'après le roman de   Adaptation de
JULES VERNE JEAN GIONO avec MICHEL CONSTANTIN · GEORGES GERET et HARRY ANDREWS

Images de   Musique de   Produit par   Réalisé par
RAOUL COUTARD · GEORGES GARVARENTZ · ROGER DUCHET · SIDNEY HAYERS

UNE COPRODUCTION EURO FRANCE FILMS-CAPITOLE FILMS COLUMBIA (BRITISH) UNE SELECTION OCEANIC FILMS (RAYMOND GAUTREAU)
DISTRIBUEE PAR RANK FRANCE

▲ *L'Etoile du Sud* (Hetzel 1884. Illustrations : L. Benett). « Dada !... Ici !... Rendez cela tout de suite. » Ah ! l'affreuse bête l'a avalé ! Un document de première importance !

L'Etoile du Sud (Hetzel). Des photographes sollicitèrent l'honneur de prendre le portrait du merveilleux diamant. ▶

95 000 fr. en billets de banque que le frère m'avait donné pour remettre chez Giblain. J'avais peur d'être volé.

Enfin, je vous embrasse tous, et sans illusions, ni imagination folle, je crois que j'ai trouvé le bonheur.

Que maman m'écrive avec ces demoiselles.

Ton fils respectueux
Jules Verne

Passons sur les changements apportés systématiquement par l'extravagante « biographe », modestes ici par rapport à son sabotage habituel, et relevons de préférence la déclaration des sentiments, remarquablement brève, à la hussarde et assez peu ordinaire : *Maintenant, mon cher père, Honorine et moi, nous nous aimons plus que jamais, inutile de le dire.* » Si c'était inutile, pourquoi le dire ? Je n'en vois qu'une raison : quelques lettres de cette époque doivent manquer et devaient comporter quelque demande de précisions à ce sujet, devenues nécessaires vu le mutisme du principal intéressé. Quant à la description faite d'Honorine, elle est plus que lapidaire : *Elle n'est point ambitieuse*, ce qui peut se traduire par « elle n'a aucune exigence » !... Cela a dû rassurer et peut-être cela a-t-il suffi ? Vu les déclarations précédentes de Jules, prêt à se précipiter tête baissée dans une union avec la première femme disponible venue, *à la première occasion*, y avait-il lieu encore de faire montre d'une curiosité, en d'autres circonstances légitime ? Celle-là ou une autre !...

Quant au *sans illusions, ni imagination folle, je crois que j'ai trouvé le bonheur*, il est un résumé lapidaire de la situation affective du couple en train de se constituer, montrant que Verne était conscient, à froid, des risques pris dans cette union.

Aussi, ne devrait-on pas s'étonner d'un événement significatif, survenu quelques années plus tard, qui n'a pas manqué d'attirer l'attention et les commentaires des biographes. Ceux-ci, cependant, l'ont toujours expliqué comme relevant d'une irrépressible attraction du voyage, et étant l'expression d'un caractère juvénile, primesautier, insouciant et, peut-être, craintif ou mal à l'aise devant l'accouchement, événement féminin par excellence... C'est là faire preuve d'une indulgence coupable en raison de la confusion qu'elle implique entre l'attitude rigoureuse de l'historien, qui cherche la vérité seule, la vérité historique, et celle du vernien qui pêche par passion, juge avec indulgence l'objet de sa passion, et confond son sentiment personnel avec un examen lucide des faits. Ainsi en 1861, alors qu'Honorine sera proche du terme de sa grossesse, et sur le point de mettre au monde l'unique enfant qu'elle donnera à son second mari, celui-ci, sans égard pour l'échéance toute proche, saisira au bond l'occasion d'échapper aux inconvénients de la situation et se joindra à deux de ses amis pour un voyage de cinq semaines en Scandinavie. A son retour, il se trouvera père d'un fils, Michel, né en son absence le 3 août. Père absent, il le restera d'une certaine façon, au détriment des relations entre le père et le fils ainsi que, probablement, de la formation de la personnalité de l'enfant qui s'orientera vers la provocation et le dédain de l'apprentissage des limites (l'un des rôles fondamentaux du père dans l'éducation de l'enfant). Ce petit voyage en Norvège et au Danemark fera l'objet d'une relation romancée, qui reste inédite, puisque limitée à un premier chapitre seul[18].

Certes, les années qui séparent cette naissance de la rencontre d'Honorine peuvent avoir joué leur rôle dans cet éloignement géographique à un moment crucial, qui reflète bien l'éloignement des cœurs. Le temps passant, ce processus n'a pu que se développer et est parfaitement démontré par les lignes qu'Honorine adressait en été 1870 à P.-J. Hetzel, l'éditeur de son

Le Tour du Monde en 80 jours. L'un des objets dérivés suite au succès de la pièce de théâtre. L'une des douze assiettes produites par la faïencerie de Creil et Monterau, c. 1880. Celle-ci : n° 12 « Retour à Londres », marli bleu.

JULES VERNE

MATHIAS SANDORF

DESSINS PAR L. BENETT

mari, devenu en huit ans un ami et une sorte de père spirituel (bien que sur le plan littéraire, il eût plutôt fait fonction de «Père Fouettard).

Vous n'ignorez pas que Jules depuis plusieurs mois déjà est triste et mal en point. Le travail le fatigue-t-il ? Ou l'a-t-il moins facile, enfin il parait découragé. Et il fait peser sur moi tous les ennuis que lui apporte ce découragement, je remarque qu'il se met avec peine à l'ouvrage ; à peine assis il se lève, il se plaint de cet état de choses, et c'est à moi qu'il en veut, que faire ? Que dire ? Je pleure et je me désespère. Quand le ménage l'ennuie et le fatigue trop, il prend son bateau et le voilà parti, le plus souvent je ne sais où il est. Vous [...] qui faites tous vos efforts pour en faire un écrivain distingué, croyez-vous qu'il faut abandonner l'idée d'en faire un mari passable ? Je vous demande bien pardon de vous ouvrir ainsi mon cœur [...] Peut-être trouverez-vous un remède pour nous délivrer de cette position tendue et affligeante. Je ne sais si Jules vous a jamais entretenu de toutes ces choses... Je vous prierai donc de garder le plus grand silence. Si vous avez à m'écrire soit pour me consoler, soit pour me donner des conseils, écrivez-moi [...] poste restante. [...] Jules vous a-t-il écrit son départ ? Avez-vous reçu une lettre de lui mardi passé ? Répondez-moi à ce sujet. Il était bien triste, peut-être vous aura-t-il ouvert son cœur. A mon avis le plus grand tort de mon mari, c'est d'avoir quitté Paris. Il vit trop seul ici, il se retrouve trop souvent avec lui-même... Adieu, mon cher ami, pardonnez-moi et plaignez-moi, mon mari me glisse dans la main, aidez-moi à le retenir...

Cette lettre importante, heureusement conservée par Hetzel dans les archives de sa correspondance avec Verne, aujourd'hui disponible aux chercheurs[19], éclaire l'évolution de la situation du couple. On n'en a pas suffisamment tenu compte jusqu'ici. Elle donne aussi un indice du niveau culturel inégal des époux, qui a dû aussi contribuer à l'échec de leur union : si, aux yeux d'Honorine, Hetzel faisait de gros efforts pour faire de son mari un écrivain distingué, c'est bien parce que,

selon elle, il n'en était pas un ! Le fait qu'en 1870, il ait publié une part non négligeable de ses œuvres à succès (*Cinq Semaines en ballon*, *Voyage au Centre de la Terre*, *Les Aventures du capitaine Hatteras*, *De la Terre à la Lune*, *Les Enfants du capitaine Grant*, *Autour de la Lune* et *Vingt Mille lieues sous les mers*), n'avait apparemment pas changé l'opinion qu'Honorine et les de Viane s'étaient faite de « l'écrivaillon » rencontré au mariage d'Aimée. Pour elle, si son mari était un grand travailleur, il ne devait guère avoir de talent puisqu'il donnait tant de soucis à son éditeur, principal artisan de son succès ! L'absence de sentiment amoureux, au moins du côté de Jules, et l'incompréhension grandissante entre les époux ne pouvaient que concourir à les séparer.

▲ *Mathias Sandorf* (Hetzel). Les deux *Electrics* se précipitaient au milieu de la flotille, en brisaient la ligne, faisaient sauter cinq ou six embarcations et en défonçaient une douzaine.

◄ Frontispice pour *Mathias Sandorf* (Hetzel 1885) d'après L. Benett.

Portrait supposé d'Estelle Hénin, maîtresse et égérie de Jules Verne.
Épreuve originale inédite d'un cliché par Nadar, 1873. Cet exemplaire a appartenu aux Nadar père et fils.

Ellen avait secoué sa blonde chevelure. (Une Ville flottante, *chap. XXXVIII.*)
La Stilla [...] *était une femme d'une beauté incomparable, avec sa longue chevelure aux teintes dorées.*
(Le Château des Carpathes, *chap. IX.*)

La maîtresse

Dès lors, les pièces du puzzle s'emboîtent de façon logique, de sorte que l'on peut affirmer l'existence d'une maîtresse (une au moins!) dans la vie de Jules Verne. On peut aussi dire avec certitude qu'elle fut une femme mariée, Estelle Hénin, épouse Duchesne, reconnue comme telle par la famille Verne dès 1928. Cette liaison a dû couvrir la période comprise entre 1867 et 1885. Considérant la nécessaire discrétion qui, le plus souvent, entoure les liaisons extraconjugales, et tout particulièrement dans les messages écrits (les paroles s'envolent...), c'est à la loupe qu'il fallait chercher les traces de cette relation dans la correspondance de Verne (correspondance aux parents exclue, bien entendu!...). En 1870 cependant, cela faisait déjà plusieurs années qu'une correspondance régulière s'était établie avec l'éditeur Hetzel, devenu le mentor et l'ami de son auteur «fétiche». Malgré la différence d'âge (Hetzel, né en 1814, était de quatorze ans l'aîné de Verne), et peut-être en raison même de cette différence, des rapports de confiance, une complicité et même une certaine familiarité s'étaient établis entre les deux hommes; leurs relations, soit directes, en tête-tête, soit écrites, étaient constantes, parfois journalières. C'est donc dans cette correspondance, aujourd'hui publiée, que les chercheurs verniens avaient décelé des indices et même la preuve d'une liaison, devenue certitude: ainsi, en février 1870, Jules écrivait à Hetzel, de Paris alors qu'il n'y passait plus qu'occasionnellement, pour de brèves périodes :

Je suis venu passer quelques jours à Paris. Je pars demain. [...] Je suis en plein dans le Robinson. J'y suis lancé à corps perdu, et je ne peux plus penser à autre chose. Excepté à Paris, où j'arrive toujours furens amore, et d'où je m'en retourne de même! Oh! nature!

La citation latine, signifiant «transporté d'amour», est transparente! Quant aux motifs invoqués par Jules pour se rendre à Paris, on n'en voit pas d'autres, plausibles et avouables, que ses rencontres avec l'éditeur, ce qui justement, en l'occurence, n'avait pas été le cas!

En effet, depuis 1865, Verne vivait déjà en été au Crotoy, bourgade et petit port de la baie de la Somme, profitant en famille du bord de mer, des possibilités de travailler dans le calme, et s'en retournant avec les siens à Paris à la rentrée des classes, les filles d'Honorine y étant scolarisées. À partir de juillet 1867, Jules installe le domicile familial au Crotoy, dans une maison louée et ce, semble-t-il, au grand déplaisir des deux filles aussi bien que de leur mère... La recherche de la tranquillité et du bon air pour les enfants pourrait n'avoir été qu'un prétexte pour les éloigner de Paris, donnant à Jules la possibilité d'y retourner seul. Ces motifs ressemblent donc furieusement à des prétextes, en vérité peu habiles, destinés à convaincre ses proches de la justification du déménagement, aussi bien que de ses propres va-et-vient fréquents. Il pensait que cette stratégie lui laissait le champ libre pour de brefs et discrets séjours parisiens... en bonne compagnie.

Il est certain que cette liaison, à la fois passionnelle et riche d'échanges intellectuels, lui apportait ce dont il avait été privé jusque-là. Insatisfait de son mariage, à présent ruiné, il n'en espérerait plus rien. Aussi, il est aisé d'imaginer la souffrance qui a dû être sienne à la disparition de celle qui lui avait tant apporté, souffrance qu'il lui était même interdit de montrer ou de communiquer.

On vient certainement ici d'identifier la cause principale de la profonde altération de son état psychologique à partir de 1885-1886, qu'il décrira lui-même avec objectivité.

La solitude de l'âme était de retour, et pire qu'autrefois, au seuil des vieux jours, sans aucune perspective désormais...

Estelle Hénin a inspiré une passion chez Jules Verne, et reste pour nous un sujet passionnant, nous y reviendrons donc.

Le Saint-Michel

Dès que les conditions économiques issues de son travail pour Hetzel ont apporté un début d'aisance, encore très relative, Verne s'était mis en quête d'un bateau, acquis en définitive au Crotoy en 1868. C'était une simple barque de pêche un modèle régional de l'époque du type «caïque», de 9 à 10 mètres jaugeant 8 tonneaux[20], probablement une occasion en bon état, de construction récente, que l'écrivain fit ponter, aménager et mettre à neuf avant de la lancer en tant que bateau de plaisance. Rien ne prouve qu'il aurait fait construire ce bâtiment, en dépit de la préférence manifestée par certains auteurs pour cette hypothèse. Quoi

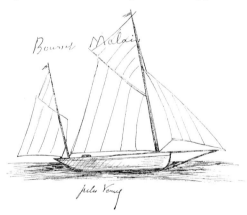

▲ Croquis du *Saint-Michel* I exécuté par Jules Verne au cours d'une interview pour le journaliste Adrien Marx. Ce dessin fut publié dans le *Paris-Magazine* du 5 mars 1873. Jules Verne orthographie curieusement « bourcet-malet » par erreur ou en manière de plaisanterie.

Premier cartonnage « aux initiales JV-JH » pour *Robur Le Conquérant* (Hetzel, 1886), illustré par Benett. ▶

Le navire aérien de Robur : l'*Albatros*. ▶

qu'il en soit, Jules désormais possède un bateau, vieux rêve et part essentielle du bonheur à ses yeux, justifiant à elle seule le séjour au Crotoy, où il est à l'ancre.

Verne navigue avec délice, fait du cabotage jusque dans les pays voisins (Angleterre, Belgique, etc.) seul, en famille ou en compagnie d'amis invités. Le gros des problèmes de navigation et des corvées d'entretien est confié à un équipage de deux hommes, un patron et un second. Verne tente bien parfois de pêcher, se révèle médiocre pêcheur, mais écrivain heureux. À plat ventre sur le pont, il expose au soleil son dos plus que son ventre.

La Géographie de la France et de ses colonies

C'est surtout dans cette position, aux dires d'Honorine, que dans les dernières années 1860, il commence l'écriture de *Vingt Mille lieues sous les mers*, en parallèle à un énorme pensum, un gros travail de tâcheron obtenu d'Hetzel pour suppléer à la faiblesse de sa rémunération par l'éditeur. Celui-ci profite sans vergogne des meilleures années et de la meilleure veine d'un auteur prolifique, devenu très vite célèbre, qui lui donne chef-d'œuvre sur chef-d'œuvre, ne le rétribue qu'à 5 % des droits d'auteur (au lieu des 10 % habituels), tout en lui assurant un fixe mensuel. Verne ne touche rien pour les éditions illustrées, qui représentent pour l'éditeur un bénéfice confortable, droits qu'il lui a fait céder en échange d'une somme modique par rapport à leur valeur réelle. Verne gagne de quoi vivre et entretenir sa famille , mais pas dans le luxe! Un revenu supplémentaire serait bienvenu. Il s'attelle donc à ce considérable travail géographique, la *Géographie de la France et de ses colonies*, héritée d'un spécialiste, Theophile Lavallée, contraint par la maladie de renoncer, sitôt le travail entrepris. Lavallée meurt

« Je me nomme Robur. » Robur paraissait bien être l'homme qu'il disait être. Une carrure géométrique, et sur la ligne des épaules, rattachée par un cou robuste, une énorme tête sphéroïdale. Des cheveux courts, un peu crépus, un reflet métallique, comme eût été un toupet en paille de fer.

peu après et Verne reste seul maître à bord, maître d'œuvre d'un énorme travail, qui lui prendra dix-sept mois (de janvier 1866 à mars 1867) et nécessitera une documentation importante qu'à sa demande l'éditeur lui enverra au Crotoy.

Assommé de travail, Verne écrivant à Hetzel se qualifie de «bête de Somme»! Pour parvenir à livrer à temps le manuscrit de toutes les livraisons successives (il y en aura 100 !), il doit requérir l'aide d'Honorine, qui s'improvise copiste et, pour survivre intellectuellement à cette corvée fastidieuse, il profite de chaque instant pour mener à bien simultanément le manuscrit de *Vingt Mille lieues sous les mers*, qui l'enchante et le revigore. La *Géographie* paraît d'abord en deux volumes (au format Gr.in-8° des éditions illustrées des romans de Verne), le premier en novembre 1867, le second en juin 1868. Dès ce moment, l'ouvrage sera présenté en un fort volume, seule présentation désormais.

Sitôt le pensum achevé, Jules, en compagnie de son frère Paul, entreprend en 1867 un voyage dont il a le plus grand besoin : de Liverpool, ils se rendent en Amérique du Nord, embarqués le 26 mars sur le fameux *Great-Eastern*, nommé à son lancement (en 1857), *Léviathan*, le premier grand transatlantique et le plus grand bâtiment de l'époque. Jules avait déjà visité l'impressionnant chantier de construction à Liverpool.

À bord, Jules, passionné, s'intéresse à tout ce qui concerne le bateau, et a même la chance d'affronter une tempête. Arrivés à New York, les deux frères visitent la cité, et poussent jusqu'aux chutes du Niagara, site qui leur laisse de vifs souvenirs. De retour à Brest le 30 avril, Jules vient de réaliser le voyage le plus lointain qu'il fera jamais.

Ses impressions et notes de voyage lui serviront de décor et de prétexte, deux ans plus tard, en 1869, lorsqu'il écrira le roman intitulé *Une Ville flottante*, qui se passe sur le *Great-Eastern*, et dans lequel on entrevoit des allusions à Estelle, surtout dans la première version du roman. Or, comme pour presque tous ses romans, la censure impitoyable que l'éditeur exerçait sur les écrits de Verne produisit des résultats dramatiques, dépouillant cette œuvre d'une grande partie du romantisme et de la sentimentalité qu'il y avait mis. L'aspect du roman modifié, le texte publié est sur plusieurs plans, dont celui des allusions à Estelle, qui nous interpellent, un texte amputé. Cette situation ne cesse de se répéter dans la longue collaboration avec Hetzel, Verne qui en a souffert, prit l'habitude de tricher, de dissimuler, de tromper son censeur dont les avis néanmoins, se révélaient parfois justifiés et utiles. En 1869, Jules Verne n'en avait sans doute pas encore pris son parti, et ne savait pas encore prévoir les coupes qu'Hetzel lui imposerait.

Des passages aussi limpides que les suivants eussent été mieux camouflés : dans le manuscrit, le personnage principal, Fabian, amoureux d'Ellen, a

Deux affiches publicitaires de la Loterie Nationale, d'une série de cinq, signées Grove (c. 1950), d'après les romans de Jules Verne *Les Cinq Cents Millions de la Bégum* et *De la Terre à la Lune*.

Un Billet de Loterie (Hetzel, 1886), illustré par G. Roux.
Le volume de la chute du Rjukan est énorme, sa hauteur considérable, son mugissement grandiose

185

▲ *Le Chemin de France* (Hetzel, 1887),
illustrateur Georges Roux.
Le Royal-Picardie fut classé 20ᵉ Régiment
de cavalerie.

◄ Cartonnage tardif dit « au globe doré »
pour le volume double *Sans Dessus Dessous*
et *Le Chemin de France* (Hetzel, c. 1898)

l'illusion de voir des lettres dans les vagues formant le sillage du navire, des **L** et des **E**. Le narrateur s'exclame :

Mais ces lettres, que pouvaient-elles signifier ? Si Fabian eut été Français, j'aurais pu reconstituer ce mot fatal «Elle», premier et dernier de tant de souffrances[21].

Dans la version publiée, les vagues deviennent très... vagues:

«Ce sillage est vraiment magnifique, on croirait que les ondulations se plaisent à y tracer des lettres! Voyez! des l, des e! Est-ce que je me trompe? Non! ce sont bien des lettres! Toujours les mêmes!» L'imagination surexcitée de Fabian voyait dans ce remous ce qu'elle voulait y voir. Mais ces lettres, que pouvaient-elles signifier? Quels souvenir évoquaient-elles dans le cœur de Fabian?[22]

Un autre passage, de la même veine transparente, a été lui aussi supprimé par Hetzel : *Moi, je suis très heureux, mais à ma façon.*

On peut gloser à l'infini sur les raisons motivant l'éditeur. Celle qui paraît la plus évidente est la peur, et même la panique, qui l'habitait à l'idée que le moindre «excès» d'imagination de Verne, le moindre faux pas dans le domaine de l'orthodoxie morale (ou du moins qui auraient pu être perçus comme tels par la clientèle décisive pour l'éditeur, celle des «bonnes familles, des milieux cléricaux, de ceux qui détiennent, officiellement ou non les rênes du pouvoir) puissent être sanctionnés au détriment de son chiffre d'affaires et de sa capacité concurrentielle. Hetzel, sur le plan moral, était et se voulait un homme rigide, prêt à faire œuvre didactique dans ce domaine! Et en effet, sous son pseudonyme de P.-J. Stahl, il écrivit et publia de très nombreux textes, livres d'enfant, livres «d'esprit» dont au premier rang une *Morale familière*! Par ailleurs, proche de Verne qui se confiait volontiers à lui, le considérant un peu comme un «père spirituel», leur complicité établie devait le tenir au courant des éventuels écarts de Jules. Honorine, on l'a vu, n'hésita pas à s'adresser à lui pour tenter d'obtenir des renseignements confidentiels. Si elle n'avait pas frappé à la bonne porte en escomptant une indiscrétion, elle avait néanmoins visé juste en s'adressant à lui en tant que confident de Verne. Est-ce pour un motif de discrétion que certains passages du roman, trop aisément traduisibles, ont été censurés ?

Par ailleurs, un Verne «fou d'amour» se doit de corriger sa conviction bien ancrée sur la folie : si Hellen est folle par amour, rassurons-nous ! Bien que la folie soit pour Jules inguérissable, la « folie par amour », elle, fait exception et est guérissable au contraire, mais... exclusivement par amour![23]

▲ *Deux Ans de vacances* (Hetzel, 1888), illustré par Benett. Soudain, par une trouée des arbres, apparut une vive lueur qui se propageait à travers l'espace. « – Une étoile filante, je suppose ? dit Wilcox. – Non, c'est une fusée... répliqua Briant, une fusée qui a été lancée du *Sloughi.* »

◄ *Deux Ans de vacances* (Hetzel). Il lui semblait être enlevé par quelque fantastique oiseau de proie, ou plutôt accroché aux ailes d'une énorme chauve-souris noire.

▲ *Famille Sans Nom* (Hetzel, 1889), illustrateur G. Tiret-Bognet.
Jean faisait ostensiblement le métier de pêcheur. Ayant ainsi accès dans toutes les maisons, il avait pu déjouer toutes les recherches et préparer le mouvement insurrectionnel.

Affiche pour *Famille Sans Nom*, drame adapté du roman de Jules Verne par Th. Bergerat. Tournée G. Bourgeois (c. 1902), impr. Charles Verneau. ▶

De telles spéculations ont bel et bien une raison d'être, car elles ne sont pas dénuées de fond; même si des preuves concrètes manquent encore, il y a largement assez d'indices concordants pour justifier la réflexion. Peut-on affirmer qu'Estelle, dans *Une Ville flottante*, est plus présente qu'Herminie, chassée désormais de l'esprit de l'amoureux ou, au contraire, que les deux femmes se fondent et se confondent en Hellen, il est peu probable que la vérité soit connue. Il est certain pourtant qu'Estelle était encore bien présente vingt ans après, puisqu'en 1890-1891, Verne la fait réapparaître sous les traits de la *Stilla*, l'héroïne tragique du *Château des Carpathes*, folle elle aussi. Estelle, Hellen, la *Stilla*!...

Qui pourrait affirmer que tout cela n'est que le fruit de coïncidences, et qu'en cherchant dans l'œuvre quelques traces significatives de la vie de l'écrivain, on court après des chimères?

Si l'on accepte la thèse du caractère superficiel du sentiment amoureux de Jules Verne pour celle qui est devenue son épouse, sentiment éprouvé brièvement, et bien vite enfui, on comprend que l'écrivain, encore dans la force de l'âge, devait à nouveau éprouver le besoin d'aimer et d'être aimé, qui l'avait tant taraudé avant son mariage. Avoir à ses côtés une femme séduisante et sensuellement attirante, devait à nouveau représenter pour lui une part essentielle de ce bonheur auquel il avait droit et pouvait enfin prétendre maintenant qu'il avait réussi.

De son point de vue, il avait à rattraper tant d'années «perdues», sacrifiées, et vivre enfin, en cumulant tout ce que la vie, et la notoriété atteinte, pouvait finalement lui apporter: l'écriture à flot continu, la mer, la famille, une certaine tranquillité permettant la création (ce qui est aussi un luxe!), la stabilité sur le plan économique, et enfin l'amour et la sensualité, dont il avait été privé avant et probablement même après le

FAMILLE SANS NOM
tiré du roman
par G. BERGERAT
de
Jules VERNE
TRES PROCHAINEMENT
TOURNÉE G. BOURGEOIS

mariage, après lesquels il avait inutilement couru tout au long de sa jeunesse!

Il n'est pas besoin d'être Sherlock Holmes pour interpréter la cause de la grande tristesse et de la nervosité qui affectaient Jules Verne, selon le témoignage de son épouse, peu de temps après le «furens amore». Ce cri du cœur et des sens, échappé à l'écrivain, a précédé l'interruption forcée de cette liaison, due au fait que Verne, bloqué au Crotoy, enrageait de ne pas pouvoir retourner à Paris ou, pire peut-être, par suite d'un éventuel décès qui l'aurait gravement affligé. Ce n'est certainement pas l'excès de travail qui le poussait à s'en prendre à l'épouse légitime qui, en tout état de cause, ne le satisfaisait probablement guère, et sans doute sur plusieurs plans... Elle semble, en effet, avoir été assez peu perspicace pour ne pas avoir pris la juste mesure du talent de son mari, et incapable d'avoir avec lui des échanges intellectuels valorisants, ou d'être le critique intime dont tout écrivain a besoin. Malgré cela, Honorine, alertée par le comportement inhabituel de Jules, avait tout de même déployé les antennes dont toute femme est pourvue puisque, dans sa lettre à Hetzel du mois d'août 1870, elle manifestait des soupçons légitimes, toutefois exprimés avec discrétion et sensibilité, montrant en cette circonstance plus de clairvoyance qu'en d'autres domaines, comme en sont généralement capables les femmes, toujours en alerte sur ce terrain, quel que soit leur niveau culturel ou intellectuel, dotées pour cela d'un flair particulier, un véritable sixième sens.

D'autres indices, on l'a vu, mènent aux mêmes conclusions ; dans une lettre à Hetzel de mai 1870, un curieux post-scriptum est, lui aussi, parlant:

En me répondant à cette lettre, faites-moi entendre que ma présence est nécessaire à la fin du mois à Paris pour les gravures de la Ville flottante. *Ce qui est vrai, du reste.*

Famille Sans Nom (Hetzel). Les habitants avaient quitté leurs maisons, se sauvant au milieu des bois, traversant la rivière et cherchant un abri dans les paroisses voisines.

Malgré la discrétion requise, ce « fou d'amour » ne pouvait éviter quelques minimes indiscrétions écrites ; il s'en fallait encore de plusieurs décennies pour que la généralisation du téléphone réduise considérablement ce genre de risques, alors nécessaire aux amours clandestines !

Une lettre, bien plus tardive[24], à son frère Paul, comportera un passage à la fois transparent et sybillin, qui nous en dit beaucoup, mais pas assez.

A cette époque, Paul vivait déjà séparé de son épouse, Berthe Meslier de Montarand, qu'il avait épousé en 1859 et qui lui avait donné quatre fils.

Tu dis, à propos de nos ennuis : « c'est la vie ! ». Soit, mais si tu es seul à Nantes, c'est que tu l'as bien voulu. Pourquoi as-tu laissé ta femme s'installer Paris ? Dans tous les cas, toi et moi, nous avons fait une immense et irréparable sottise : tu sais laquelle, sans que j'aie besoin d'y insister.

Déchire ma lettre. Mais quelle vie, sans cette sottise !

Paul, au moins n'a pas fait la sottise de déchirer la lettre !

Parmi les biographes de Jules Verne, des soupçons ont effleuré quelque digne personne, susceptible d'avoir été un temps, elle aussi, une maîtresse de Verne. Mais dans toute cette affaire, un siècle et demi après les faits et alors qu'aujourd'hui nul ne pourrait souffrir de la vérité, quelle qu'elle soit, celle-ci a beaucoup de peine à sortir du puits où, à l'époque, elle a été consciencieusement noyée. Dans certains milieux, l'hypocrisie, l'affolante pression des conventions, de la bienséance, prédominent encore cent ans après la disparition des personnes concernées, et continuent à bloquer l'expression de la vérité historique, sans crainte du ridicule de cette position (alors que rien de cette vérité ne peut compromettre ou rendre ridicule les générations actuelles !). Quoi qu'il en soit, les

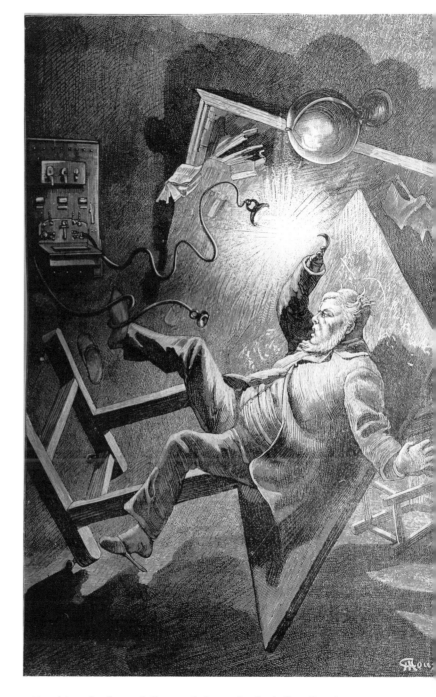

▲ Penché sur la plaque de l'appareil, il reçut la plus belle gifle voltaïque qui ait jamais été appliquée sur la joue d'un savant.

◀ *Sans Dessus Dessous* (Hetzel, 1889), illustré par G. Roux. C'était du cerveau de J.-T. Maston, où les idées cuisaient dans une matière cérébrale en perpétuelle ébullition, que s'était dégagé le projet de cette grande œuvre géographique et la manière de le conduire à bonne fin.

Le Château des Carpathes (Hetzel ; 1892), illustrateur Benett. ▶

frileux tenants du secret en seront pour leurs frais, car tout finit par apparaître au grand jour, y compris les efforts faits pour l'empêcher ! Le simple fait qu'il existe encore, un secret si férocemenent gardé, suffit en soi à fournir un indice précieux et à stimuler le flair des chercheurs.

De cette digression où nous a mené la discussion de la réalité des sentiments éprouvés par Verne pour celle qui allait devenir son épouse, et l'appréciation de leurs conséquences, fussent-elles lointaines, nous revenons à 1856 avec, vers la fin de l'année, l'intensification des préparatifs liés de près ou de loin, au mariage ; ceux-ci prennent une place peu à peu prépondérante dans la volumineuse correspondance familiale de cette année-là, et surtout les projets boursiers. Quant au

▲ *Le Château des Carpathes* (Hetzel). Il crut voir – non ! Il vit réellement des formes étranges, éclairées d'une lumière spectrale. On eût dit des espèces de monstres, dragons à queue de serpent, hippogriffes aux larges ailes, krakens gigantesques, vampires énormes…

Le Château des Carpathes, planche hors texte. La Stilla est toujours là, debout, immobile, avec ce regard qui jette au jeune comte toutes les tendresses de son âme… ▶

Le Château des Carpathes. « Elle ! Elle !… » s'écria-t-il. ▶▶

mariage lui-même, les époux, d'un commun accord, renoncent à toute noce grandiose, d'abord pour des raisons économiques, mais aussi pour des motifs sociaux et familiaux : les Verne ne tiennent pas à la présence de la bonne société nantaise, pour qui Honorine est une épouse de « deuxième choix ». Elle est une femme plutôt simple, directe et enjouée, s'exprimant avec spontanéité, et sans craindre un zeste de vulgarité pour épicer son propos. Pas bête, mais moins cultivée que son mari et moins raffinée, on craint – et Jules le premier – qu'elle ne fasse mauvaise impression et n'alimente les ragots, déjà assurés par sa qualité de veuve avec charge d'enfants (fraîche encore sans doute, mais plus de la première fraîcheur !) Les mêmes motifs incitent Jules à rejeter tous les membres de sa famille, les proches exceptés, soit parents, frère et sœurs. Quant aux de Viane, pas plus que les Nantais, ils ne tiennent à la société amiénoise, Jules Verne étant dévalorisé en sa qualité de petit littérateur sans grand avenir, économiquement faible, en dépit de promesses d'amélioration de ses revenus que d'éventuelles commissions sur opérations boursières pourraient lui rapporter, au prix de l'investissement de 50 000 francs que le père Verne a rechigné à mettre sur la table. Le beau-père et le beau-frère amiénois ne sont guère convaincus du brillant avenir boursier de ce financier en herbe, certes enthousiaste, mais en la matière ce n'est pas ce genre d'échauffement qui remplace les compétences, le réseau relationnel et la tête froide nécessaires ! Il faut bien dire que l'avenir leur donnera raison !

Il faudra quelques années à Jules pour s'apercevoir que vouloir n'est pas nécessairement pouvoir. Même dans la famille, on ne se bousculera pas pour confier son portefeuille d'actions à ce remisier d'occasion, n'ayant pas suivi un cursus de formation ad hoc, inspirant confiance. À ce moment-là, aussi bien à Amiens qu'à Nantes, personne n'aurait parié un liard

sur l'avenir littéraire du jeune écrivain. Bref, pour la famille nantaise, Honorine n'était guère présentable, et la situation était symétrique à peu de chose près à Amiens où, de plus, la famille Morel, celle du premier mari, disparu à peine un an auparavant, devait être traitée avec quelques égards ; la moindre des considérations impliquait d'éviter des noces amiénoises, et de reporter la date du mariage au millésime suivant, à

l'année 1857, fût-ce en janvier, afin que deux ans, mieux qu'un seul, séparent le veuvage du remariage. La vie en société, et dans certains milieux plus que d'autres, exige le respect des conventions. En faire un peu plus que nécessaire ne pouvait faire de tort au présent de la famille de Viane, ni au futur des filles Morel.

Le mariage eut lieu le 10 janvier 1857, à Paris, dans la plus stricte et la plus économique intimité. Les principes de ce mariage « à la sauvette » étant acquis, Jules écrivait le 7 décembre 1856 :

Faites part officiellement de notre mariage. Je me charge, mon cher père, de voir ma tante Charuel à cet égard, et de la mettre au courant de nos affaires.

Quant à l'inviter, je tiens essentiellement à n'en rien faire ! Je dirai que le mariage se célèbre à Amiens ; rien ne me serait plus désagréable que cette invitation. Nous nous contenterons d'une messe furtive à 8 heures du matin.

Nous dînerons ensemble au restaurant ; nous irons au spectacle après, et la noce sera finie ; voilà ce que je désire, ni plus ni moins. Je ne préviendrai pas un de mes amis, sauf Hignard ; qu'en penses-tu ? pas de fracas, pas de dépenses ! la noce est à notre compte ! hein ! comme je deviens homme d'affaires. [...] Nous irons plus tard voir la famille provinoise : j'espère bien qu'en disant qu'il n'y aura pas l'ombre d'une noce, mes tantes Verne ne viendront pas ! Je ne peux pas supporter l'idée d'une procession de fiacres voiturant une noce dans Paris ; moins on sera de fous, plus on rira.

Ainsi fut fait, Jules ayant fait le vide autour du mariage, il n'y eut que douze invités présents, tous des proches, et quatorze convives au dîner en comptant les mariés ; le chiffre 13 fut évité de peu.

Les festivités réduites à leur plus simple expression – même s'ils adhéraient aux motifs qui en décidaient ainsi – ne pouvaient pas être du goût des parents, venus de Nantes avec les deux sœurs les plus âgées, mais chacun fit la meilleure figure possible.

▲ Gravure in texte de l'édition Hetzel. Le docteur Patak distribua des poignées de main à tout le monde, comme il eût distribué des drogues, et d'un ton ironique, s'écria : « Alors, les amis, c'est toujours le burg du Chort, qui vous occupe !... Oh ! Les poltrons !... »

◄ Dessin original inédit de L. Benett pour *Le Château des Carpathes*.

Paris

L'apprenti remisier, littérateur à ses heures (ce pourrait être le contraire !...), se trouva chef d'une famille de quatre personnes qui venait d'emménager au Bd Poissonnière à Paris, où il fallut hisser le fameux salon d'acajou et velours rouge et la pendule de bronze. Verne fuit comme il l'a toujours fait, les sorties, la vie mondaine, et se concentre sur l'écriture dramatique, toujours convaincu que la réception de l'une ou de l'autre de ses pièces sera le tremplin vers le succès. Ce qu'il faut, selon lui, c'est patienter, ne pas se laisser décourager, persister. Il a conscience de son talent, et confiance en un avenir littéraire en dehors duquel il n'en voit pas.[25]

Et puis, il rôde quotidiennement sous les colonnades de la Bourse où bientôt il est connu, davantage par ses bons mots, son humour, que par l'importance des affaires qu'il traite. Il intègre l'un des groupes qui s'y forment, au sein duquel il se fait des relations et même des amis à partir desquels il fait d'autres connaissances et étend son cercle social.

Mais Honorine, qui se réjouissait sans aucun doute d'accéder à la vie parisienne, elle qui aime rire, plaisanter et... sortir, doit déchanter et se cantonner dans l'existence de femme au foyer, la seule que lui offre son mari, absent une bonne partie de la journée, et le reste du temps enfermé, accoudé à sa table de travail. L'époque de la séduction, puis celle de la nouveauté, passent très vite. Elle s'ennuie. Elle l'ennuie. La communication entre eux se résume au quotidien, aux espoirs, surtout aux déceptions. Celles-ci, répétées, ne font que confirmer, aux yeux d'Honorine, que son mari a tort de s'entêter ainsi à vouloir à tout prix « percer » en littérature. Ses échecs, pour elle, prouvent qu'il n'est pas fait pour cela, d'autant que Paris fourmille d'écrivaillons de tout genre et que la concurrence, déjà

▲ *César Cascabel* (Hetzel). Après le coucher du soleil, aucun Indien n'a le droit de demeurer dans la ville de Sitka. Défense justifiée, que nécessitent les relations inquiétantes entre les Peaux-Rouges et les Visages-Pâles. En dehors de Sitka, *La Belle-Roulotte* dut traverser une série d'étroites passes.

◀   *César Cascabel* (Hetzel, 1890), illustré par G. Roux.
M. Serge put sortir pour la première fois après l'attentat commis contre lui par la bande Karnof que l'on poursuivrait sur la frontière alaskienne.

▲ *Mistress Branican* (Hetzel, 1891), illustrations par Benett.
Le Boundary avait rencontré le *Franklin* à dix-sept cents milles au large de San Diego. Puis, les deux bâtiments se sont séparés, et n'ont pas tardé à se perdre de vue.

Mistress Branican (Hetzel). Mrs. Branican chargea le capitaine Ellis d'acquérir le plus rapide des steamers se trouvant alors dans le port de San Diego. ▶

rude entre ceux qui réussissent, est impitoyable pour les autres. Elle a l'impression que Jules, par son obstination, fait payer le prix de ses échecs à elle et ses filles. Elle ne le comprend pas, ne perçoit pas ses qualités, est incapable d'un coup d'œil critique ou d'échanges valorisants au sujet de ses créations littéraires. Peut-être même lui en veut-elle de ne pas voir venir l'amélioration de leur situation matérielle qui, aux dires de son mari, était si sûre et si proche au moment des épousailles. Les années passent, dans une stagnation de plus en plus éprouvante pour elle. Le lien qui, entre eux, dès le début manquait de consistance, s'effiloche. Il y a certes de l'affection, de la tendresse même, mais on sait que ces sentiments résistent mal au temps et aux épreuves ; ils s'érodent peu à peu.

Par ailleurs, peu subsiste sinon rien, des relations qu'eut ce beau-père absent, renfermé, impatient avec les enfants – on sait qu'il le sera aussi avec son propre fils –, les belles-filles Valentine et Suzanne, âgées de six et quatre ans au moment du remariage de leur mère, qui gardaient encore un souvenir vivace de leur père, disparu peu auparavant. Relations tièdes probablement, elles ne durent guère contribuer à renforcer le lien conjugal.

Si Honorine sera pour son mari une épouse aussi bonne que possible, compte tenu des circonstances, et se contentera, pour l'essentiel, du rôle de femme d'intérieur, elle s'avérera une compagne peu satisfaisante pour Jules Verne.

Même à Amiens, lorsque Jules et sa famille s'y transféreront définitivement en 1871, la notoriété venue, Honorine se trouvera quelque peu déconsidérée, et à l'arrière-plan lors des mondanités de la bonne société amiénoise, où l'on ira jusqu'à inviter le mari en omettant l'épouse ! Jules se verra alors contraint, à son corps défendant, malgré la dépense inévitable et son peu de goût pour ce genre d'opération mondaine,

de donner successivement deux grands bals, afin de lui ouvrir les portes sélectives des cercles qui la boudaient.

Le premier, un bal travesti, fut donné en avril 1877 ; 700 invitations furent lancées, avec 250 invités présents, dont 200 travestis ; beaucoup de costumes ou déguisements furent réalisés par les maisons spécialisées sur les divers thèmes fournis par les œuvres de Jules Verne. Honorine, à qui cette réalisation était destinée, ne put y assister, sérieusement souffrante, et fut remplacée par sa fille Suzanne.[26]

Au lendemain de cette originale et brillante soirée, Jules la relatait à Hetzel en ces termes :

Quant on vit avec les provinciaux, il faut hurler avec les provinciaux. De là, le bal en question qui a été magnifique ; en le donnant, je savais que je faisais le plus grand plaisir à ma femme... et ma femme n'a pu y assister ! Vous voyez d'ici le crève-cœur ! Ce bal, seul je pouvais le donner à Amiens sous cette forme. Depuis 35 ans, il n'y avait pas eu de soirée travestie dans la ville. Mon nom qui est neutre, a réuni une très brillante société qu'aucun nom politique ou industriel n'aurait pu rallier. [...] Vous savez bien pourquoi, en partie, je suis à Amiens. La vie de Paris avec ma femme, telle que vous la connaissez, était impossible. Eh bien, j'ai hurlé avec les loups, mais il n'y a pas lieu de s'en repentir [...] c'eût été très complet... si ma femme avait pu venir. Quant à remettre la soirée, impossible, car il venait des personnes des villes voisines et de Paris.

Et quelques jours plus tard, la presse s'étant fait l'écho du bal, en particulier sous forme de dessins restituant l'ambiance :

Je reviens au bal. Croyez que je suis absolument étranger aux récits ou croquis qui en ont été faits dans les journaux. Je regrette même que le bruit de cette soirée ait dépassé la ville. Ça n'en valait pas la peine. Je l'ai donnée afin que ma femme et ses enfants aient dans la ville la position qu'ils devaient avoir et qu'ils n'avaient pas. Vous me comprenez bien. Maintenant, les

▲ *Claudius Bombarnac* (Hetzel, 1892), illustrations par Benett. Le baron Weissschnitzerdörfer parvient à mettre la main sur son couvre-chef, qui lui échappe, et s'étale de tout son long.

Claudius Bombarnac (Hetzel). — Eh bien, Monsieur Bombarnac, n'admirez-vous pas cette place du Righistan ? – Comme place, j'ai vu mieux que cela à la Porte-Saint-Martin... — Et moi au Châtelet dans *Michel Strogoff.* ▶

Claudius Bombarnac (Hetzel). Notre itinéraire nous conduit au grand bazar de Samarkande. ▶▶

207

▲ Planche hors texte d'après Benett.
P'tit Bonhomme vit les corbeaux se poser
sur le mannequin, dont la crécelle ne
pouvait lutter avec leurs croassements.

◄ Cartonnage *P'tit Bonhomme*.
Premier cartonnage « au portrait collé »,
(Hetzel 1893)... sans portrait ! Cet
incident de fabrication arrivait parfois,
indépendamment du titre.

voilà sortis, et, comme il arrivait quelquefois, on ne m'invitera plus seul. – Personnellement, j'aurais bien mieux aimé employer à un voyage les 4000 francs que ça m'a coûté ! Voilà la chose.

Peu après, Pierre-Jules Hetzel donnait à son fils, Louis-Jules, son sentiment intime à propos des mobiles de l'écrivain, tels que celui-ci venait de les lui confier, assaisonné d'une opinion plutôt péjorative pour Honorine :

Ce but, entre nous et d'après lui-même, le voici : il était invité partout à Amiens, mais on n'invitait pas sa femme, à présent on l'invitera. Quel enfant et quels enfants ! Mais sapristi, dans tous les mondes, et dans celui des lettres plus qu'ailleurs, il est impossible qu'il n'y ait pas une portion de monde qui soit du domaine spécial du mari. On ne peut pas, on ne doit pas conduire sa femme partout. Il y a le monde des amis, de la famille, et le monde particulier des relations publiques du mari. Si Verne veut conduire sa femme partout où il pourra aller, il y trouvera bien des inconvénients et pas d'avantages. Elle lui fera des pataquès relatifs qui pour être dits en français sans fautes ne laisseront pas que de lui causer bien des ennuis. C'est du pur provincial – et c'est dans ce sens que je dis que Verne s'arrange pour que la vie de province ne soit pas plus profitable à son travail que la vie de Paris, et qu'elle ait pour lui le désagrément qu'il va voir autant de monde, et qu'il ne verra pas le monde qui pourrait être utile à son cerveau. Le monde de Paris a ceci pour lui que les vanités y sont remises à leurs places et n'y grandissent pas avec toutes leurs ailes. Rien de tout cela je ne puis le lui dire par lettre, mais peu à peu il le comprendra de lui-même.

Le deuxième bal travesti que Jules Verne, porté par le succès du premier, offrit à Amiens, eut lieu en mars 1885. Cette fois-ci, Honorine, complètement remise de sa maladie, y assista en costume provincial, le maître et la maîtresse de maison jouant le rôle des tenanciers d'une « GRRRRANDE AUBERGE DU TOUR DU MONDE » dans leur grand salon, transformé pour l'occasion en salle d'auberge rustique. L'affiche apposée à l'entrée ajoutait : *Pour aujourd'hui seulement – On y boit gratuitement* . Ce bal marquait les 28 ans de mariage des épous Verne. Parmi les invités costumés, Honorine voyait évoluer deux fillettes, de dix et huit ans, ses petites-filles, nées de sa fille aînée, Suzanne Lefebvre née Morel. À ses côtés son mari, devenu un romancier célèbre depuis 23 ans déjà ! Que de travail et d'épreuves pour en arriver là ! Pour Jules, les épreuves étaient loin d'être terminées ! L'argent et la gloire, s'ils ne sont pas gênants, ne font pas à eux seuls le bonheur. Il allait l'apprendre !

Revenons aux années suivant le mariage et précédant la rencontre, décisive de Jules Verne avec celui qui deviendra non seulement son éditeur, mais son mentor, son censeur et... son ami, P.-J. Hetzel.

Jules « boursicote », au moins pour le compte de son père, qui lui confie ses valeurs, et pour quelques

Amical envoi de Hetzel à Nadar sur le *Voyage d'un Etudiant*, par P.-J. Stahl (pseudonyme de Hetzel), paru chez Hachette en 1859, durant la période d'exil de Hetzel. Cet exemplaire, parfaitement relié, est orné du chiffre de Nadar et de son ex-libris.

clients trop rares. Entre 1857 et 1865, on ne connaît que quelques rares lettres de la correspondance familiale. Il semble qu'un lot important, résultant d'un partage successoral, se soit perdu, peut-être détruit lors d'un bombardement. Dans l'une des lettres rescapées, d'octobre 1858, Jules se plaint à son père :

Je compte prier M. Bechet de me procurer des clients à son retour. Du reste, les affaires qui me viennent de Nantes brillent par leur absence. Oh ! ma patrie ! oh ! pays qui m'a donné le jour !

Et puis, il continue à offrir de nouvelles pièces aux directeurs de théâtre ; quatre d'entre elles seront terminées, entre 1857 et 1861, dont trois représentées dans cette même période, portant à six le nombre de pièces déjà jouées ; la quatrième ne sera créée que 12 ans plus tard,[27] en 1873. À cette époque, il ne collabore plus au *Musée des Familles* et avec Pitre-Chevalier, mais de plus en plus avec Charles Wallut et pour certains opérettes ou opéras bouffes, avec Michel Carré pour le livret, et l'ami Aristide Hignard pour la musique. Hignard, on s'en souvient, sera le seul invité à son mariage, et c'est avec lui qu'en 1861 Jules s'évadera pour aller respirer l'air de la mer le long des côtes scandinaves, à un moment... inopportun.

Nadar

Parmi le cercle de ses relations parisiennes qui continue à s'étendre, et surtout celles qui ont eu sur lui, par suite, sur son œuvre romancée à venir, une forte influence, figure, après Arago, le fameux Nadar.

Jacques Arago, célèbre voyageur et explorateur qui, devenu aveugle, continua à naviguer, et publia ses mémoires sous le titre *Souvenirs d'un aveugle – Voyage autour du monde*, rencontré en 1852, s'intéressa fort à Verne.

Amical envoi de Nadar à Hetzel, daté de novembre 1876 sur un exemplaire d'*Histoires Buissonnières*, par Nadar, paru chez Decaux et répondant, à dix-sept ans de distance, à l'envoi de Hetzel.

Autre célébrité qui joua un rôle capital sur le devenir de Jules Verne : Félix Tournachon, plus connu sous son pseudonyme de Nadar.

L'homme aux multiples facettes, talentueux et remuant comme aucun autre, tout à la fois caricaturiste, dessinateur, peintre, journaliste, aéronaute (et des plus connus, avec son célèbre ballon le *Géant*); il fut l'un des plus réputés photographes de tous les temps, écrivain (avec une abondante production de nouvelles, de pièces de théâtre et de romans, dont surnagent encore aujourd'hui l'inoubliable *Mémoires du Géant* (1864) et *Le Droit au vol* (1865), celui-ci chez Hetzel; il deviendra Président fondateur de plusieurs sociétés, dont la *Compagnie Générale aérostatique* et de l'*Autolocomotion aérienne*, qui sera transformée en *Société pour l'Encouragement à la Locomotion aérienne au moyen d'appareils plus lourds que l'air*, et réunira un grand nombre d'intellectuels, savants ou artistes, parmi lesquels un jeune écrivain, devenu l'un des amis de Nadar, Jules Verne, nommé censeur de cette société.

Nadar lui-même, ses multiples expériences, ses ascensions et ses bouillonnantes théories, après sa rencontre avec Ponton-d'Amécourt et de La Landelle, acquit la conviction que le « plus léger que l'air » ne pouvait évoluer que vers le « plus lourd que l'air » pour faire passer la locomotion aérienne du hasard des vents vers l'autolocomotion dirigeable. Tout cela fit sur Verne une profonde impression, et canalisa sans aucun doute son attention vers les questions scientifiques et technologiques qui, jusque-là, ne l'avaient pas particulièrement attirées. Les rencontres nouvelles, les discussions qu'elles suscitèrent, la lecture attentive de multiples articles de presse et revues de voyages ou de vulgarisation scientifique jouèrent un rôle crucial dans ce changement d'orientation. Le XIXe siècle a produit un grand nombre de ces revues en cette période d'industrialisation rapide, d'évolution technologique et d'accès à l'instruction, surtout à partir de l'introduction de l'instruction publique obligatoire par Jules Ferry en 1882.

Les prémices de ce changement se remarquent déjà dans le traitement de certains des sujets commandés, bien auparavant, par Pitre-Chevalier pour le *Musée*. La multiplication des voyages d'exploration à cette époque, en réduisant la surface des régions inexplorées ou mal connues, l'ouverture au monde par l'enseignement de la géographie et des technologies orientées sur les nouveaux moyens de voyager vite et loin, étaient des domaines qui passionnaient ses nouveaux amis. Ils alimentaient leurs fougueuses conversations, leurs enthousiastes spéculations.

Cet univers, nouveau pour Verne, qui jusque-là avait été plongé dans les mondes du droit et de la littérature, dans lesquels les références scientifiques étaient rares, a certainement déclenché chez lui un enthousiasme que seule la littérature avait pu égaler dans le passé. Le goût des voyages, il l'avait déjà depuis sa tendre enfance, et celui des voyages imaginaires! C'était pour sa pensée un tremplin, une impulsion pour un nouveau départ, pour la recherche de *systèmes nouveaux*, utilisables pour lui en littérature, puisque là était son chemin. En même temps, la fréquentation de ces cercles dynamiques, intellectuels, actifs, remuants même, prônant l'évolution par la révolution permanente en toutes choses, stimulait sa curiosité naturelle, son goût pour la spéculation intellectuelle, et pour l'acquisition de connaissances géographiques et scientifiques dont (il ne se leurrait pas lui-même à ce sujet) *elles étaient et resteraient superficielles*.

Tout cela induisait chez Verne un mode nouveau de réflexion sur le devenir de la civilisation, les perspectives qu'offrait la science, les notions de Progrès, le droit au savoir, mais aussi *les limites à ce droit* imposées aux yeux de ce croyant par la Foi et la Religion. Jamais jusqu'ici il ne s'était posé de telles questions avec autant d'acuité. À cet esprit aussi vif et bouillonnant que celui de Nadar, ne pouvaient échapper les perspectives offertes à l'avenir de l'humanité et celles que ce brassage nouveau de connaissances et de spéculations pouvaient lui offrir !

Ce n'est donc pas tout à fait par hasard que la période commençant aux modestes noces de 1857 et aux coulisses de la Bourse, voit Jules Verne se tourner vers le roman, sans abandonner toutefois le théâtre.

On peut être certain que la nouvelle composée à la suite d'*Un Hivernage dans les glaces* fut *Le Comte de Chanteleine*, longue nouvelle pour les uns, court roman pour les autres, dont l'écriture se situe dans la fourchette 1855-1859. Ce récit, mettant en scène un épisode de

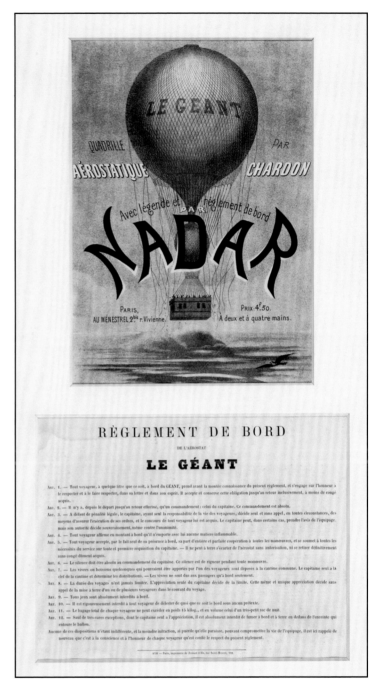

Partition intitulée *Le Géant, quadrille aérostatique*, par Nadar. Musique de Chardon. Au Ménestrel édit., 1862. Cette publication fait partie de la campagne promotionnelle menée par Nadar en vue de la construction du *Géant* en 1863.

l'insurrection des Chouans dans la Bretagne catholique et royaliste de l'époque révolutionnaire, a toutes les caractéristiques d'une œuvre construite sur mesure pour le *Musée des Familles*, sans doute sur commande. Pourquoi n'y a-t-elle pas été reçue? C'est l'un des petits mystères qui restent à résoudre. L'hypothèse d'une brouille expliquerait l'absence de Verne au Musée dans les années précédant la mort de Pitre-Chevalier, survenue en 1863. Immédiatement après ce décès, et l'accession de Charles Wallut au poste laissé vacant, *Le Comte de Chanteleine* paraît fin 1864. La collaboration avec Hetzel était déjà engagée depuis 1862; le premier contrat liant l'auteur et l'éditeur avait été signé et les deux premiers *Voyages extraordinaires*, *Cinq Semaines en ballon* et le *Voyage au Centre de la Terre*, étaient parus, le premier en janvier 1863, le second en novembre 1864. Hetzel ne fit aucun obstacle à cette parution; le sujet ne lui convenait ni sur le plan politique, ni sur celui de la ligne éditoriale. De plus, il lui trouvait d'insupportables longueurs et ne l'aimait pas. Jamais Verne ne réussit à le lui faire accepter en reprise, comme ce fut le cas pour la plupart des autres nouvelles, parues ou encore à paraître au *Musée*.

À l'approche de ses vingt ans, le futur romancier avait déjà «tâté» du roman sous forme de deux ébauches, vite abandonnées, qui ont été publiées récemment au bénéfice des recherches des exégètes, mais restent sans intérêt pour le public: *Un Prêtre en 1839* et *Jédédias Jamet*.

▲ *Mirifiques Aventures de Maître Antifer* (Hetzel, 1894), illustré par Georges Roux. *L'Oxus* arrivait au port de Mascate, et trois matelots extrayaient Ben-Omar des profondeurs de sa cabine. Dans quel état ! Ce n'était plus qu'un squelette... ou plutôt une momie, puisque la peau tenait encore l'ossature de l'infortuné notaire.
Grande édition illustrée, au format Gr.in-8° de
Paris au XXᵉ siècle (Hachette 1995). ▶

Maturité et voyages extraordinaires

Hetzel et Paris au XXᵉ siècle

Ainsi, la fin de ce lustre (de 1857 à 1862) voit Jules Verne passer de la nouvelle au « court roman », et de celui-ci à son premier « vrai » roman achevé, d'un genre mixte, mêlant science-fiction et politique-fiction : *Paris au XXᵉ siècle*, écrit en 1860, qui place l'intrigue un siècle plus tard, en 1960. Dans ce monde, le héros, un jeune artiste aussi malchanceux et malheureux que Jules Verne l'a été, se débat et tente de faire son chemin dans une société implacable, dominée par la Banque et l'Industrie et dans laquelle les Arts ne sont plus qu'une réminiscence d'un passé révolu et les artistes une espèce méprisée, en voie d'extinction ! Ce roman, à forte connotation autobiographique, connaîtra un sort similaire à celui du *Comte de Chanteleine*, texte pourtant très différent : le roman parisien ne sera pas publié avant 1997, catégoriquement refusé par Hetzel ; le roman breton ne trouvera pas à être réimprimé avant 1971, et le sera en Suisse !

▲ *L'île à hélice* (Hetzel, 1895), dessins originaux inédits par L. Benett. Fusain et mine de plomb rehaussé de gouache. Nous voici dans la 3e Avenue, la plus commerçante. C'est notre Broadway, notre Regent-Street, notre boulevard des Italiens. On y trouve tout le superflu et le nécessaire.

L'île à hélice (Hetzel, 1895), dessins originaux inédits par L. Benett. Fusain rehaussé de gouache. Le roi de Malécarlie a sollicité un poste à l'observatoire de Standard-Island. – Parbleu, il faut habiter Milliard-City pour voir un souverain, sa lunette aux yeux, guettant les étoiles ! ▶

Dans l'intervalle, Jules Verne avait composé, sous l'influence décisive de Nadar, un autre roman intitulé *Voyage en l'air*, influencé par la nouvelle d'Edgar Poë *Aventure sans pareille d'un certain Hans Pfaal*, et par les théories de Nadar, prônant avec force la navigation aérienne au lieu de l'aérostation, qui permettrait enfin d'aller où l'on veut, et non seulement où l'on peut !

Verne se présenta à l'éditeur Hetzel au début de l'automne 1862, avec le manuscrit du *Voyage en l'air*, et non celui de *Paris au XXe siècle*, pourtant achevé et travaillé davantage que l'autre, d'écriture récente. Jules ne tombait pas chez un parfait inconnu. Tant par Dumas fils que par Nadar, un ami proche de Hetzel, et sans doute par d'autres acteurs de la scène littéraire parisienne, il avait obtenu des renseignements, et surtout une introduction permettant un premier rendez-vous.

Hetzel était sans conteste l'un des grands éditeurs du temps, et le confident d'une foule de personnalités de la littérature, de la politique, et de bien d'autres milieux. Il avait édité les écrits de presque tous les noms célèbres de France (Victor Hugo, George Sand, etc.). Il était une personnalité connue et respectée. On n'entrait pas chez lui comme dans un moulin. Exilé par Napoléon III pour des motifs politiques similaires à ceux qui avaient valu le même sort à Victor Hugo, il avait vaillamment continué à diriger ses affaires parisiennes depuis Bruxelles, par l'intermédiaire et avec la bienveillante complicité de plusieurs de ses collègues libraires-éditeurs parisiens et bruxellois. Grâcié, il était revenu à Paris à la faveur de l'amnistie d'août 1859 et, reprenant les rênes de sa maison d'édition, avait décidé d'un important changement de ligne éditoriale : désormais, sous le mot d'ordre *Éducation et Récréation*, il se consacrerait essentiellement aux lectures familiales, accessibles à la jeunesse, et même à l'enfance, tous

L. Sabatté

L'île à hélice (Hetzel, deux dessins originaux inédits par L. Benett et une gravure hors texte couleur d'après Benett.

▲ Fusain rehaussé de gouache. Frascolin rencontre souvent le commodore à la batterie de l'Eperon.

C'est un fumoir où fonctionne le transport direct de la fumée de tabac brûlé dans les brûleurs d'un établissement central, purifiée et dégagée de nicotine et distribuée par des tuyaux à chaque amateur. ▶

Fusain rehaussé de gouache. « La Unième Avenue est inondée de rayons lumineux. » ▶▶

terrains encore « exploitables », commercialement parlant, et qu'on pouvait considérer comme un créneau plein d'avenir. Toute son activité éditoriale était donc en cours de réorganisation, et il recherchait des auteurs susceptibles d'être intégrés à ce vaste projet.

Les opinions divergent quant à savoir qui, nommément, a introduit Verne chez Hetzel. Les candidats proposés par divers auteurs, sans argument substantiel, sont peu vraisemblables et ne tiennent pas devant le seul candidat hautement probable, et même certain: *Nadar*. Celui-ci est et restera un ami proche de Jules Verne aussi bien que d'Hetzel. Ses projets, liés à l'autolocomotion aérienne (dont, dans l'immédiat la construction du *Géant* qui se réalisera en 1863), partagés par Jules Verne donne du corps à l'idée qu'il est, à coup sûr, l'inspirateur du *Voyage en ballon*, le premier titre de *Cinq Semaines en ballon*, présenté à Hetzel en 1862, dont l'écriture se situe entre 1861 et 1862. Il est difficile aujourd'hui de trancher entre deux hypothèses quant à l'origine de son roman. Est-ce Nadar, intéressé à tout ce qui pouvait contribuer à promouvoir l'autolocomotion aérienne, qui a incité Jules Verne à s'essayer à ce type de roman, ayant déjà touché à l'ascension en ballon et aux voyages dans ses nouvelles publiées, et même à l'évolution technologique avec son manuscrit de *Paris au XXᵉ siècle*? Ou l'idée en est-elle venue à Verne lui-même dans le cours des discussions enflammées qui étaient fréquentes dans ce cercle? Quoi qu'il en soit, le *Victoria*, le ballon de Jules Verne, était «dans le vent» en paraissant en janvier 1863, six mois à peine avant le déclenchement par Nadar de sa campagne orchestrée en faveur de la construction du *Géant*, l'archétype du *Victoria*. On n'a jamais relevé la proximité des dates et la complémentarité des deux événements: *Cinq Semaines en ballon* et sa réussite alimentaient le propos de Nadar, lequel à son tour donnait du corps à la fiction de Jules Verne. En quelque sorte, le succès du roman apportait de l'eau au moulin de l'aérostier, qui renvoyait le ballon au romancier; le succès de l'un renforçait nécessairement l'autre.

Hetzel partageait, lui aussi, les projets de son ami Nadar; la meilleure preuve en est sa publication, en 1865, du *Droit au Vol*, le pamphlet de Nadar, sa «brochure de propagande» comme il l'appelait. Elle suivait de peu son *Mémoires du Géant*, paru chez Dentu en 1864, au milieu de la courte mais bruyante carrière du gigantesque ballon. Celui-ci avait connu son vol inaugural le 4 octobre 1863 au Champ-de-Mars, grâce à l'appui du Maréchal Magnan auquel Nadar dédicaça, en reconnaissance, l'exemplaire présenté en

illustration. Il fit sa cinquième et dernière ascension à Amsterdam le 11 septembre 1865.

D'autres preuves de l'amitié fraternelle existant entre Nadar et Hetzel sont données par les envois que se sont faits l'un à l'autre ces deux écrivains: un exemplaire du *Voyage d'un Etudiant* qu'Hetzel fit paraître sous son pseudonyme de P.-J. Stahl en 1859, encore dans sa période d'exil à Bruxelles, porte les mots *A mon vieux*

▲ Gravure in texte d'après G. Roux pour *Le Superbe Orénoque* (Hetzel 1898). Un drame en Livonie…

Aquarelle originale inédite, par Georges Roux pour *Le Superbe Orénoque* (Hetzel, 1898). On était au départ du *Simon-Bolivar*. De vifs et bruyants encouragements furent adressés aux trois géographes en partance. ▶

Nadar, son trop vieil ami, J. Hetzel. Cet exemplaire, superbement relié, marqué du chiffre de Nadar et portant son ex-libris, fut manifestement conservé précieusement par le destinataire qui, à son tour, mais à dix-sept années de distance, en 1876, adressait à Hetzel un exemplaire de son *Histoires buissonnières* avec, comme en écho lointain, la réponse: *À mon bon, cher et hélas! vieil ami Hetzel, Son Nadar.*

Une lettre d'Hetzel à Nadar donne la mesure de proximité des deux hommes, se traduisant par une grande familiarité:

Crois-tu, grand bourrique, que je n'aurais pas fait obstacle à ta montée en ballon si je l'avais sue? Est-ce que tu as le droit d'exposer ta carcasse tant que tu n'as pas fini ton histoire de Mürger? Te fiches-tu assez de moi et crois-tu qu'un bouillon de 3000 francs puisse être fourré dans le bec d'un ami avec une plus coupable barbarie?

Cinq Semaines en ballon

Le roman est présenté à Hetzel; celui-ci est intéressé: l'auteur est encore jeune; il est travailleur et semble doué; il est susceptible de produire beaucoup et longtemps (l'éditeur est, avant tout, un commerçant; son raisonnement premier s'apparente à celui d'un maquignon!). De plus, le thème lui plaît et s'intègre bien dans son projet.

Car, *Éducation et Récréation* n'est pas à prendre en deux termes isolés, à additionner. Il signifie un couplage! Mis à part ses défauts correctibles (maladresses, longueurs…), le *Voyage en l'air* convient parfaitement à ses projets de récits à concevoir spécifiquement pour n'être pas que récréatifs. Mais ce romancier inexpérimenté, encore maladroit, nouvellement converti à ce type de récit, ce transfuge du théâtre de boulevard où il n'a connu qu'une fortune très modeste, s'il lui inspire

▲ Gravure in texte d'après G. Roux pour *Le Superbe Orénoque* (Hetzel).
Un de ces sauriens monstrueux vint s'ébattre à quelques pieds de la
Gallinetta.

Gravure hors-texte d'après G. Roux pour *Le Superbe Orénoque* (Hetzel).
Les deux jeunes gens furent attaqués par un parti de ces Indiens Bravos
qui errent en bandes à l'intérieur du territoire. ▶

de l'intérêt et quelque espoir d'avenir, ne peut encore l'emballer. Le commerçant a la tête sur les épaules et, en affaires, le sang froid. C'est un homme autoritaire, et s'il a besoin d'un poulain capable de produire en qualité et en quantité selon les besoins de la Maison, il veut aussi pouvoir le former, le diriger et le soumettre aux impératifs de sa nouvelle politique éditoriale. Verne pourrait être celui qu'il rêve de découvrir et de mettre au labeur! Son expérience passée l'a rendu souple, peut-être même docile aux instructions. Aussi, l'éditeur critique-t-il durement le roman et laisse-t-il entendre qu'il pourrait envisager sa publication, à condition toutefois que l'auteur, dans le délai d'un mois qu'il lui impose, le transforme de bout en bout selon ses instructions.

Fou d'espoir, Jules s'y engage, promet tout ce que l'autre veut, et, rentré chez lui, passé le premier moment de joie, s'enferme pour réécrire le roman et le mettre aux normes exigées; il travaille jour et nuit pour donner satisfaction à son futur éditeur que déjà, en bon « soumis », il appelle « Maître ». C'est en effet ainsi que Verne s'adresse à Hetzel dans la correspondance de cette nouvelle époque qui commence ! Un mois plus tard, le manuscrit refait est soumis à l'appréciation du Maître et passe aisément l'épreuve du réexamen. Hetzel est ravi, non seulement du texte, mais plus encore des qualités et du comportement que l'expérience faite vient de révéler chez l'auteur. Quant à Verne, inutile de dire qu'il nage dans le bonheur, au moins aussi intensément, et peut-être plus durablement que lors de son mariage !

Le 23 octobre 1862, un premier contrat est signé. Verne touchera 10% de droits d'auteur sur l'édition ordinaire (in-18°), soit 25 centimes par volume vendu, et 5% sur l'édition illustrée (la « grande », au format Gr. in-8°). Les *Voyages extraordinaires* sont nés. Le premier d'entre eux, sous son nouveau titre choisi par Hetzel *Cinq Semaines en ballon*, fera une carrière exceptionnelle, inespérée par l'éditeur comme par l'auteur. Ce type de changement, il l'imposera souvent dans l'avenir, mais presque toujours «coincé» par sa pusillanimité commerciale, il fera rarement le bon choix. Jules Verne est lancé, et du même coup, il est sur orbite !

Il n'en demandait pas tant... Tout ce qu'il voulait, c'était qu'on lui donne sa chance. Toute sa vie, il a voulu écrire, seulement écrire, et pouvoir vivre de sa plume. Son roman paraît en janvier 1863, et connaît tout de suite un grand retentissement ; on se l'arrache. Devant le succès, qui ne se dément pas, au fil des mois et même au-delà, Hetzel n'hésite plus et entreprend l'édition illustrée. Pour ce premier roman, elle sera au format in-8° et paraîtra (pensait-on) en décembre 1865, en vue des étrennes du 1er janvier 1866, sous forme brochée et reliée. La forme « cartonnée » n'apparaîtra que dans le courant 1866.[28] Le « cartonnage » est la forme de reliure industrielle toilée, portant des décors dorés, devenant de plus en plus polychrome, à mesure de l'avancement du siècle et des techniques industrielles. Ce sont surtout ces reliures décorées que l'on offrait, en ce temps, aux adolescents en cadeau d'étrennes, et qui attirent les collectionneurs aujourd'hui. Le décor « aux bouquets de roses », encore très romantique, et en soi charmant, n'a aucun rapport avec les sujets de l'ouvrage dont il orne la reliure ; il s'agit d'un cartonnage « de série », non spécifique à l'ouvrage, ou à l'auteur.

Le tirage, et la fabrication de ces ouvrages cartonnés, entre 1866 et 1867, furent exécutés en nombre restreint, Hetzel n'étant pas encore rassuré quant au sort que le public ferait de cette édition illustrée du *Voyage en ballon*.

Les ventes ne faiblissent pas. Hetzel se rassure. Jules Verne est aux anges : il pourra vivre de sa plume et est assuré d'en faire vivre les siens. Après tant de difficultés, le but est atteint... Il n'oublie pas ceux à qui il doit ce succès tardif mais complet (il a déjà 37 ans) : son père, tout d'abord, qui après avoir tenté de le dissuader, lui a apporté son soutien moral et financier. Puis Nadar, qui lui a fait faire le virage intellectuel sans

▲ Gravure hors texte d'après G. Roux pour *Le Superbe Orénoque* (Hetzel). Dès ce jour-là, la jeune fille revêtit les vêtements de son sexe. Et Germain Paterne de déclarer : « Charmante en garçon !... Charmante en fille !... »

lequel il en serait toujours à solliciter des entrevues ; Nadar, qui l'a encouragé et même introduit auprès d'Hetzel. Aussi, dès la fabrication des premiers exemplaires de l'édition illustrée, achevée vers mai 1865, Jules Verne adresse-t-il à Paul, le fils unique de Nadar, alors âgé de neuf ans, un exemplaire broché de ce précoce et précieux exemplaire de la première édition illustrée du premier de ses romans publiés. De plus, cet envoi, il le fait de manière très inhabituelle chez lui, dès réception des premiers exemplaires disponibles, six mois avant la mise officielle dans le commerce.

La dédicace manuscrite (ou « envoi ») de la main de Jules Verne porte les mots suivants :

A mon ami Paul Nadar

Jules Verne

24 mai 1865

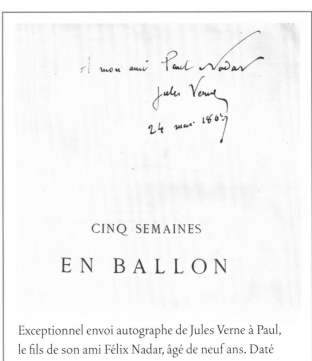

Exceptionnel envoi autographe de Jules Verne à Paul, le fils de son ami Félix Nadar, âgé de neuf ans. Daté du 24 mai 1865, il est une marque d'amitié et de reconnaissance sur l'un des premiers exemplaires brochés disponibles de la première édition illustrée de *Cinq Semaines en ballon*.

On peut affirmer que Verne et Nadar étaient tous deux conscients du fait que l'impulsion donnée à l'écrivain par son ami, et la grande réussite de ce premier roman, avaient, l'un et l'autre, changé la vie de l'auteur. Quant à Paul, le destinataire de l'envoi, il faut remarquer ici que cette lecture était inadaptée à l'âge de l'enfant. Les livres de Verne n'étaient nullement destinés aux enfants et, sans même que la question se pose au XIXᵉ siècle, étaient et seraient écrits *pour les adultes et la famille, adolescents inclus*. Si l'éditeur de Verne visait particulièrement la clientèle des jeunes gens, «la jeunesse», ce n'était *que* pour des motifs commerciaux; il fallait capter le marché des cadeaux de fin d'année, par définition destinés surtout à « la jeunesse ». Quant au marché constitué alors par les établissements d'enseignement, essentiellement privés, et les récompenses de fin d'année scolaire, il allait en se développant et, de plus en plus, serait visé par la publicité de Hetzel. Rien dans tout cela n'induisait l'idée, qui eût paru alors absurde à tous, même aux détracteurs de Verne, que celui-ci était un « écrivain pour enfants », ou que sa littérature pouvait être mise dans toutes les mains, sans distinction d'âge. Cette idée fausse est apparue exclusivement au XXᵉ siècle. Elle est due surtout à la politique éditoriale de Hachette, successeur d'Hetzel, qui, dans les années 1930, eut l'idée d'exploiter l'œuvre de Verne en direction de la tranche d'âge au-dessous de l'adolescence, de façon à stimuler ses ventes. Pour y parvenir, les ciseaux de l'éditeur débitèrent le texte des romans, les massacrant sur le plan littéraire, en ne maintenant que les passages jugés les plus attrayants et ceux indispensables pour assurer la liaison. C'est seulement alors que la notoriété de Verne fut déviée pour ces motifs peu avouables, et gravement compromise aux yeux des littéraires, universitaires et critiques. C'est seulement grâce aux efforts d'une poignée d'irréductibles « verniens » depuis une quarantaine

▲ Planche gravée hors texte pour *Face au Drapeau* (Hetzel). La brise est tombée. Le capitaine Spade a commandé d'amener les voiles, et l'opération est exécutée avec une admirable promptitude.

Face au Drapeau et *Clovis Dardentor* réunis dans leur premier cartonnage, « au globe doré » (Hetzel, 1896), illustrés par L. Benett. ▶

Photo : © M.Schmid

▲ *Le Sphinx des Glaces* (Hetzel, 1897), illustré par G. Roux. C'était dans une échancrure de la face ouest de l'ice-berg, que notre goëlette, l'*Halbrane* se trouvait encastrée. Fait pour naviguer au milieu des mers polaires, notre bâtiment avait résisté alors que tant d'autres, moins solidement construits, eussent été disloqués de toutes pièces.

d'années que cette situation imméritée s'est modifiée, que l'œuvre de Verne a accompli sa traversée du désert et est désormais étudiée et appréciée, de plus en plus, dans les milieux littéraires et les facultés.

Le « crime littéraire » ainsi commis par Hachette durant la période 1930 à 1950 aura au moins permis de mettre en évidence un phénomène passé presque inaperçu, pourtant remarquable, un cas unique dans les annales de la littérature. Il est stupéfiant que les *Voyages extraordinaires* « massacrés à la tronçonneuse » comme ils l'ont été par Hachette aient réussi à survivre à un tel traitement ! Tout d'abord, il est fort rare, heureusement ! Les exemples comparatifs manquent... Mais on ne voit pas quels autres ouvrages auraient pu y survivre. En ce sens, dans son travail destructeur, Hachette a fait preuve d'une certaine perspicacité: de toutes, l'œuvre de Verne était probablement la seule à présenter de telles possibilités. Et même ces mauvais traitements ont eu en définitive l'effet inverse de celui qu'on aurait pu craindre : d'ordinaire, les œuvres traversent généralement après la mort de leur auteur une période d'oubli, un « purgatoire », d'où (pour celles qui en sortent) elles finissent par émerger. Elles ont alors acquis le statut enviable de « grande » œuvre. Or, celle de Verne, déjà universellement admise comme grande du vivant de l'auteur, a complètement échappé sur le plan de sa popularité à cette traversée du désert, qui ne s'est faite que dans les milieux littéraires, parallèlement à cette réputation fausse «d'auteur pour enfants».

Ainsi, grâce aux collections telles que la *Bibliothèque verte* et la *Bibliothèque de la Jeunesse*, de l'éditeur Hachette (qui croyait sans doute n'avoir fait que prolonger la ligne éditoriale autrefois tracée par Hetzel mais l'avait en réalité trahie), les *Voyages extraordinaires* ont mérité leur nom en traversant allégrement cette période de purgatoire; ils étaient portés par l'enthousiasme des jeunes adolescents auxquels cette œuvre n'était pas destinée à l'origine. Délestés d'une bonne part de ce qui en fait le charme aux yeux des adultes, mais qui est superflu à cet âge, ils avaient conservé intacte leur capacité d'enchantement, et continué à enthousiasmer des générations successives, marquées par cette lecture dans leur jeunesse, et qui ne l'ont jamais oubliée! De la manipulation destructrice et iconoclaste de l'œuvre est venue, de façon inattendue, sa survie. C'est ainsi que Verne, au fil du temps, a continué à marquer de son empreinte positive la jeunesse du XXᵉ siècle. Il stimulait des vocations et, à travers les jeunes, exerçait une influence non négligeable sur l'avenir de l'humanité, au-delà de l'an 1960 de *Paris au XXᵉ siècle*, et même de *1984*, dramatiquement tracé par George Orwell. Quelle récompense pour l'auteur, sans doute la plus belle qui puisse être pour celui qui n'avait jamais douté!

Un mot encore concernant la remarquable première édition illustrée de *Cinq semaines en ballon*. Les bibliophiles «verniens» ignoraient jusqu'ici que certains exemplaires étaient déjà disponibles six mois avant la date donnée par la Bibliographie de la France. On ne peut donc exclure qu'Hetzel, pressé d'engranger le retour des sommes investies, ait décidé une diffusion précoce. Quant à sa propre publicité, les catalogues d'éditeur n'en étaient pas encore au stade de rotation des éditions successives dans l'année, qui allaient atteindre quinze à vingt ans plus tard un degré hallucinant. Dans les années 1860, de tels catalogues ne paraissaient qu'à l'approche des fêtes de fin d'année et restaient valables tout au long de l'année suivante. Il n'est donc pas étonnant que ce roman n'y soit pas apparu avant fin 1865. Outre cela, il est significatif

Le Sphynx des glaces. De nos cheveux, de nos poils de barbe, s'échappèrent de courtes étincelles accompagnées d'un bruit strident. Une tempête de neige électrique !

Seconde Patrie (Hetzel, 1900), illustré par G. Roux. (Cependant, plusieurs dessins ont été exécutés par Yan D'Argent, artiste non mentionné par l'éditeur.) Il ne semblait pas que la Nouvelle-Suisse soit habitée. Elle devait être assez étendue, et un jour, M. Zermatt et ses fils avaient atteint une vallée verdoyante, la vallée de Grünthal.

que les Nadar, père et fils, aient tenu à conserver cet ouvrage, précieux aussi à leurs yeux, en dépit de leurs déménagements successifs dus à leurs incessants tracas d'argent. Il est ainsi miraculeux que ce témoignage d'amitié et de reconnaissance de Jules Verne ait survécu jusqu'à nos jours, et qu'il soit sous nos yeux 140 ans après que l'auteur a tracé son envoi, malgré la fragilité bien connue des livres brochés de cette époque.

D'autre part, Jules Verne, en cette années 1865, était désireux d'attacher le nom de Nadar à l'ouvrage auquel il mettait la dernière main. De tous les *Voyages* alors envisagés, c'était celui-là, *De la Terre à la Lune*, qu'il pensait le mieux adapté à ce projet amical; il voulait en même temps qu'un clin d'œil marquant sa propre reconnaissance mettre en évidence le mérite et le courage de l'intrépide pionnier de la navigation aérienne. Par l'imagination, Verne prolongeait les courageuses ascensions de Nadar par le *Voyage à la Lune*, vieux rêve de l'humanité s'il en fut. Si la navigation aérienne était appelée à apparaître et se développer, Nadar y serait pour beaucoup. Et si, au-delà, le voyage spatial devenait réalité, comme Verne en était persuadé, ce serait encore à travers le vol atmosphérique, les mérites de Nadar. En tout état de cause, Verne ne voyait que l'audacieux aéronaute comme candidat au titre de premier cosmonaute de son *Voyage lunaire*. Aussi, le seul Français du groupe d'astronautes amateurs, tous anglo-saxons, prêts à se laisser enfermer dans l'obus creux pour atteindre notre satellite projeté par le canon géant imaginé par Verne, ne serait autre qu'*ARDAN*, habile anagramme de *NADAR*. Ce héros, plein de courage, d'esprit et d'humour, même au physique ressemblait étonnamment à son modèle d'après les gravures illustrant la « grande » édition.

Hatteras et le vertige du blanc

À cette grandiose époque de sa vie, le petit littérateur devenu brusquement un auteur à succès avait oublié pour un temps les tracas et les soucis; pourtant ceux-ci prenaient du corps sous ses yeux, en la personne de son fils Michel qui deviendra un garçon difficile; peut-être parce qu'il est, en effet, difficile d'assumer le rôle du fils d'un père célèbre. Un père constamment surchargé de travail, que son fils agace, en raison de l'agitation d'un enfant actif qui l'empêche d'obtenir le calme nécessaire à la concentration, sans laquelle la création littéraire est irréalisable!... Quand ce père est là, il a ses humeurs et ses impatiences; mais il est fréquent qu'il s'échappe de ce logis familial devenu pour lui inconfortable. Il part en voyage et sera peu présent pour les siens, surtout pour le garçon qui lui en voudra, et ne rêvera que de le provoquer ou de lui désobéir!

Bien des soucis et des désillusions seront, pour Verne, dans l'avenir le fruit amer du germe qu'il aura ainsi semé inconsciemment, comme bien d'autres pères.

En 1864 et 1865, sont mis en vente les deux volumes des *Aventures du capitaine Hatteras*: *Les Anglais au Pôle Nord* et *Le Désert de glaces*. Ce roman montre ce qu'un chercheur a fort opportunément qualifié de «vertige du blanc», probable expression d'un atavisme chez Verne, hérité de ses ancêtres maternels écossais, les Allott lui ayant légué, outre ce tropisme pour le Nord, la blancheur des paysages de neige et de glace, une attraction marquée pour le caractère et le goût anglo-saxon de l'aventure[29].

Verne n'est pas fou bien qu'autrefois il ait craint de le devenir. Hatteras est non seulement Anglais, mais

Seconde Patrie (Hetzel, 1900), illustré par G. Roux. Aucun de ces objets n'était visible sur le fond sous-marin..

Photo : © M.Schmid

▲ Gravure in texte pour *Le Testament d'un excentrique* (illustrateur G. Roux). Il prendrait le Grand Trunk, cette voie ferrée qui, sur une longueur de trois mille sept cent quatre-vingt-six milles va de New York à San Francisco.

Aquarelle originale inédite de G. Roux pour *Le Testament d'un excentrique*, gravée en hors texte couleur pour l'édition Hetzel. C'est un centre si riche en sources d'huile de pétrole, qu'un aveugle le reconnaîtrait, pourvu qu'il eût un nez, rien qu'à son écœurante atmosphère. ▶

Aquarelle originale inédite de G. Roux pour *Le Testament d'un excentrique*, reproduite en gravure in texte couleur l'édition Hetzel. On fit revenir l'inconnu à lui, on lui adressa les reproches qu'il méritait, on ne le condamna qu'à solder le prix du voyage, parce qu'on peut payer en route ou à l'arrivée sur les chemins de fer américains. ▶▶

Aquarelle originale inédite de G. Roux pour *Le Testament d'un excentrique*, (cette œuvre a été retenue pour une planche hors texte en couleurs). La foule encombrait déjà le lieu du concours. ▶▶

qui plus est, est un fou, un fou obsessionnel attiré par le Nord, si bien que son but exclusif est d'atteindre le Pôle Nord à n'importe quel prix. À l'issue d'une expédition dramatique, il l'atteint en effet, et en vertu de cette obsession, n'a plus qu'à mettre fin à ses jours en se jetant, de façon très romantique, dans le cratère d'un volcan en pleine activité, situé de manière invraisemblable mais tout aussi romantique au point exact de conjonction des longitudes !

Le suicide d'Hatteras, si logique qu'il apparaisse en réalité, n'est pas la fin de la version publiée ! Elle est la conclusion originale, voulue par Verne mais interdite par Hetzel auquel l'auteur écrivait, fin 1863, évoquant sa version première que l'éditeur n'avait pas encore rejetée :

Je pense, d'après votre lettre, que vous approuvez en somme la folie et la fin d'Hatteras. J'en suis fort content, c'est ce qui me préoccupait le plus ; je ne voyais pas d'autre moyen de terminer. Et puis, cela me paraissait devoir être la morale de la chose. D'ailleurs, comment ramener cet Hatteras en Angleterre ; qu'y fera-t-il ? Évidemment, cet homme-là doit mourir au pôle. Le volcan est le seul tombeau digne de lui.

Suite aux pressions d'Hetzel, cette fin est tout de même modifiée : Hatteras escalade le volcan, disparaît, mais on le retrouve inanimé. À la reprise de ses fonctions vitales, on s'aperçoit que la conscience et la raison ont fui ce corps, resté vivant mais sans âme. Le «zombie» est ramené en Angleterre, placé dans une maison de santé où, lors de ses promenades dans le parc, on constate qu'il choisit toujours la même allée du fait qu'il marche invariablement vers le Nord, ce qui est une trouvaille de substitution à la première fin, presque aussi romantique et en tout cas fort honorable. Hélas, cette fixation vers le Nord l'oblige à revenir à reculons, détail excessif et quelque peu ridicule[30] !

Verne et les volcans

Déjà sont apparus les volcans! Un autre «géotropisme» de Verne!

On a voulu y déceler tout ce que l'analyse psychologique a bien pu apporter (ou rapporter) à certains auteurs voulant y voir les chauds et accueillants orifices des sombres boyaux, dans lesquels le tortueux Verne n'aurait rêvé que de plonger «œdipiennement» dans les entrailles de la Terre mère ! Mieux encore, l'odorat particulier de ces vaillants explorateurs du subconscient aurait détecté dans ces volcans sulfureux, l'humour scatologique de Verne aidant, quelque homosexualité refoulée de l'auteur !

Passons sur ce galimatias pédantesque d'un goût douteux qui, à défaut de sérieux, a au moins le mérite de dérider. Hatteras n'avait trouvé initialement à sa folie qu'une seule issue pour toute thérapeutique, celle de se précipiter la tête la première dans le volcan polaire; cette issue à sa névrose était conforme à l'inébranlable certitude de l'auteur quant à la seule fin imaginable à la folie. Quoi qu'il en soit, on verra bien d'autres volcans dans les *Voyages extraordinaires*, du *Voyage au Centre de la Terre* au *Volcan d'Or*.

Gravure du XIXe siècle illustrant le genre *« d'appareils de plongeurs »* auxquels George Sand fait allusion dans la lettre qu'elle adressa à Jules Verne. Cette cloche à plongeurs, opportunément nommée Nautilus, était ce qui tenait lieu de sous-marin aux environs de 1840.

▲ *Les Frères Kip* (Hetzel, 1902), illustré par G. Roux. Les indigènes tentèrent d'enjamber le bastingage; mais, revolvers et coutelas aidant, ils furent contraints de s'abattre, les uns dans les embarcations, les autres dans la mer. Quelques-uns, grièvement frappés, se noyèrent.

C'est donc au *Voyage au Centre de la Terre* que Jules Verne met la dernière main en 1864; Hetzel le mettra en vente au mois de novembre. Les chercheurs se sont tout naturellement penchés avec intérêt sur ce roman aux connotations psychologiques alléchantes. C'est un *Voyage* fantastique particulièrement réussi, dont le succès, immédiat, ne s'est jamais démenti parce qu'il contient tous les ingrédients du rêve, de l'aventure et de l'émerveillement. Le fait qu'en lui-même il constitue une impossibilité scientifique absolue, autant dire une pure absurdité, n'a jamais dérangé ses lecteurs. Il est fort peu de géologues ou de minéralogistes qui s'en soient plaints et n'aient eu autant de plaisir à le lire que le commun des mortels. C'est un excellent exemple de la virtuosité de l'écrivain, du grand art qu'il déploie dans ses romans qui ne sont pas ceux d'un romancier de la «Science»! Qu'on ne vienne donc plus nous parler à son propos d'«écrivain scientifique»!

Et pourtant, ce qu'on a vu dans ce roman n'était pas tout ce qu'il y avait à voir!...

D'éminents chercheurs de la Société Jules Verne ont mis en évidence l'une des sources d'inspiration du *Voyage au Centre de la Terre*, assez inattendue: George Sand, avec son roman *Laura* ou *Le Voyage dans le cristal*. Celui-ci présente, on l'avait déjà remarqué auparavant, d'étonnantes analogies avec le roman de Verne. Il est certainement une des sources d'inspiration de ce *Voyage*[31].

Verne aurait lu *Laura* lors de sa parution dans la *Revue des Deux Mondes* en janvier 1864. Le déclic a dû être immédiat puisque dans une lettre à Hetzel du 12 août 1864, l'auteur lui demandait d'indiquer la date à laquelle le *Voyage au Centre de la Terre* devait être mis sous presse. Le manuscrit était donc déjà achevé ou proche de l'être. Cependant, il n'est aucunement question de plagiat: les deux récits, différant considérablement, ne présentent que des analogies superficielles, se rapportant aux notions minéralogiques communes et à des ressemblances dans les personnages. Les différences par contre sont fondamentales. Le récit de George Sand dut frapper Verne au moment précis où la publication d'*Hatteras* allait débuter dans le premier numéro du *Magasin d'Éducation et de Récréation* (20 mars 1864).

À cette époque, il se trouvait assez disponible, n'ayant plus qu'à mettre au net le manuscrit du second volume, en fait terminé. Il était donc à la recherche d'une idée pour le roman suivant, puisque le contrat qui le liait à Hetzel depuis le 1er janvier l'obligeait à fournir annuellement la matière de deux volumes. Mais on le verra, Verne avait d'autres idées encore, capitales, pour inspirer ce roman.

Résumons l'intrigue: le professeur Lidenbrock, titulaire d'une chaire de minéralogie à Hambourg et amateur de vieux livres, découvre un manuscrit caché dans un ouvrage du XIIe siècle, et écrit en caractères runiques. Le déchiffrage du document cryptographique passionne le professeur et son neveu Axel, orphelin vivant chez lui, à qui il enseigne sa discipline. Axel est secrètement amoureux de Grauben, la filleule du professeur. Déchiffré, le document s'avère être un message caché par Arne Saknussem, un savant alchimiste islandais du XVIe siècle invite ceux qui pourront le déchiffrer à suivre ses traces pour parvenir, comme il l'a fait, au centre de la Terre. Le neveu est contraint d'abandonner la jeune fille qu'il aime pour suivre l'oncle dans ce voyage plein de risques, qui débute par une descente dans le cratère du volcan islandais Sneffels, en compagnie du guide Hans. Les voyageurs s'engouffrent sous terre, équipés de lampes électriques portatives (bien loin d'exister dans la réalité de 1864). Au bout d'un long et dangereux voyage sur la piste du vieux savant islandais, émaillé d'incidents impressionnants, de

▲ *Les Frères Kip* (Hetzel). Le chien se débattait contre le sauveteur dont il avait pris le bras gauche entre ses crocs sanglants, et qu'il déchirait avec rage.

▲ *Les Histoires de Jean-Marie Cabidoulin* (Hetzel, 1901), illustré par G. Roux. Comme ces coups de lance n'atteignirent pas les organes essentiels, la baleine, au lieu de souffler le sang, souffla blanc comme à l'ordinaire.

◀ Premier cartonnage dit « au steamer » des *Histoires de Jean-Marie Cabidoulin.*

privations et de dangers multiples, mais aussi d'étonnantes découvertes et de paysages variés, les trois voyageurs sont précipités dans la cheminée d'un volcan en éruption, réfugiés sur un radeau de fortune. Après leur éprouvante expédition, ils sont projetés par l'éruption sur les pentes d'un deuxième volcan, le Stromboli, au large de la Sicile. À l'issue de cette étrange aventure les attendent les honneurs, la gloire et surtout, le mariage des amoureux.

George Sand avait d'excellentes relations avec Hetzel; c'est par lui qu'elle obtenait, à mesure, les ouvrages de Jules Verne, dont elle fait l'éloge à Hetzel. Elle évoque Verne à plusieurs reprises avec l'éditeur entre 1865 et 1872. Elle échangea même une brève correspondance avec Verne en 1865 et, par la suite, lorsqu'elle eut la possibilité d'assister à une représentation de la pièce du *Tour du Monde en 80 jours*, elle ne manqua pas d'y assister et en fit un commentaire élogieux.

Dans l'une de ses lettres réclamant à Hetzel l'envoi de livres, elle ajoutait: *Je n'ai pas tous ceux de Jules Verne que j'adore et je les recevrai avec plaisir*. Déjà auparavant, ayant reçu de Verne *Cinq Semaines en ballon* et *Voyage au Centre de la Terre*, elle lui avait écrit pour le remercier, et lui faire une suggestion qui peut-être, jouera un rôle dans la détermination de Jules Verne d'attaquer le problème du voyage sous les mers : *J'espère que vous nous conduirez bientôt dans les profondeurs de la mer et que vous ferez voyager vos personnages dans ces appareils de plongeurs que votre science et votre imagination peuvent se permettre de perfectionner.*

Revenons à ces années 1860, capitales et des plus passionnantes dans la vie et la carrière de Verne; en particulier à 1864, alors que l'écrivain était encore obnubilé par le choc provoqué par la rencontre d'Hetzel, et ses suites pour lui éblouissantes. On peut dire qu'il avait subi un véritable électrochoc, un bouleversement considérable, avec des répercussions psychologiques évidentes. De tels changements survenus si brusquement sont pour lui assimilables à un événement éruptif d'une violence cataclysmique et lui évoquent irrésistiblement l'image du volcan. Cela devrait nous mettre sur la piste d'une vision nouvelle, d'une autre traduction du *Voyage au Centre de la Terre* qui étrangement n'a pas encore été faite, bien que certains auteurs s'en soient approchés. On n'a pas vu que cet ouvrage est le second roman autobiographique de Jules Verne, succédant à quatre années près au premier, *Paris au XXᵉ siècle;* mais ces quatre années-là ont été déterminantes: *elles ont changé toutes les perspectives!* La vision que Verne a maintenant de son passé parisien, après l'impulsion donnée par Nadar et par Hetzel, et l'accélération foudroyante de sa carrière littéraire jusque-là stagnante, s'est brusquement modifiée. Il en a *une tout autre perception qu'en 1860*.

Il ne voit plus ce parcours comme un long et désespérant voyage dans un tunnel sombre, faisant partie d'une cité égoïste, insensible, illuminée par les feux du pouvoir, du luxe, et de la science au service de l'argent. À présent, cette période de sa vie lui apparaît comme un parcours ayant un sens initiatique, formateur, où le jeune homme qu'il était à son arrivée a pu forger son caractère, aiguiser son talent et sa capacité de résistance aux difficultés de la vie.

Vu sous cet angle, le *Voyage au Centre de la Terre* contient symboliquement toute la vie d'adulte de Jules Verne jusqu'à l'écriture du roman. Le cryptographe d'Arne Saknussem placé en tête de l'ouvrage est la clé donnant accès à la vérité sous-jacente, dissimulée par l'auteur à l'égal d'une confidence faite à un ami. Ainsi, dès le début du roman, Verne annonce que celui-ci contient un message caché, qu'il a une signification

▲ *Les Histoires de Jean-Marie Cabidoulin* (Hetzel). On put lui envoyer un bout de grelin qu'il saisit vigoureusement et il fut halé à la hauteur des bastingages, au moment où le squale, se retournant les mâchoires ouvertes, allait lui couper la jambe.

▲ *Bourses de voyage* (Hetzel 1903). Un observateur eût reconnu des gens de la pire espèce, des coquins probablement traqués par la police. Aussi, que de regards défiants et soupçonneux ils jetaient sur quiconque dans cette auberge louche, cette taverne du Blue-Fox !

Hors-texte couleurs pour *Bourses de voyage* (Hetzel), d'après Benett. Sur la crête, s'avançait une troupe d'une vingtaine d'hommes. C'était en effet une escouade de constables à la poursuite des fugitifs. Il sembla qu'ils examinaient l'*Alert* avec une suspicion particulière. ▶

autre que celle qui apparaît à la première lecture. Bien des commentateurs l'ont ressenti, mais sont passés à côté du message fondamental !

Dès lors, dans cette nouvelle lecture, le conteur, Axel symbolise l'écrivain racontant sa propre histoire. Au début, il est un jeune homme inexpérimenté et amoureux, comme l'avait été le jeune Nantais, poussé par les projets et l'ambition avunculaires du bienveillant mais autoritaire Lidenbrock (l'image du père). Il est forcé de quitter la maison familiale et son environnement familier pour s'enfoncer dans un tunnel obscur, inquiétant, plein de dangers. Le voyage va être long et éprouvant. La relation qu'en fait Axel résume les peines, les craintes, les misères que l'écrivain a éprouvées. Dans la réalité, Verne vient de les laisser derrière lui en sortant brusquement du tunnel où, exposé à mille dangers souterrains, il avait fait des imprudences et avait parfois pris le mauvais chemin; perdu dans l'obscurité, il n'y voyait plus et n'a retrouvé le bon chemin qu'avec l'aide de la Providence et de ses compagnons: l'oncle (son père, qui se continue dans le père spirituel Hetzel) et le guide Hans (Nadar) qui lui sauvera la vie !

Durant ce trajet difficile, il souffrira d'avoir perdu son amour (Grauben-Herminie), de se trouver démuni, sans ressources matérielles, et sans l'expérience qui permet de saisir les opportunités, de faire les bons choix. Mais aussi le voyage aura été fructueux, empli de découvertes enrichissantes et, s'il s'est égaré et a failli se perdre définitivement, Axel (à l'image exacte de son sosie: Verne) n'aura jamais perdu courage.

En définitive, au bout de ce long cheminement, Axel-Verne trouve la voie du salut après avoir perdu la boussole ! C'est alors que son guide, Hans-Nadar, lui sauve la vie, toujours avec l'aide du père ou de celui qui symbolise l'image du père. L'incident de la

boussole est significatif: tous avaient perdu le bon chemin. Axel-Verne finit par émerger brusquement à la lumière, au milieu d'une explosion dont le caractère éruptif évoque la pression intérieure brusquement libérée. L'image du volcan en activité peut aussi symboliser en 1864 le fait que l'écrivain se trouvait en pleine éruption littéraire, faisant jaillir de façon continue un chef-d'œuvre après l'autre, comme sous l'effet d'une pression accumulée durant ce long parcours dans les profondeurs de son passé.

Ce jaillissement se prolongera, on le sait, durant une douzaine d'années, période où se concentreront ses œuvres majeures. Seuls, ni Axel, ni Verne n'auraient triomphé; c'est ce qu'il ressent et ne cessera de ressentir. Le caractère trempé par les difficultés et les embûches, Axel a retrouvé l'amour perdu, mais pour Verne, c'en est un de substitution. Dans cette période d'euphorie, il n'a aucun mal à s'en satisfaire, et est loin de se douter que les choses sont appelées à prendre une autre tournure. Le conteur, Verne ou Axel, est parvenu au mariage, à la stabilité et à la notoriété.

Ce voyage symbolique reflète si bien le parcours de Verne que l'on doit s'étonner que sa connotation autobiographique n'ait pas été perçue. La première autobiographie a été réécrite sous l'emprise d'un changement complet de perspective. Hetzel n'en avait pas voulu et son éclairage, désormais, aux yeux de l'écrivain, était inadapté à la situation nouvelle. Quant à Hetzel, on peut tenir pour certain qu'il n'avait rien compris de *Paris au XXe siècle,* ne l'ayant lu qu'au premier degré et ayant détesté son atmosphère morbide.

Il est significatif que Verne ait éprouvé, après le succès de *Cinq Semaines en ballon,* le besoin impérieux de faire publier le roman écrit en 1860 et quelque peu mis à jour en 1863; un peu comme si sa situation nouvelle lui semblait trop belle pour pouvoir durer, et qu'il

lui faille saisir sa chance de laisser en littérature une trace de ses souffrances. L'aveuglement de Hetzel au sens profond de ce premier essai est visible à la lettre de refus, paternelle et paternaliste qu'il lui adressa en réponse[32].

Le *Voyage au Centre de la Terre* est aussi un voyage au centre de soi-même. Pourtant, Hetzel, pas plus que les lecteurs et les commentateurs de près d'un siècle et demi n'avait appréhendé le fond de la pensée de Verne et ne l'avait pas lu avec plus de profondeur que le tunnel menant du Sneffels au Stromboli. Verne avait compris la leçon et, à la réflexion, il n'avait plus à communiquer au lecteur le désespoir qui était son lot en 1860, avait contrarié Hetzel à juste titre et n'avait plus de raison d'être. Tout avait changé, sa biographie était à réécrire. L'ouvrage enfoui au fond de ses archives n'en sera exhumé que cent trente ans plus tard.

Tout cela prouve, si besoin est, l'extraordinaire richesse de l'œuvre de Verne dans laquelle on n'est jamais au bout du voyage, de l'exploration et des découvertes. Même dans les œuvres les plus étudiées, il y a presque toujours place pour d'autres recherches, d'autres observations ou analyses pertinentes, à condition de les aborder avec un regard neuf, non conditionné par les écrits d'auteurs qui souvent ne cessent d'enfoncer le même clou en se copiant les uns les autres. Il est vrai aussi que c'est parfois le plus visible qui échappe à l'attention des observateurs, fixés sur un autre aspect des choses.

Peut-on encore croire que Jules Verne est un écrivain «pour enfants» ?

La Fée électricité...

Un détail encore mérite d'être discuté : le rôle de l'électricité dans la vision technologique futuriste de Jules Verne qui dès le début est remarquable. L'avenir de l'utilisation universelle de l'énergie électrique prend, dans son œuvre, une grande place déjà dans le premier roman. Verne a foi en cette source d'énergie et est attentif aux développements que les spécialistes prévoient dans de multiples domaines. Si la «Fée électricité» n'a pas encore disparu des esprits et des salons, elle fait place, de plus en plus, à l'expérimentation scientifique, aux applications industrielles, aux prototypes, à la vulgarisation. Comme il s'appliquera toujours à le faire, Jules Verne ne fait qu'anticiper, souvent de peu, l'évolution prévisible et prévue par les ingénieurs et savants de son temps. Ses projections dans l'avenir, *son* avenir, qui désormais font partie de notre passé, ce qui ne peut nuire à l'intérêt de son œuvre qui est littéraire et non scientifique ; la technologie vernienne n'est qu'un accessoire romanesque, et résulte de l'acquisition de connaissances superficielles par la lecture d'articles vulgarisateurs dans la presse de l'époque Verne passe des heures à éplucher au quotidien tout ce qui pourrait, un jour, lui servir sur le plan des idées, de l'inspiration, ou simplement du décor.

C'est pourquoi, dès 1860, l'électricité éclaire «a giorno» le Paris du XXe siècle (de 1960), alors que celui où Verne écrivait était mal éclairé au moyen de becs de gaz.

En 1862, l'écrivain équipe de projecteurs électriques, alors inexistants, la nacelle du ballon *Victoria* survolant, même de nuit, les terres africaines inconnues que, moins bien équipés, des explorateurs entreprenants, tels Stanley ou Livingstone, s'efforcent de reconnaître à pied au prix d'innombrables dangers.

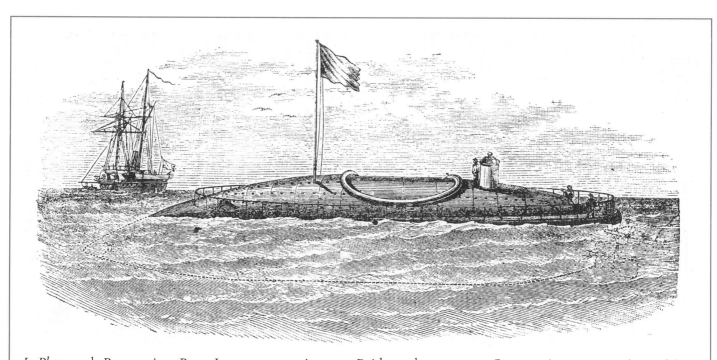

Le Plongeur de Bourgeois et Brun. Longueur 42 mètres 50. Poids total 452 tonnes. Construction commencée en 1860. Lancement en 1863. Sous-marin expérimental qui fut abandonné, mais contribua à donner naissance au type de sous-marin utilisé par la Marine française jusqu'à la guerre de 1914-1918.

Photo : © Marco Paoluzzo

▲ Frontispice pour *Le Phare du bout du monde* (Hetzel 1905),
illustré par G. Roux.

Premier et seul cartonnage, dit « aux feuilles d'acanthe », pour *Le Phare du
Bout du Monde*, en volume isolé (Hetzel), paru en août 1905 (le premier
des posthumes) quatre mois après la mort de Jules Verne.
Ed. Stanké, 1999. Version originale, celle-ci non modifiée
contrairement à la version parue chez Hetzel. ▶

Affiche pour le film *Le Phare du bout du monde* (France-Italie-Espagne-
Liechtenstein), réalisé par Kevin Billington, 1970. ▶▶

En 1864, seule l'électricité permet le voyage souterrain d'Axel et Lidenbrock dans des conditions
meilleures que celles qu'aurait connues Saknussem au
XVIe siècle. Les explorateurs sont équipés, au lieu de
simples chandelles, de projecteurs portatifs alimentés
au moyen de bobines de Ruhmkorff dont l'inventeur,
au dire de Verne, venait d'obtenir le prix que la France,
tous les cinq ans, réservait à l'application la plus ingé-
nieuse de l'électricité[33]. Cependant, cet appareillage
n'en était pas, dans le monde de Verne, au stade de la
fabrication industrielle ou de la diffusion. L'électricité
d'origine naturelle joue aussi un rôle dans ce voyage,
positif en éclairant l'immense caverne qui renferme la
«mer Lidenbrock» (du nom de son découvreur) que les
voyageurs doivent traverser.

Mais elle leur joue aussi un tour pendable à ce
point le plus bas de leur aventure, en les condamnant,
lors de cette traversée sur un esquif de fortune, à
affronter un violent orage dont le magnétisme inverse,
sans qu'ils s'en aperçoivent, la polarité de leur boussole. C'est ainsi que le conteur et ses compagnons
«perdent la boussole»: Axel-Verne est égaré; il a perdu
le nord; il n'est plus sur le bon chemin; il ne sait comment s'en sortir, comment «voir le bout du tunnel».

ALEXANDRE SALKIND présente

KIRK DOUGLAS
YUL BRYNNER
SAMANTHA EGGAR

dans

LE PHARE DU BOUT DU MONDE

d'après le roman de JULES VERNE

avec JEAN-CLAUDE DROUOT · FERNANDO REY · RENATO SALVATORI et MASSIMO RANIERI

Scénario de TOM ROWE · Musique de PIERO PICCIONI · Producteur délégué ALFREDO MATAS · Produit par KIRK DOUGLAS · Mise en scène de KEVIN BILLINGTON

Une Coproduction BRYNA PRODUCTION. INC. U.S.A. JET FILM. S.A. ESPAGNE TRIUMFILM VADUZ

Distribué par METRO-GOLDWYN-MAYER

PANAVISION (R) - EASTMANCOLOR

▲ *Le Phare du Bout du Monde* Les premiers jours ne furent marqués par aucun incident. Le thermomètre accusait parfois 10 degrés au-dessus du zéro centigrade. Le vent soufflait du large, et généralement en petites brises entre le lever et le coucher de soleil. Cette journée finie, avant que le moment ne fût venu d'allumer le phare, Vasquez, Felipe et Moriz, assis tous trois sur le balcon circulaire qui régnait autour de la lanterne, causaient, suivant leur habitude, et tout naturellement, le gardien-chef dirigeait et entretenait la conversation.

Quelques années plus tard, entre 1866 et 1869, le sous-marin *Nautilus*, très en avance sur ceux de son époque, tels *Le Plongeur* (1863) ou le *Goubet* (1866), a l'énorme avantage d'être à propulsion électromécanique et équipé de toute une technologie intérieure liée à l'emploi de l'électricité, ce qu'on était encore loin de pouvoir réaliser. Quel lecteur aurait eu aujourd'hui son plaisir gâché à la lecture de *Vingt-Mille lieues sous les mers* du fait que ces équipements, futuristes pour l'époque du roman, soient de nos jours déclarés désuets ? Lit-on *Vingt mille lieues* spécifiquement pour se mettre au courant de la technologie qui y est associée, et non pour jouir de la valeur littéraire du roman, universellement reconnue ? L'ouvrage n'a jamais été destiné aux écoles de sous-mariniers! Le lecteur doit s'accorder au temps du roman et, pour lui, à moins qu'il ne soit invalide de toute imagination, le *Nautilus*, les fusils électriques sous-marins ou les bobines de Ruhmkorff deviennent autant d'outils futuristes, quelle que soit la technologie de l'époque du lecteur. Déconseille-t-on la lecture de *Ben Hur*, d'*Ivanhoe*, Des *Trois mousquetaires* sous prétexte que ces époques sont passées et que les accessoires qui accompagnent l'intrigue sont désuets? Et pourtant, certains osent avancer de tels arguments, vides de sens, pour prétendre que l'œuvre de Verne est dépassée ! Y a-t-il lieu d'entretenir des polémiques stériles ? L'œuvre de Verne peut se passer de ces lecteurs insatisfaits, auxquels restent les récits se déroulant dans de lointaines galaxies, ou des univers parallèles, pour leur garantir une lecture sans risque d'être un jour dépassée! Quant à l'électricité, elle était pour Jules Verne un outil futuriste, et surtout un excellent accessoire de travail, un artifice fournissant des solutions pratiques à nombre de problèmes de vraisemblance, dont les limitations techniques de son époque grevaient ses épopées romanesques.

La mer

Enfin, l'élément qui vient s'ajouter aux symboles nombreux et forts du *Voyage au Centre de la Terre* est *la mer* ! Au propre comme au figuré, la mer est au centre de ce roman, comme elle a toujours été au cœur de Jules Verne. Marin dans l'âme, Jules ne se sent pas à sa place à Paris, en dépit de l'attirance qu'il éprouve pour divers aspects de la vie parisienne et la certitude que c'est à Paris et seulement à Paris que l'on peut susciter sa chance de percer en littérature. Mais le besoin de la mer ne cesse de le tarauder : ce n'est pas l'effet d'un choix cocasse de l'auteur qu'Axel, sur le chemin du centre de la Terre, trouve en lieu et place... une mer ! Et ce n'est pas le hasard qui propulse les voyageurs hors des entrailles du globe, sur le sommet d'un îlot volcanique entouré par la mer.

Sortir des années «souterraines», parvenir enfin à la lumière, c'est-à-dire au succès, à l'indépendance financière et la notoriété, implique le retour à la mer, tant attendu ! Ce rêve d'Axel, Verne le réalise : dès sa situation littéraire et financière suffisamment assise, il se déplace au bord de la mer et loue, pour la belle saison, une maison au Crotoy. Il attend l'occasion d'acquérir un bateau, ne fût-ce qu'une barque de pêche qui lui ferait l'usage d'un petit «yacht». En attendant, le lancement en Angleterre du *Great-Eastern* est une tentation irrésistible. Accompagné de son frère Paul (lui, un vrai marin), il gagne Liverpool en mars 1867 pour accomplir la traversée de l'Atlantique dont il tirera quelques années plus tard le roman *Une Ville flottante* qui contiendra nombre d'allusions à sa vie privée qui connaît des bouleversements.

En 1868, il acquiert la barque de pêche rêvée, un bon bateau à bourcet-malet[34] d'une dizaine de mètres, qu'il fait ponter et aménager pour excursionner vers tous les ports accessibles en quelques jours de cabo-

▲ *Le Phare du bout du monde* (Hetzel), Un faisceau de rayons lumineux fut projeté sur la mer. Le phare venait d'être allumé, et le premier navire dont il allait éclairer la marche était une goélette chilienne, tombée entre les mains d'une bande de pirates.

▲ *Le Phare du bout du monde* (Hetzel). Il s'écoula près d'une heure avant que les pillards eussent achevé de visiter cette partie de la coque. « Si ces gueux cherchent de l'or, de l'argent, des bijoux de prix ou des piastres, ils n'en trouveront pas ! »

Le Phare du bout du monde (Hetzel). Soudain l'équipage poussa un cri qu'on eût pu entendre des deux rivages de la baie. Un long trait de lumière venait de percer les ténèbres. Le feu du phare brillait dans tout son éclat, illuminant la mer au large de l'île. ▶

tage, avec l'aide d'un patron et d'un homme d'équipage. Le bateau s'appellera le *Saint-Michel,* du nom de son fils qui maintenant a sept ans. Il semble que ce soit pour lui une période assez heureuse que celle qui précède la guerre de 1870. Il écrit beaucoup au Crotoy, en partie même en mer.

La Lune

Pour l'ouvrage *De la Terre à la Lune* paru en 1865, les calculs et les suggestions d'Henri Garcet (le mathématicien, cousin de Verne) ont été essentiels et donnent encore aujourd'hui un air de vraisemblance et de modernité à l'ouvrage; le départ depuis la Floride, en particulier, a étonné par sa similarité avec l'installation réelle, un siècle plus tard, de la base de lancement de Cap Canaveral. La logique d'Henri Garcet était sans faille ! En revanche, la présence d'un certain nombre de détails, que l'on pourrait qualifier d'«erreurs», montre que, si Jules Verne était préoccupé de vraisemblance, ce n'était que jusqu'à un certain point ! Une fois remplies les conditions posées par Hetzel, il se sentait autorisé à laisser plus librement cours à son imagination!

L'entreprise du voyage dans la Lune étant patronnée par le Gun-Club, un club d'excentriques américains, artilleurs retraités, le moyen de lancement ne pouvait être qu'un canon géant, la *Columbiad* dont le modèle hantera encore bien des esprits, de la Grosse Bertha de chez Krupp au canon de 75 ou à celui de Saddam Hussein plus récemment ! Certains verront, dans ce grand canon, levé vers la Lune, un symbole phallique, sur lequel nous passerons volontiers. *Le voyage dans la Lune* était dans tous les esprits de ce temps, comme probablement de tous les temps, à partir du moment où l'on accepta l'idée qu'au lieu d'être le

▲ Gravure pour *L'Invasion de la mer* (Hetzel).
Hadjar, le chef targui, et ses compagnons
détalaient bride abattue, pour échapper aux
tourbillons d'un monstrueux mascaret qui
se dressait derrière eux. !

◄ Premier cartonnage dit « au steamer »
pour *L'Invasion de la mer* en volume isolé
(Hetzel 1905), illustré par L. Benett.

visage grimaçant de quelque divinité, elle était un autre lieu. Mais Jules Verne réalise ce voyage d'une façon fantastique, désinvolte et surtout poétique, laissant à Henri Garcet le soin de la vraisemblance, ce en quoi la réussite fut grande. La méthode choisie pour le retour, identique à celle qui prévalut un siècle plus tard, au temps de la fusée géante Saturne V, soit l'amerrissage dans l'océan, fut fort admirée lors des vols lunaires Apollo, bien qu'elle allait de soi à une époque où l'on ne connaissait ni le vol dirigeable, ni même le parachute.

Quant à la transposition de l'ami Nadar dans le personnage spirituel et héroïque d'Ardan, son quasi-homonyme, elle fut de suite reconnue pour ce qu'elle était : un signe d'amitié et d'admiration. Mais même aujourd'hui, peu d'initiés ont réalisé la marque de reconnaissance qu'elle est, désormais illustrée par l'envoi de Jules Verne aux Nadar sur l'exceptionnel exemplaire de *Cinq Semaines en ballon*.

Quant à l'attitude d'excessive prudence de Hetzel, une constante dans ses rapports avec Verne, elle se manifeste de diverses façons, dans les romans lunaires, surtout par un choix craintif et réticent dans le domaine de l'illustration. Il dévoile ainsi ses craintes vis-à-vis des réactions de sa clientèle conformiste, à laquelle il craignait par-dessus tout d'adresser des signes d'inorthodoxie.

Quelques gravures, montrant le véhicule lunaire, font exception ; mais les paysages lunaires, rares et timides, et naturellement pas le plus petit bout de la queue d'un Sélénite, ne viennent perturber les bonnes gens craignant les illustrations… osées ! Aussi, les choix peureux et étriqués de l'éditeur montrent la triste figure d'un homme de goût, certes, mais affreusement « coincé » par des craintes psychotiques. Celles-ci relevaient d'une panique quant aux risques commerciaux que l'imagination de Verne, si elle n'était pas étroitement bridée, risquait de faire courir à ses affaires, ainsi qu'à son projet pédagogique à travestir en projet ludique, mais avec la plus grande modération !

Bref, avec quelques aménagements, l'illustration d'Hetzel pour les deux romans lunaires eût pu convenir pour les *États et Empire de la Lune* de Cyrano de Bergerac, dans quelque édition du XVIIᵉ siècle !

On peut observer que, sans doute sous l'influence des projets de Nadar, les premiers *Voyages extraordinaires* montrent plus de verticalité, dans l'ensemble, que ce ne sera le cas ultérieurement. Entre 1862 et 1869, à la parution de *Autour de la Lune,* plus de la moitié des romans parus pouvaient s'en réclamer : *Cinq Semaines en ballon, Voyage au Centre de la Terre, De la Terre à la Lune, Vingt Mille lieues sous les mers* et *Autour de la Lune.* La verticalité était plus plaisante pour l'auteur et pour les lecteurs, puisqu'elle implique le voyage dans des régions, certes inconnues, mais surtout inaccessibles, situées dans des milieux inconnus, dont l'accès nécessite une technologie plus avancée qu'elle n'était. En ce sens, les *Voyages* de cette période sont plus extraordinaires que ne le seront les suivants :

– *Cinq Semaines en ballon* est un voyage dans le milieu atmosphérique, alors irréalisable puisqu'il exige d'être *dirigé*, ce qui permet la traversée du vaste continent africain, en grande partie inconnu et inaccessible, même par voie de surface. Jules Verne cependant ne va pas jusqu'à imaginer un ballon proprement «dirigeable» se gardant de heurter le bon sens du public en ne faisant que rechercher les courants favorables par la voie ascensionnelle.

– Le *Voyage au Centre de la Terre* est un voyage plus osé et irréalisable dans des régions et des milieux inconnus, même en théorie. Si l'on a de nos jours des notions substantielles sur ces milieux à tout jamais

L'Invasion de la mer (Hetzel). La présence de quelques spahis suffirait peut-être à défendre la section, et, dans ces conditions, une nouvelle attaque des indigènes n'était sans doute pas à craindre.

inaccessibles aux grandes profondeurs requises pour l'accomplir, il reste définitivement impossible.

Qu'à cela ne tienne ! Verne annonce le but, l'intention, mais détourne si habilement l'itinéraire que les voyageurs aussi bien que les lecteurs n'y voient que du feu (c'est le cas de le dire !) puisqu'ils émergent du voyage souterrain par la cheminée d'un volcan, mode de locomotion ascensionnel aussi incroyable que non scientifique. Rien de tout cela ne gêne les héros ou le lecteur, qui de surcroît ne s'aperçoit généralement pas plus du détournement du projet initial que de l'invraisemblance globale du récit ! Par certains de ses aspects, le *Voyage au Centre de la Terre* est le prototype même du roman vernien, un roman de pure fantaisie où le voyage, imaginaire, non seulement ne va pas où il est censé aller, mais où la science n'est même pas le prétexte, mais un saupoudrage, une apparence, un accessoire de théâtre. Et puis, on l'a vu, et comme bien d'autres, ce roman a des ressorts multiples et... souterrains !

– *De la Terre à la Lune* et sa suite, *Autour de la Lune*, les romans les plus «verticaux» avec celui qui sera le *Voyage* extraterrestre, nécessitent une technologie de pure fiction pour donner l'impulsion de départ et parvenir dans ce milieu aussi inconnu qu'hypothétique, dénommé l'«éther» emplissant tout l'espace. Cet «éther» semblait indispensable à la propagation des ondes électromagnétiques et devait donc remplir l'univers observable ou imaginable. L'observation astronomique n'autorisait pas alors les notions actuelles sur l'âge et les dimensions d'un Univers aussi vaste qu'inimaginable même pour Jules Verne,

◀ *Maître du Monde* (Hetzel). A l'idée que l'*Epouvante* serait capable de rivaliser avec les vautours et les aigles, je ne pus retenir un vif mouvement d'incrédulité.

à l'époque de l'écriture. L'idée même de «galaxie» ne pouvait ressortir de l'observation des quelques troubles «nébuleuses» perceptibles, et l'éther, non content de remplir cet univers restreint, se maintient tout au long du XIXe siècle, ne disparaissant de notre plus vaste univers moderne qu'en 1905. Au moment où Jules Verne atteignait le terme de sa vie, Einstein publiait sa «relativité restreinte» qui rendait inutile l'artifice théorique de l'éther.

Jules Verne cependant en faisant faire à ses hardis voyageurs le tour de la Lune, contournait sagement – avec l'aide d'Henri Garcet (professeur au Lycée Henri IV) – les problèmes trop complexes d'un alunissage en douceur et de l'absence d'un canon sur la Lune, même quarante fois moins puissant que la *Columbiad*, sans lequel l'alunissage était sans retour. Ainsi, Verne évitait l'écueil du séjour lunaire et les risques liés à la description des Sélénites, commercialement inacceptables pour Hetzel. Le souci de vraisemblance qui, pour des raisons sensiblement différentes, animait Verne et son éditeur, lui interdisait de céder à de tels appâts fantaisistes, auquel à grand-peine l'astronome vulgarisateur Camille Flammarion, écrivain lui aussi, résistait à grand-peine, intellectuellement peu tenté par la perspective d'une Lune inhabitée et morte.

D'autres écrivains vers la fin du siècle succombèrent à cette tentation avec la complicité de leurs éditeurs et l'assistance d'illustrateurs souvent imaginatifs. Il y eut ainsi Georges Le Faure, avec ses *Robinsons lunaires* (Dentu en 1893); en collaboration avec Henri de Graffigny, il fit paraître les quatre volumes des *Aventures extraordinaires d'un Savant russe* (Edinger, 1889 à 1896) qui entraînent le lecteur de *La Lune* au *Soleil et aux petites Planètes*, aux *Planètes géantes*, puis, fort logiquement, au *Monde stellaire*.

▲ *Maître du Monde* (Hetzel, 1904), illustré par G. Roux. Le capitaine appuya sur la manette, et l'*Epouvante*, sous l'action redoublée de ses propulseurs, bondit à la surface du lac. Elle se jouait de ces destroyers !

Affiche française pour le film *Le Maître du Monde*, USA 1961, réalisé par William Witney. D'après le roman de Jules Verne, *Maître du Monde.* ▶

D'autres auteurs, et illustrateurs, décrivent les Sélénites à cette époque, dont Pierre de Sélènes (!) avec *Un Monde inconnu – Deux ans sur la Lune*, dédié à Jules Verne, ce qui est fort naturel pour une suite de ses romans lunaires (Ernest Flammarion vers 1886) dont l'éditeur et l'illustrateur, J. Gerlier[35], montrèrent plus d'audace qu'Hetzel qui brida les siens. Gerlier eut de véritables traits de génie quant à certains paysages lunaires, mais se montra fort timide en décrivant une «humanité sélénite» identique à celle terrestre, si peu originale que vêtue de péplums à l'antique.

Tout autre fut l'intrusion du grand H.-G. Wells sur le marché du livre français où, refusé par Hetzel fils (à son propre détriment!...), il fit paraître chez Félix Juven, vers 1905, l'édition illustrée des *Premiers Hommes dans la Lune*, qui avait été publiée en anglais en 1901. L'excellent illustrateur Martin Van Maele y réussit des Sélénites impressionnants, plus vrais que nature. Jules Verne ne vit certainement pas ces extraterrestres, qu'il rata de peu, mais il ne les aurait guère appréciés, n'ayant pas aimé ce dont il avait eu connaissance auparavant de l'œuvre de Wells, trop éloignée de la relative exigence de rigueur scientifique exigée par Hetzel. Il s'efforçait de donner satisfaction à son éditeur, s'étant mis d'accord avec lui, et surtout parce qu'il lui vouait une grande reconnaissance pour lui avoir permis de sortir enfin de la stagnation sans issue, qui avait été trop longtemps sa désespérante situation. Le souci de vraisemblance était, en partie tout au moins, une conception qu'il pouvait partager avec l'éditeur, mais non celle de l'enseignement de la science qui, pour lui, n'était qu'un alibi, un décor, un ensemble d'accessoires de théâtre, un saupoudrage cosmétique à la fois utile... et nécessaire.

Sous un autre régime que celui d'Hetzel, se serait-il laissé aller à plus de liberté fantasmagorique ? C'est possible, et même vraisemblable. Rappelons la «féerie»

CHARLES BRONSON / VINCENT PRICE

LE MAITRE DU MONDE

COULEURS

AVEC HENRY... / DAVID FRANKHAM / MARY WEBSTER MISE EN SCENE DE WILLIAM WITNEY

RICHARD MATHESON PRODUIT PAR JAMES H. NICHOLSON MUSIQUE DE LES BAXTER

UNE PRODUCTION AMERICAN INTERNATIONAL PICTURE PRÉSENTÉE PAR FRANCE CONTINENTAL FILMS

en quatre actes de A. Van Loo, E. Leterrier et A. Mortier *Le Voyage dans la Lune*, sur la musique de Jacques Offenbach, inspirée des romans lunaires de Verne, qui fut créée en 1875 au *Théâtre de la Gaieté* sans l'autorisation d'Hetzel, et avait remporté un franc succès.

Le Monde solaire

La verticalité au XIXe siècle devait avoir une limite; elle ne pouvait aller au-delà des «Mondes stellaires», ce qui était déjà presque trop lointain pour un voyage de fiction romanesque, alors que la Lune et les planètes du «Monde solaire» étaient sous la lunette astronomique et le télescope. C'est ainsi que ce monde interplanétaire sera le théâtre du dernier *Voyage extraordinaire* dans l'espace, quelques années après le voyage lunaire, en 1877. Ce sera *Le Voyage à travers le Monde solaire*, titre qui eût sans doute assuré l'immortalité de l'œuvre, aujourd'hui largement oubliée sous son titre anodin d'*Hector Servadac* imposé par Hetzel; ce dernier, on le sait, était plus frileux des risques encourus dans l'Hexagone, au sein de sa clientèle bien-pensante, que de ceux auxquels le romancier exposait ses astronautes involontaires.

La comète *Gallia* vient percuter la Terre, et emporte dans sa course, désormais modifiée, une fraction de la croûte terrestre comprenant la partie ouest de la Méditerranée, les rivages algérien et espagnol, le rocher de Gilbraltar, avec eau, atmosphère, personnages et figurants impliqués dans le roman. Après une trajectoire de deux ans dans le système solaire, la comète est de retour. Les vues de l'auteur quant à ce retour ne s'accordent pas, mais alors pas du tout, avec celles de l'éditeur.

En fait, *Le Monde solaire* fut l'occasion d'une bataille homérique entre l'auteur, sûr de tenir un scénario amusant et crédible, et l'éditeur, appâté au début, puis de plus en plus réticent et s'acharnant à détruire tout ce qui, à ses yeux, serait susceptible d'inquiéter les milieux bourgeois et boursiers. C'est ainsi que la conclusion, fort amusante, amoureusement concoctée par l'auteur, fut rejetée, interdite par l'éditeur, et remplacée par une chute terne, et même absurde.

Au dernier moment, le titre choisi par Verne fut remplacé, devenant sous-titre, modification qui lui interdit d'apparaître à la couverture ou à la reliure, de sorte que l'acquéreur achetait l'ouvrage « la tête dans un sac », se fiant à la réputation de la Maison d'édition ou à celle de l'auteur. À peine avait-il commencé sa lecture qu'il tombait, sur un avis lénifiant de l'éditeur, camouflé de manière inhabituelle *dans le texte*. Cette note s'étendait longuement sur les mérites et les succès passés de l'auteur, garantissant selon lui la valeur du roman «cosmographique» mutilé par sa chirurgie éditoriale. On y trouve la pointe perfide que voici : *L'extrême fantaisie s'y allie à la science sans l'altérer. C'est l'histoire d'une hypothèse et des conséquences qu'elle aurait si elle pouvait, par impossible, se réaliser.* Or, justement, la fin prévue mais disparue comportait cette *conséquence* que l'éditeur a le toupet d'évoquer après l'avoir éradiquée !

Désormais, le roman s'achève *sans aucune conséquence!* Tout est remis à sa place: croûte terrestre, mer et gens, sans que personne, fort opportunément, ne se soit aperçu durant deux années entières de leur absence, pas plus que de leur retour. Le héros lui-même, Servadac, est vivement sollicité par les exigences de l'éditeur de n'avoir rien à raconter de son voyage sous peine de passer pour fou. Aussi, retrouvant ses camarades de régiment, s'explique-t-il de façon fort «hetzelienne» en affirmant qu'on ne le croirait pas s'il disait la vérité, et que mieux vaut convenir qu'il a fait un rêve! Quelle misérable chute, et quelle pauvre conclusion pour un voyage à travers les orbites planétaires du système solaire! Jules Verne n'écrira plus d'autre voyage dans l'espace, mais il conservera soigneusement la fin amputée de son récit, dont il fera un autre roman, *La Chasse au météore*, une quinzaine d'années après la disparition de P.-J. Hetzel. L'idée dont il avait été si fier, et qui lui avait été arrachée au cours de cette ancienne bataille perdue, ne serait, elle, en tout état de cause, pas perdue !

Le Voyage à travers le Monde solaire fait passer le capitaine Servadac, poète à ses heures, et les autres voyageurs embarqués avec lui dans l'aventure interplanétaire, tout près de Mars et de Jupiter. Il est ainsi erroné de prétendre, comme on l'a fait récemment, que *le rendez-vous de Jules Verne avec la planète Mars a été manqué* ! Simplement, il faut se souvenir que Verne, pour deux raisons (l'une bonne, l'autre mauvaise) ne tenait pas plus à un alunissage qu'à un atterrissage sur Mars. On pouvait survoler, mais on ne devait pas toucher les corps célestes qui n'étaient pas la Terre. Là est la «mauvaise» raison : elle est d'ordre religieux, philosophique ou, si l'on veut, superstitieux. L'écrivain l'exprime en effet dans *La Maison à vapeur*, roman écrit en 1879, soit quelques années après le *Monde solaire*, où il affirme, par la bouche d'un de ses personnages : *L'homme, simple habitant de la Terre ne saurait en franchir les bornes*.

Il faut toujours tenir compte du fait que Verne est un croyant, toujours déchiré par la question qui, aujourd'hui plus que jamais, continue à obséder bon nombre de scientifiques, et sans doute des meilleurs : « Jusqu'où a-t-on le droit d'aller trop loin ? » Cette question, avant tout religieuse, se pose dans divers domaines de la recherche scientifique fort éloignés les uns des autres. Verne, quant à lui, lorsqu'il la pose à propos de l'expansion spatiale, la tranche d'une manière plutôt simpliste : «À l'Homme est attribué le domaine terrestre. Les autres corps célestes appartiennent au domaine du Ciel. Si l'Homme peut les

▲ *Maître du Monde* (Hetzel). Quant à la force employée pour soutenir et mouvoir l'*Albatros*, muni de deux propulseurs et trente-sept hélices suspensives, c'était bien à cet agent qui se prête à tant d'usages, à l'électricité, que Robur l'avait demandée. Très probablement, il la tirait de l'air ambiant, toujours plus ou moins chargé de fluide.

Affichette belge bilingue pour le film *Le Maître du Monde* (1961). ▶

PARDON FI

ALBATROSS

EN MagnaC

LE MAITRE I

(MASTER OF THE WORLD)

Réalisation: WILLIAM WITNEY

DE MEESTER

262

S PRÉSENTE
LE ROMAN FANTASTIQUE DE
JULES VERNE
R
U MONDE
Avec VINCENT PRICE
CHARLES BRONSON - HENRY HULL
MARY WEBSTER - DAVID FRANKHAM
PRODUCTION: JAMES H. NICHOLSON
DER WERELD

observer depuis la Terre, il ne lui est pas interdit de les observer d'ailleurs. Mais observer n'est pas toucher!» En quelque sorte, «dans le doute, mieux vaut s'abstenir». Ainsi, Verne n'a pas «manqué» Mars. Il s'est refusé à faire plus qu'un survol. Et ce qui était déjà fait (voyage lunaire ou voyage interplanétaire) n'était plus à faire.

La «bonne» raison a déjà été évoquée: les difficultés techniques pour le retour d'un projectile (non autonome), incapable d'être renvoyé sur Terre à partir d'un autre corps céleste sans moyen de propulsion. La «fusée» était un concept qui n'avait pas encore pénétré les esprits. D'un point de vue logique, on ne pouvait imaginer un autre moyen que celui d'une «bouche à feu» pour projeter un véhicule dans l'espace. La description d'une civilisation sélénite ou martienne, prête à rendre aux visiteurs le service de leur en fabriquer une sur mesure, ne faisait pas davantage l'affaire de Verne que celle d'Hetzel. Quant aux autres auteurs que n'embarrassait pas le souci de vraisemblance, ils escamotaient tout simplement le problème, comme l'avaient fait avant eux les grands-pères de la science-fiction de toutes les époques, jusqu'à l'Antiquité. L'idée du véhicule autopropulsé, transportant son propre carburant énergétique, est un concept moderne, pas encore apparu du temps de Verne. On voit à quel point le prétendu «prophète de la Science», qui pourtant ne manquait pas d'imagination, était en réalité attaché à son époque, et pas libéré de ses entraves religieuses!

Verne antisémite

Le Voyage à travers le Monde solaire est donc l'occasion évoquer le problème qui est un peu la «face obscure» de Jules Verne: son conditionnement religieux dans l'orthodoxie de son temps. On ne peut pas, lorsqu'on

évoque ce roman, éluder la question de l'antisémitisme de Verne, qui lui a souvent été reproché, et à juste titre. La permanence de l'antisémitisme qui se manifeste dans les textes de Verne, comme d'ailleurs de nombreuses manifestations de racisme général, se découvre déjà dans les premières nouvelles parues au *Musée des Familles*, tel *Martin Paz* paru en 1852, mais nulle part n'atteint une telle violence haineuse, un tel mépris, que dans le *Monde solaire*. Cela ne manque pas de surprendre en raison du thème du voyage interplanétaire dans lequel, justement, on ne s'attendrait pas à l'y trouver.

Ce déchaînement antisémite, dans un texte écrit entre 1874 et 1876, trouve son explication, sinon son excuse, dans les événements ayant marqué la vie de l'auteur dans cette période. Il faut donc distinguer le cas particulier de *Servadac* de la position raciste et antisémite rémanente de Verne, issue de la formation de sa personnalité dans un milieu enseignant le mépris des Juifs. On reconnaît là les dégâts dans les esprits conditionnés par l'antisémitisme chrétien, transmis de génération en génération à travers les siècles. On sait trop bien à quelle bête monstrueuse ce terreau favorable a donné le jour (la nuit plutôt, devrait-on dire!) dans l'Europe du XXe siècle que Jules Verne n'a pas connue. Il était de bon ton, dans les milieux bourgeois du XIXe siècle, de faire étalage d'un certain antisémitisme au bénéfice de la notion cultivée et appréciée de «pureté de la race». Celle-ci est encore loin d'avoir été extirpée de certains esprits faibles ou pervers de nos jours.

Jules Verne était un homme comme les autres, soumis dès sa tendre enfance à des influences qu'il n'avait pas choisies, et qui l'ont conditionné sur ce plan, sans qu'il ait été tenté de s'informer de manière objective sur ce thème. On ne peut lui reprocher d'avoir été conditionné, ni d'avoir été, en définitive, malgré ses talents indéniables, *un individu ordinaire*. La notion de génie, nous l'avons vu, est très discutable et indéfinissable. Quand bien même elle serait, et que Verne puisse être ainsi défini, cette qualité n'oblige pas à être un génie universel, paré de capacités exceptionnelles dans tous les domaines! Rien n'obligeait Verne à remettre en cause ce qu'il croyait savoir, ce qui avait été gravé dans son esprit par l'éducation reçue et la norme qui avait cours dans le milieu dans lequel il avait évolué depuis sa naissance.

Il serait injuste de lui en faire grief, surtout à une telle distance temporelle d'une société, d'un milieu qui ne peut plus être connu avec objectivité tel qu'il était. Son époque aujourd'hui révolue avait connu ce qui nous est en grande partie inconnaissable. Mais elle n'avait pas connu ce que nous savons à présent de l'Histoire, et qui fait partie tant de notre formation que de notre conscience. L'objectivité, ici, n'est pas possible. Alors, comment l'exiger «a posteriori» de Verne, qui n'avait même pas connu la révision de l'Affaire Dreyfus, et cela avec les exigences que nous aurions vis-à-vis d'un intellectuel de nos contemporains? Cela n'aurait aucun sens. Tout ce qui reste à dire sur ce sujet, quelque peu pénible pour qui porte à Verne de l'admiration, est qu'il avait le droit de n'être pas meilleur que la majorité de ses contemporains, à condition de ne pas être pire. C'est également le droit de chacun dans notre temps.

Cependant, Verne avait connu le déclenchement de l'Affaire Dreyfus et, s'il avait commencé par être anti-dreyfusard, il était devenu plus objectif devant les preuves qui s'accumulaient contre les dignitaires militaires impliqués, en réalisant leur infamie, lui qui, indépendamment de l'«Affaire», n'avait jamais porté l'armée dans son cœur, et était plutôt antimilitariste.

Quatre chromos d'une série intitulée *En l'An 2000* (c. 1900), consacrée à une prospective humoristique de l'évolution technologique. ▶

Station d'Aéro-Cabs.

Le Départ pour la Promenade.

Un Combat aérien.

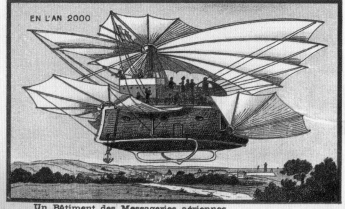

Un Bâtiment des Messageries aériennes.

L'Affaire Dreyfus n'avait pas encore connu son épilogue à la mort de Verne; elle l'avait cependant touché et lui avait inspiré le roman *Les Frères Kip* écrit en 1898, paru en 1902, dans lequel des innocents sont condamnés au bagne; on y trouve diverses allusions au nom de Dreyfus, qui n'est pas cité nommément. Michel Verne avait pris parti pour Dreyfus, ce qui a peut-être eu une certaine influence sur le changement d'opinion de son père.

Pour en revenir au déchaînement antisémite du *Monde solaire*, il avait eu plusieurs causes réelles, au nombre desquelles on peut évoquer l'une qui a souvent été avancée. Un Juif polonais du nom d'Olszewitz (dont la traduction française est «aulne» ou «verne»)

avait pris par erreur Jules Verne pour un frère émigré, perdu de vue, erreur qui aurait gravement indisposé l'écrivain. Cela ne constitue pas un motif suffisant pour justifier des manifestations haineuses.

D'autres motifs paraissent plus solides : à cette époque, Jules Verne avait des raisons d'en vouloir à Adolphe Dennery, auteur dramatique spécialisé dans la transposition de romans au théâtre, qui l'avait assisté utilement dans la mise au point de la pièce *Le Tour du monde en 80 jours*. Or, Dennery était Juif. La pièce, créée le 7 novembre 1874 au *Théâtre de la Porte Saint-Martin*, se jouait tous les soirs à guichets fermés, saison après saison.

Les prêtres de Brahma conduisent au bûcher la veuve d'un rajah. Passepartout déguisé en rajah sauve la jeune veuve.

| E | I | H | F | G | X |

Le Tour du Monde. L'un des cartons du Loto alphabétique sur le thème du roman *Le Tour du monde en 80 jours* de Jules Verne, diffusé à Paris par l'éditeur L. Saussine vers 1880.

D'autres ennuis encore ont certainement joué un rôle dans ces outrances antisémites: le fils de Verne, Michel, avait déjà trouvé moyen à l'âge de quinze ans d'emprunter de l'argent à des usuriers juifs, que son père avait dû rembourser. Cela ne l'avait pas rempli d'affection pour eux, ni par extension pour les Juifs en général. Aussi, enragé, il avait mis en scène un Juif exécrable, véritable caricature calquée sur le trop fameux personnage de Shylock[36] incarnant les défauts les plus répugnants attribués à la «race» alors considérée comme déicide; Verne avait «baptisé» son peu ragoûtant personnage du nom d'Izak Hakhabut, nom dont il avait trouvé l'allitération péjorative dans son vieux fonds d'humour scatologique, en général délaissé depuis qu'il écrivait pour Hetzel. Ce personnage antipathique jouait évidemment, et de façon peu originale, un rôle d'usurier aux longues griffes, qui était à sa place sur une comète constituée d'une gigantesque montagne d'or pur. Hetzel, que le personnage d'Hakhabut n'avait pas le moins du monde scandalisé, avait mené une lutte vigoureuse contre la montagne d'or, et avait gagné la bataille: l'or avait disparu, mais l'usurier juif était resté. Le Grand Rabbin de Paris avait très dignement protesté, mais sans aucun résultat. Si ce roman est aujourd'hui largement oublié, ce n'est pas en raison de la disparition de la conclusion orifère, ni à cause de l'antisémitisme exprimé par Verne. C'est seulement le changement de titre imposé par Hetzel, d'une affreuse banalité, n'évoquant en rien les voyages interplanétaires. À l'époque, les éditeurs étrangers, ayant acquis les droits de traduction, ne s'y étaient pas trompés: Allemands, Américains ou Hongrois avaient souvent restitué au roman son titre d'origine ou un titre similaire rejetant le choix d'Hetzel. Et même l'antisémitisme dans ce roman l'avait parfois fait mettre à l'index aux Etats-Unis.

Comme d'autres romans, il vient d'être réédité sous le titre *À travers le Monde solaire*[37].

Vingt Mille lieues sous les mers Une Ville flottante

Le premier «tour du monde» de Jules Verne, *Les Enfants du Capitaine Grant*, est un roman en trois volumes, écrit entre 1865 et 1866. Il paraît chez Hetzel en 1867 et 1868. Ce travail marque le début de la période où Jules s'est rapproché de la mer et vit au Crotoy durant la belle saison, faisant de fréquentes allées et venues, avec l'alibi des entrevues avec Hetzel. Le reste de l'année, la famille se replie sur Paris. Rappelons que, dès l'achat du *Saint-Michel*, Jules part souvent seul avec son équipage, laissant sa femme et les enfants au Crotoy; nous l'avons vu, Honorine s'en plaint, en août 1870[38]. En septembre, elle quitte abruptement Le Crotoy pour emménager à Amiens. La raison invoquée des dangers de la guerre, pas plus grands au Crotoy qu'à Amiens, semble n'avoir été qu'un prétexte dissimulant leur mésentente conjugale et leur éloignement croissant. Si Jules Verne les rejoint en été 1871 et s'y installe définitivement, c'est avant tout pour des raisons de convenances sociales et domestiques. Afin d'améliorer ses finances, maintenues à un niveau bas par la ladrerie de son éditeur, Verne, dès *Les Enfants du capitaine Grant* livré, se charge de la tâche ingrate de la *Géographie de la France* dont la rédaction occupe le plus clair des années 1866 et 1867. Ses relations avec Honorine n'étant pas encore dégradées, elle l'assiste dans l'exécution de cette corvée en prenant une partie des textes sous la dictée. Pour mieux supporter ce travail long et fastidieux, dont il dira à Hetzel, par bravade: *cela me plaît beaucoup à faire*, il entrecoupe cette rédaction par celle du nouveau roman mené simultanément. *Vingt Mille lieues sous les mers* le délasse, le réjouit, lui change les idées et lui permet d'arriver au bout du détestable pensum géographique que, terminé, il ne voudra plus revoir. Lorsqu'il sera question de réviser l'ouvrage après

Chapitre 23

Conclusion

Voici la conclusion de ce voyage sous les mers. Ce qui se passa, pendant cette nuit, comment le canot échappa au formidable remous du Maelstrom, comment Ned Land, Conseil et moi, nous sommes sortis du gouffre, je ne saurais le dire. Mais quand je revins à moi, j'étais couché dans la cabane d'un pêcheur des îles Lofoden. Mes deux compagnons étaient près de moi et me pressaient les mains.

J'étais fort éprouvé. En ce moment, nous ne pouvions songer à regagner la France. Les moyens de communication entre la Norvége septentrionale et le Sud sont rares. Je suis donc forcé d'attendre le passage du bateau à vapeur qui fait le service bi-mensuel du Cap Nord.

Donc, c'est parmi ces braves gens qui nous ont recueillis, que j'ai revu le récit de ces aventures; elles me donnent le droit de parler maintenant de cette mer, sous laquelle, en moins de dix mois, j'ai franchi vingt mille lieues, de ce tour du monde sous-marin qui m'a révélé toutes ses merveilles, à travers le Pacifique, l'Océan indien, la mer Rouge, la Méditerranée, l'Atlantique, les mers australes et boréales!

Mais qu'est devenu le Nautilus? A-t-il résisté aux rencontres étranges du Maelstrom? Le capitaine Nemo vit-il encore? Poursuit-il sous l'Océan ses effrayantes représailles? Les flots apporteront-ils un jour cette bouteille qui renferme toute l'histoire de sa vie? Saurais-je enfin le nom de cet homme? Le vaisseau disparu nous dira-t-il par sa nationalité, la nationalité du capitaine?

Je l'espère. Je crois aussi, je crains, — car dois-je l'espérer? — que sa puissante machine ait vaincu la mer dans son gouffre le plus terrible, que son Nautilus ait survécu là où tant de navires ont péri! S'il en est ainsi, s'il habite toujours cette vaste mer, sa patrie d'adoption, puisse la haine s'apaiser dans ce cœur farouche! Et que la contemplation de tant de merveilles éteigne enfin en lui cet esprit de vengeance. Si sa destinée est étrange, elle est sublime aussi. Et à cette demande posée il y a six mille ans par l'Ecclésiaste : qui a jamais pu sonder les profondeurs de l'abime? deux hommes seuls entre tous les hommes peuvent répondre à voix haute : le capitaine Nemo et moi...

CHAPITRE 23

CONCLUSION

Voici la conclusion de ce voyage sous les mers. Ce qui se passa, pendant cette nuit, comment le canot échappa au formidable remous du Maelstrom, comment Ned Land, Conseil et moi, nous sommes sortis du gouffre, je ne saurais le dire. Mais quand je revins à moi, j'étais couché dans la cabane d'un pêcheur des îles Lofoden. Mes deux compagnons étaient près de moi et me pressaient les mains.

En ce moment, nous ne pouvions songer à regagner la France. Les moyens de communication entre la Norvége septentrionale et le Sud sont rares. Je suis donc forcé d'attendre le passage du bateau à vapeur qui fait le service bi-mensuel du Cap Nord.

Donc, c'est parmi ces braves gens qui nous ont recueillis, que j'ai revu le récit de ces aventures; elles me donnent le droit de parler maintenant de cette mer, sous laquelle, en moins de dix mois, j'ai franchi vingt mille lieues, de ce tour du monde sous-marin qui m'a révélé toutes ses merveilles, à travers le Pacifique, l'Océan indien, la mer Rouge, la Méditerranée, l'Atlantique, les mers australes et boréales!

Mais qu'est devenu le *Nautilus*? A-t-il résisté aux terribles étreintes du Melstrom? Le capitaine Nemo vit-il encore? Poursuit-il sous l'Océan ses effrayantes représailles? Les flots apporteront-ils un jour cette bouteille qui renferme toute l'histoire de sa vie? Saurais-je enfin le nom de cet homme? Le vaisseau disparu nous dira-t-il par sa nationalité, la nationalité du capitaine?

Je l'espère. Je crois aussi, je crains. — car dois-je l'espérer? — que sa puissante machine ait vaincu la mer dans son gouffre le plus terrible, que son *Nautilus* ait survécu là où tant de navires ont péri? S'il en est ainsi, s'il habite toujours cette vaste mer, sa patrie d'adoption, puisse la haine s'apaiser dans ce cœur farouche, que la contemplation de tant de merveilles éteigne enfin en lui cet esprit de vengeance. Si sa destinée est étrange, elle est sublime aussi. Et à cette demande posée il y a six mille ans par l'Ecclésiaste : qui a jamais pu sonder les profondeurs de l'abime? deux hommes seuls entre tous les hommes peuvent répondre à voix haute : le capitaine Nemo et moi.

Fac-similé de la dernière page du manuscrit de « Vingt mille Lieues sous les Mers ».
(Document communiqué par M. Michel-Jules Verne fils.)

le découpage territorial de 1871, avec la perte de l'Alsace-Lorraine, il refusera de s'en charger.

La rédaction de *Vingt Mille lieues sous les mers* s'étale de 1866 à 1869, alors que le premier volume de la *Géographie* sort fin 1867, le second fin 1868. À partir de cette date, l'ouvrage sera présenté exclusivement en un seul fort volume. Jules écrit *Une Ville flottante* en 1869, et si c'est bien Estelle qui apparaît sous les traits d'Hellen, comme il y a tout lieu de le croire, le début de cette liaison pourrait se situer autour du voyage à bord du *Great-Eastern,* et peut-être même à cette occasion. Cela expliquerait de manière optimale son apparition sur le transatlantique de la *Ville flottante*. Il était fatal que les relations se détériorent de plus en plus entre le «fou d'amour» et son épouse, son départ pour Amiens marquant le début d'une séparation concrète mais non officielle.

Ecrit avant *Une Ville flottante*, *Vingt Mille lieues sous les mers* est le deuxième «tour du monde», sous-marin celui-là. Tout ou presque a été dit et écrit à propos de ce *Voyage sous les eaux*, mettant en scène le capitaine Nemo, un personnage qui a pris vie aujourd'hui, aussi connu et peut-être plus encore que les grands personnages bibliques ! Selon Verne, il serait un nationaliste polonais en révolte contre le tsar de toutes les Russies; mais là aussi, la censure hetzellienne, terrifiée devant les complications politiques et diplomatiques prévisibles (et leurs implications financières), s'interposa résolument et convertit le Polonais en prince hindou, bien moins compromettant, un champion de la liberté et de l'indépendance, révolté contre le colonisateur britannique.

◄ Fac-similé de la dernière page du manuscrit de *Vingt Mille lieues sous les mers*, publié par Michel Verne dans une revue pour la jeunesse, en mars 1906.
Il pensait ainsi accréditer l'authenticité des romans (modifiés par ses soins) qu'il avait commencé à publier en utilisant abusivement le nom de son père.

Le propos essentiel de Jules Verne n'est cependant ni politique, ni technologique, comme pourraient en première analyse le faire croire les avancées technologiques que sont le sous-marin alimenté en électricité à propulsion électromécanique et les accessoires qui l'accompagnent (scaphandres autonomes, projecteurs, fusils sous-marins, etc.). L'écrivain expose la *déviation* quasi inévitable chez l'être humain des idées généreuses, même chez le plus idéaliste d'entre les hommes. Nemo poursuit un idéal de liberté et d'indépendance; il veut lutter contre la mise sous tutelle de l'homme par l'homme, contre l'agressivité, la rapacité, la colonisation, la guerre. La première étape de cette lutte inégale est l'indépendance alimentaire, énergétique et territoriale, ce qui explique le haut degré de développement technologique qu'il atteint, et qui lui permet d'obtenir l'indépendance recherchée, dans le milieu marin ainsi que les moyens de lutter contre ce qu'il abhorre. Mais ces moyens constituent un pouvoir, et le pouvoir corrompt. Son usage, insensiblement mais inexorablement, glisse vers son abus, et Nemo devient lui-même, sans s'en apercevoir, l'image de ce qu'il hait: un tyran régnant en despote sur ses compagnons dévoués. Il mène une guerre d'agression, aveugle et sans pitié, contre le reste de l'humanité, globalement confondue avec les agresseurs traditionnels: les États et les exploiteurs en tous genres. Les observateurs que Verne introduit à bord du *Nautilus*, observent avec sagacité le monde sous-marin, au bénéfice des lecteurs et de Hetzel, et finissent par détecter la déviation psychotique du tyran génial et solitaire. Se révoltant contre Nemo, ils deviennent alors, à leur tour, des combattants de la liberté.

Déjà dans les premiers romans de Jules Verne apparaissent, on le voit, mêlée inextricablement aux nobles idéaux une grande *défiance* (ô combien justifiée!) envers les hommes, surtout les puissants et

Les Régates aériennes.

A la Poursuite d'un Fraudeur.

Un Aéro-Torpilleur.

Un Aérobus.

les effets dramatiques de la Science au service du Pouvoir.

Ces thèmes seront souvent repris par la suite, dans des romans tels que *Les Cinq cents millions de la Bégum*, *L'Île à hélice*, *Robur-le-Conquérant*, *Maître du monde*, etc.

Seul le premier volume de *Vingt Mille lieues* paraît avant la guerre de 1870. La publication est interrompue par les événements et ne reprend qu'une fois les hostilités terminées.

Durant celles-ci, Hetzel avait mis en vente les livraisons extraites de la *Géographie* qui concernaient le théâtre des opérations militaires, rassemblées en une publication brochée sous le titre *De Paris au Rhin*. Après la guerre, la nouvelle édition revue et corrigée, qui devait tenir compte de la nouvelle situation politique et territoriale de la France, devra attendre qu'Hetzel puisse en charger un autre géographe que Verne. Ce sera M. Dubail, professeur de cette discipline à l'École de Saint-Cyr, et cette nouvelle édition ne sortira qu'en 1876. En outre, Dubail signera un petit volume in-18° isolé, traitant séparément de l'Alsace-Lorraine perdue.

Le deuxième volume de *Vingt Mille lieues* paraît en 1870, l'édition illustrée ne sortira que fin 1871.

Jules Verne aura passé du temps, plus que d'ordinaire, à bord du *Saint-Michel* durant le conflit, car mobilisé avec son bateau, intégré dans une flottille composée de quelques petites unités censées défendre la baie de la Somme (ce qu'elles auraient été bien incapables de faire, le cas échéant).

Le courrier venant de Paris est interrompu, et le garde-côte improvisé reste sans nouvelles de celle qui

◄ Quatre chromos d'une série intitulée *En l'An 2000* (c. 1900), consacrée à une prospective humoristique de l'évolution technologique.

occupe ses pensées. Au moins, sur son bateau, il peut ronger son frein dans une relative solitude, préférable aux conflits conjugaux, et il en profite pour réviser le texte du roman. Il en résulte que l'édition illustrée présente de notables différences par rapport à l'édition préoriginale du *Magasin de l'Éducation* et à la petite édition in-18° parues avant-guerre.

À propos de *Vingt Mille lieues sous les mers*, une anecdote curieuse renvoie au début de l'écriture du roman, lorsqu'un problème s'était posé à Verne et Hetzel concernant l'analogie et l'antériorité de l'ouvrage d'un autre

auteur, un médecin, Jules Rengade qui, outre des livres d'hygiène et de médecine familiale vulgarisée, faisait paraître un roman titré *Un Voyage sous les flots*, qui présentait de troublantes similitudes avec le *Voyage sous les Eaux*, le premier titre de *Vingt Mille lieues sous les mers*.

Les Aventures extraordinaires de Trinitus – Voyage sous les Flots était paru en feuilleton en 1867, et en volume (in-18° et édition illustrée) chez l'éditeur Amable Rigaud en 1868. Or, en septembre 1867, Hetzel annonçait le roman de Verne, dont la parution en feuilleton dans le *Magasin* avait pris du retard en raison de la priorité accor-

Portraits gravés parus dans *Le Monde Illustré* du 4 décembre 1880.

dée aux livraisons en cours de la *Géographie de la France*. Aussi, en octobre, Jules Verne écrivait à Amable Rigaud *pour se mettre à l'abri de toute réclamation*. La parution en feuilleton de *Vingt mille lieues* se déroula de mars 1869 à juin 1870, le premier volume in-18° étant mis en vente en octobre 1869. Les deux ouvrages, malgré leur similitude, plus apparente que réelle, ne se firent aucun tort l'un à l'autre et Jules Rengade, dans la deuxième édition de son roman, parue en 1880 (ce qui est la preuve qu'il était incapable de constituer une concurrence quelconque à Jules Verne!), citait en préface, probablement à titre publicitaire, le texte de la lettre de Verne autrefois envoyée à son éditeur. Cet incident néanmoins prouve, si besoin était, que les voyages sous-marins, eux aussi, étaient déjà «dans l'air» de l'époque[39]!

Sphère privée?

Cette période est particulièrement dense dans l'existence de Jules Verne. La vie privée d'un écrivain a forcément des répercussions sur son œuvre où, dans une certaine mesure, elle ne peut manquer de se refléter. De plus en plus, le voile qui dissimulait, et dissimule encore en partie les secrets de Jules Verne, se lève et l'on s'aperçoit que les aspects cachés de sa vie conjugale et extraconjugale sont l'un des ressorts de son œuvre où ils se dissimulent.

Comme chacun, Verne avait droit à son «jardin secret», et il a beaucoup fait pour le préserver des indiscrétions, allant pour cela jusqu'à détruire toute sa correspondance, au grand désespoir de ses biographes. Cependant, au-delà du vivant de l'individu, le principe de protection de la sphère privée ne s'applique plus, pour autant que soit préservée celle des tiers auxquels des révélations pourraient nuire. Un siècle après sa mort, Jules Verne n'a pas d'autre statut que celui d'une

personnalité littéraire hors du commun, d'une célébrité de l'histoire de la littérature. À ce titre, il n'incombe à personne, fût-ce à certains descendants, de faire de la rétention d'informations aux fins de préserver une sphère privée qui, depuis longtemps, n'existe plus. Le chercheur est habilité de plein droit à rechercher la vérité historique, et à la révéler.

Du reste, l'égérie de Verne, Estelle Hénin, n'est pas nouvelle: sa première apparition dans les ouvrages biographiques qui se succèdent depuis un siècle date de 1928; la mort de la *sirène, l'unique sirène* est annoncée par Marguerite Allotte de la Fuÿe qui ajoute: *quel trésor suprême vient d'échapper à Jules Verne?* En ces années 1884-1885, il lutte contre un désespoir [...]. Chez lui, il devient muet, il se referme sur son angoisse secrète [...]. Une tragédie muette se joue en lui, tragédie dont il a fait disparaître les vestiges. La mort a coupé le fil d'une correspondance précieuse[40].

S'il est vrai que la mythomanie le dispute au romantisme chez cette «biographe», tous deux l'emportant trop souvent sur la fiabilité historique, il faut enregistrer cette déclaration comme la reconnaissance familiale publique d'un fait acquis: l'existence d'une maîtresse et d'une correspondance intime dont il a dû subsister des éléments concrets pour avoir généré de tels propos.

Il fallut attendre encore cinquante ans pour obtenir une reconnaissance «officielle» de l'égérie, textuellement nommée *Estelle Hénin, épouse Duchesnes*, d'une source très fiable, celle du propre petit-fils de l'écrivain, Jean-Jules Verne, dont le sérieux ne fait aucun doute (Président du Tribunal de Grande Instance à Toulon et auteur

---

Photographie d'une caricature par J. Parera, Barcelone, vers 1898. Ce cliché a appartenu à Jules Verne, lui ayant été envoyé par le caricaturiste. ▶

A Mr Jules Verne
L'auteur

Barcelone

M.ᵉ Jules **VERNE**

Allant recueillir aux bonnes sources des renseignements authentiques sur le monde sous-marin.

Caricature de Jules Verne par J. Chape, réalisée pour le journal *L'Algérie comique et pittoresque* paraissant à Oran (1883).

d'une biographie de son grand-père[41]). Evoquant la «sirène» de Marguerite Allotte, il reproche à celle-ci d'avoir rendue publique cette révélation due à une source sûre: «Lui-même» affirme-t-il, la fiabilité de l'information est encore renforcée par son frère qui, mieux que lui, se rappelait le nom exact de la dame en question! Puis le digne juge, affirmant qu'Estelle Hénin avait avec Jules Verne des entretiens sur tous les sujets qui intéressaient l'écrivain, s'efforce de convaincre ses lecteurs qu'il n'y avait entre eux qu'une liaison platonique, et que sa grand-mère, Honorine,

n'y voyait rien à redire[42]! On doit admettre que le magistrat n'est guère convaincant en proposant de telles spéculations, peu crédibles, tous les indices tendant à prouver, au contraire, que cette liaison était bel et bien amoureuse et passionnée. Ce qui n'exclut nullement, cela va de soi, les échanges intellectuels lorsqu'ils sont possibles!

Enfin, un fort respectable biographe de Jules Verne, Charles-Noël Martin, confirme que *la liaison de Jules Verne avec Estelle Hénin, épouse Duchesnes, date bien de l'époque où il imagina subitement d'amener sa famille loin de Paris, au Crotoy!*[43] Puis, en analysant la gestation et le contenu du *Château des Carpathes*, il insiste sur les qualités inhabituelles de ce roman que Verne a voulu d'une haute tenue littéraire, a travaillé et retravaillé des années durant, entre 1888 et 1891[44]. Dans sa correspondance avec Hetzel fils, Verne a même insisté sur sa volonté de faire sortir du rang ce roman auquel il tenait particulièrement. Il n'est donc pas exagéré d'avancer que *Le Château des Carpathes* est lui aussi autobiographique: Jules Verne y décrit de manière indirecte les souffrances et la solitude consécutives à la perte de la femme qu'il avait aimée dans le secret le plus absolu.

À propos, Hetzel fils avait repoussé la publication du *Château des Carpathes* car il ne l'appréciait guère et ne le percevait pas comme un possible succès de librairie, ce en quoi l'avenir, hélas, lui donna raison.

Il semble bien que ce soit précisément dans la période d'écriture et de peaufinage du *Château des Carpathes* que Verne détruisit sa correspondance, mais... la détruisit-il en totalité?... Comment la famille, et particulièrement la fantasque «biographe» Marguerite Allotte, ont-elles eu connaissance d'Estelle?

On rapporte que certains descendants éloignés continuent à couvrir ce secret de polichinelle, comme si c'était leur propre vie privée qui était menacée d'être mise à nu... Quels documents détiennent-ils, qui auraient échappé à l'«autodafé» de la fin des années 1880 ?

Bien d'autres chagrins et inquiétudes s'étant joints à son deuil intime, Jules pouvait écrire à Paul en 1894, trois ans avant la disparition de ce frère qui avait été un confident et véritable ami: *La noce a été très gaie. Mais c'est précisément cette gaieté qui m'est insupportable maintenant. Mon caractère est profondément altéré et j'ai reçu des coups dont je ne me relèverai jamais.* Et encore: *J'ai trop de soucis et de trop graves pour me mêler à toutes ces joies de famille, moi pour qui la famille - la mienne s'entend - n'aura été qu'une source d'inquiétude et de déceptions.* Et en 1895: *Moi, avec mes graves soucis, je deviens abominablement vieux, et contrairement à toi, je ne ferais pas un pas pour manger une truffe! Il va sans dire que sous tous les autres rapports, je suis encore plus fini.*

Il est vrai qu'entre les soucis économiques, les frasques de son fils Michel au début des années 1880, l'attentat subi en 1886 (qui le laissera infirme), la perte de son éditeur et ami Jules Hetzel, la mort de sa mère, l'obligation de renoncer à son bateau et même à tous les déplacements, le choix des mauvais coups du sort est assez vaste. Mais il est certain que la perte d'Estelle doit avoir été au premier rang des peines, rendant les autres plus difficiles encore à vivre.

La biographie de Jules Verne revisitée!

Le principe de l'existence d'Estelle et son importance indiscutable étant acquis, on ne peut que reconsidérer divers thèmes liés à la vie et à l'œuvre de Jules Verne: désormais ils apparaissent fréquemment sous un jour nouveau. On s'aperçoit que certains éléments,

qui jusque-là n'étaient pas connectés, s'emboîtent maintenant les uns dans les autres avec une logique et une homogénéité impressionnantes, ce qu'on ne pouvait percevoir avant que cette nouvelle appréciation des faits nous contraigne à observer les choses avec un regard différent.

Lorsque le cœur d'un romancier déborde d'amour ou de désespoir, et que l'auteur n'a pas d'autre moyen d'exprimer ses sentiments, cachés et refoulés dans sa vie de tous les jours, ils doivent s'écouler de sa plume. Ainsi, *Une Ville flottante* met en scène de façon romancée (mais dans un récit très atténué et modifié par Hetzel), à quelques années de distance, la rencontre avec Estelle, ce qu'on avait mal interprété jusqu'ici.

Du reste, *Une Ville flottante* fait partie de ces quelques romans (tel *Le Rayon Vert*), particulièrement travaillés par Verne, avec des exigences littéraires plus poussées que ce qu'il exigeait de lui d'ordinaire, et qu'il destinait à la publication dans des revues prestigieuses à l'instar de la *Revue des Deux mondes*. Il se pourrait même, on l'a évoqué, que Jules ait fait la rencontre d'Estelle en voyage.

Le public attendait de Verne des nouveautés technologiques imaginaires, et les romans que l'écrivain avait voulu les plus romantiques, les plus «léchés» sur le plan littéraire, les vrais romans d'amour de Verne (qui lui permettaient d'ouvrir la bonde et d'épancher ses sentiments, sinon contenus par manque de confident hormis Hetzel) n'ont jamais «marché» et ont été délaissés par le public. Hetzel, au courant, on le sait, de la passion de l'écrivain, et craignant sans doute que le soupçon d'une liaison transparaisse dans ce roman, d'un genre inhabituel pour Verne, avait là aussi imposé de grands changements à sa forme première, de sorte que l'intrigue amoureuse, dans la version publiée, passe presque au second plan, le thème principal devenant le bateau géant.

▲ Caricature de Jules Verne par Alfred Le Petit, parue dans *Le Charivari* du 15 décembre 1874.

Affiche du 3ᵉ Festival international du film d'exploration « Science et Aventure » de Paris (1994), illustrée par Marcel Uderzo sur le thème des *Aventures du Capitaine Hatteras* de Jules Verne. ▶

Puisque Jules Verne est «fou d'amour» en écrivant à Hetzel en février 1870, au lendemain de l'écriture de ce roman, et que la lettre d'Honorine faisant part de ses soupçons date du mois d'août, rien de surprenant à ce que l'épouse délaissée désespère de changer la situation autrement que par un coup de force. Elle quitte Le Crotoy avec ses enfants en octobre. Ce faisant, elle laissait son mari seul, sans contacts avec Paris assiégé, sans possibilité de quitter Le Crotoy où il était mobilisé, le mettant devant un fait accompli, dans la

nécessité de faire un choix. Elle refuse dorénavant de retourner à Paris ou au Crotoy. Le choix d'Amiens, tout naturel, obligeait son mari à un choix déchirant, punitif quel qu'il fût! La paix revenue, Jules se trouverait à la croisée des chemins, après réflexion: l'éventuel choix de Paris impliquerait la séparation officielle, très mal vue dans la «bonne» société de l'époque, et pourrait gravement compromettre l'avenir de sa carrière littéraire, en poussant Hetzel – très frileux, on l'aura noté – à interrompre sa collaboration avec Verne, ainsi tombé en disgrâce. Hetzel tenait à la haute tenue morale de sa Maison. Il n'était pas certain qu'il poursuive sa collaboration avec un auteur séparé à ses torts de son épouse. Or, Jules avait développé, à la suite de ses années de macération et d'échecs, un sentiment d'impuissance à combattre victorieusement l'indifférence et l'égoïsme ambiants que l'atmosphère morbide et désespérante de *Paris au XXᵉ siècle* illustre parfaitement. Hetzel lui était apparu comme son sauveur et, même la notoriété atteinte, il n'avait pas une confiance en lui suffisante pour envisager une rupture et un contrat avec d'autres éditeurs. La preuve en est qu'il n'a jamais cherché des conditions plus avantageuses ailleurs. Séparé de son épouse, trouverait-il une situation équivalente? Honorine était certainement consciente de cet état de choses. Elle n'était pas partie sans réflexion. Sans doute estimait-elle, de son côté, comme elle l'avait écrit, que c'était l'éditeur, et lui seul, qui avait fait de son mari ce qu'il était devenu, et que ce dernier ne saurait envisager la séparation d'avec son éditeur se cumulant avec celle de son épouse? À cela se serait ajoutée la séparation d'avec son fils de neuf ans!

En janvier 1871, Jules Verne fait un bref séjour à Amiens. On peut imaginer quels ont été les sujets de conversation. Il réalise que la décision d'Honorine est irrévocable, et sa stratégie limpide: Jules a le marché en mains Honorine joue son va-tout: éloigné de Paris, la

JULES VERNE AVENTURES
PRESENTE LE

3ᵉ FESTIVAL INTERNATIONAL
DU FILM D'EXPLORATION
"SCIENCE ET AVENTURE" DE PARIS

24 AU 28
NOVEMBRE 1994

SOUS LA PRESIDENCE
D'HONNEUR DE
PAUL-EMILE VICTOR

A L'INSTITUT
OCEANOGRAPHIQUE
195, RUE ST-JACQUES
PARIS Vᵉ

RER - LIGNE B
LUXEMBOURG

ENTREE LIBRE
SOIREE D'OUVERTURE
LE 24 11 94

INFO :
40 23 96 07
ET 36 15 FNAC

Nos partenaires

     CNISF

Affiche publicitaire de l'éditeur Hetzel pour les étrennes de 1892.

liaison de Jules risque de capoter («loin des yeux…»), et son mari pourrait lui revenir. Elle a eu aussi le temps de peaufiner la stratégie à mettre en œuvre en cas de retour à la vie commune.

Jules aura eu six mois de réflexion puisqu'il est démobilisé en été 1871. Il a décidé, tous comptes faits, de céder. Il veut écrire, et non recommencer les luttes qu'il a connues et dont il est las. Quoi qu'il en soit, sa maîtresse n'est pas libre. À Paris, éloigné de son fils, il continuerait à ne la rencontrer qu'occasionnellement, ce qu'il pourrait faire aussi bien au départ d'Amiens ! Il est donc démontré que Jules Verne n'a pas fait de gaîté de cœur le choix de devenir Amiénois, mais qu'il a dû s'y résoudre, contraint et forcé! Toutes les bonnes raisons données à cette résolution sont des motifs de façade.

Le choix ultérieur de la maison de la rue Charles Dubois (1882) a dépendu aussi des conditions de cette vie commune, comportant sous le même toit, la sépa-ration «de facto» des époux, dont le monde extérieur ne devait prendre conscience sous aucun prétexte.

Les époux ne vécurent plus sous le même toit, tout au moins pour ce qui est de la vie conjugale. Les invités, visiteurs, journalistes, rencontrèrent toujours les époux réunis, jouant le jeu de la vie commune. La maison de la rue Charles Dubois, connue à l'époque (comme aujourd'hui) en tant que «maison de l'écri-vain», ne semble pas avoir été son domicile régulier. Son courrier, en effet, lui parvenait systématiquement à l'appartement qu'il avait conservé au Bd Longueville n° 44. Néanmoins, et sans doute par commodité, il travaillait aussi à la rue Charles Dubois, où il avait sa bibliothèque et un petit cabinet de travail attenant, une chambrette dans laquelle une photographie d'épo-que montre qu'il y dormait parfois, *mais seul*. Cette situation, maintenue secrète, durera dix-huit ans. En 1900, pour des raisons économiques, la maison sera abandonnée; Jules et Honorine se retrouveront au logement conservé au Bd Longueville qu'ils habiteront ensemble.

Les relations tendues chez Jules Verne, la disparition de son père, l'éloignement de ses amis parisiens le contraignaient à une vie assez solitaire et à se réfugier dans l'écriture.

Les dissensions internes, les tensions et les conséquences qu'elles ont engendrées ont joué un rôle certain dans l'éloignement de son fils Michel, et le comportement, en apparence aberrant, que celui-ci aura dès le début des années 1880. Peu à peu, il s'était reconstitué un cercle de relations, la célébrité aidant, et s'était intégré aux cercles intellectuels et bourgeois du lieu, évitant de se marginaliser.

En janvier 1883, Jules écrit à Hetzel, en pleine période de graves problèmes avec Michel, le fils émancipé à dix-neuf ans, vivant avec une femme qu'il finira par épouser en 1884, tout en fréquentant une jeune fille de seize ans, qu'il enlèvera et épousera en secondes noces en 1890, après avoir divorcé de sa première femme : *Ici, c'est tempête sur tempête, et le trouble est aussi grand dans les éléments physiques que dans les éléments moraux. Seulement, ceux-là auront une fin, la belle saison reviendra. Mais pour ceux-ci, je n'y crois plus guère, puisque nous entrons dans la violence et l'exception.*

La situation créée par Michel, après bien d'autres tribulations qui avaient, depuis des années, affecté les relations avec son père, n'avait certainement pas apporté la paix dans le ménage désuni de ses parents, mais rien ne prouve qu'il était le seul sujet de disputes !...

Caricature de Jules Verne par André Gill, pour *Les Hommes d'Aujourd'hui*, vers 1880.

H·G·WELLS

—

LES

PREMIERS

HOMMES

DANS

LA LUNE

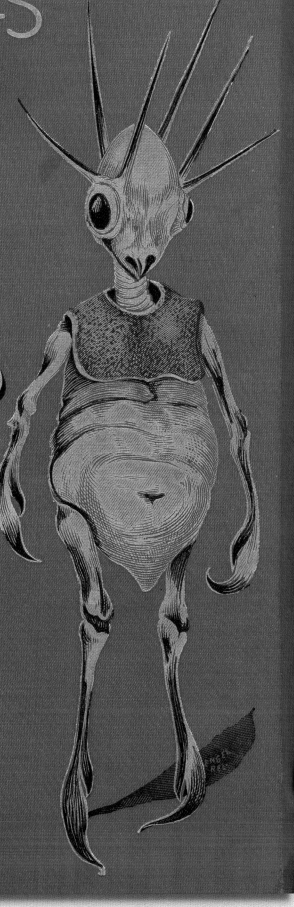

Paris

Félix Juven, Éditeur

280

Verne se réfugie dans les Voyages extraordinaires

Immédiatement à la suite d'*Une Ville flottante*, Jules s'était attelé à l'écriture d'une «robinsonnade», un genre qu'il avait particulièrement aimé dans son enfance, et dont il fait encore avec délectation l'énumération des titres en 1900, à l'âge de soixante-douze ans, dans la préface écrite pour *Seconde Patrie*, lui-même une suite au *Robinson Suisse* de Rudolph Wyss, un véritable prototype des robinsonnades, paru en 1812, et qui tout au long du XIXe siècle connaîtra d'innombrables rééditions et suscitera une foule d'autres œuvres du même genre, mais de qualité variable.

Ce fut donc, en 1870, *L'Oncle Robinson* que Jules met en chantier, le premier qui met en scène des enfants et que l'auteur avait voulu sur le modèle de son ancêtre suisse. Au milieu de l'année, l'écrivain adresse le premier volume à Hetzel, qui le critique sévèrement. Découragé, Verne abandonne ce roman, dont la trame lui servira quelques années plus tard, pour une robinsonnade d'une autre trempe, *L'Île mystérieuse*, qui sera un grand succès et comptera au nombre de ses chefs-d'œuvre. Le manuscrit inachevé sera cependant publié, beaucoup plus tard, en 1991, au bénéfice des spécialistes du genre[45]. Hetzel, en critiquant la première partie de l'ouvrage, avait surtout reproché à Verne le choix d'enfants comme personnages principaux. Il semble que l'éditeur a brandi là un argument manquant singulièrement de sincérité : Jules Verne avait eu le tort de ne pas tenir compte du fait qu'en offrant à son éditeur (et écrivain !) un ouvrage par trop proche du *Nouveau Robinson Suisse*, un «Robinson Suisse» qu'Hetzel avait revu et corrigé avec l'aide de son acolyte, Eugène Müller. Cet ouvrage avait été mis en vente en 1864 et depuis faisait régulièrement de bons chiffres de vente. Sans l'avoir réalisé, Jules incitait son éditeur à investir pour

▲ Jules Verne en valet de cœur, tiré d'un jeu de cartes dit « de la belle époque », Dusserre édit., Paris (c.1990).

◀ Plus vrai que nature, et en avance sur son temps, d'après l'illustrateur Martin Van Maele, pour *Les Premiers hommes dans la Lune*. Roman de H.-G. Wells. Félix Juven édit., Paris, c. 1905.

publier un ouvrage (*L'Oncle Robinson*) qui serait en concurrence avec le sien propre, *Le Nouveau Robinson Suisse*. Ce motif me paraît le bon, plus vrai que celui annoncé par Hetzel.

Plus tard, Jules Verne a certainement compris le motif réel du refus d'Hetzel, mais *L'Île mystérieuse*, écrit peu après, entre 1873 et 1874, sera tout de même sans enfants.

Toutefois, une suite au *Robinson Suisse* resterait en attente chez ce Breton têtu : en 1900, il l'annonçait prudemment comme étant une suite au *Nouveau Robinson Suisse* (qu'il saluait au passage !). Ce sera *Seconde Patrie*.

Entre-temps, *Le Chancellor*, écrit entre 1870 et 1874, est une forte aventure maritime basée sur la célèbre affaire du radeau de la Méduse, et relatée par le journal tenu par le passager du bateau J.-R. Kazalon. Ce sera un tableau psychologique impressionnant.

Il est impossible de commenter ici chacun des romans, nouvelles et pièces de théâtre du prolifique romancier. Il y faudrait plusieurs volumes. Nous nous

contenterons donc de quelques courtes descriptions ou anecdotes nous paraissant justifiées.

Le Tour du Monde en 80 vingts jours, écrit en 1872, est le troisième «Tour du monde» de Verne, probablement le roman le plus trépidant, dans lequel les coups de théâtre se succèdent à un rythme endiablé. Aussi, les directeurs de théâtre ne s'y sont pas trompés et, dès que le roman eut été adapté à la scène par les soins de Jules Verne et d'Adolphe Dennery, la pièce fut créée au théâtre. Elle connut un succès éblouissant. Ce fut un grand spectacle, en cinq actes et quinze tableaux, comportant de somptueux décors très variés, hauts en couleur, transportant les spectateurs à travers diverses contrées de la planète et offrant les situations les moins ordinaires et les plus cocasses reprises du roman. Pour un effet maximal, on n'hésita pas à construire une machinerie de scène spéciale, à engager de nombreux figurants, des ballets, des musiciens. Il y eut sur scène un éléphant, un train, un bateau... L'on joua à guichets

fermés quatre cent vingt-six représentations successives. Puis le *Théâtre du Châtelet* prit la suite et, vers 1900, on avait déjà joué la pièce près de deux mille fois à Paris, sans compter les innombrables représentations des tournées en province et à l'étranger. La pièce connut de nombreuses adaptations dérivées, jusqu'à nos jours, au théâtre, au cinéma, etc. Le propos de Jules Verne est avant tout géographique, le voyage vers l'est faisant gagner vingt-quatre heures, une fois bouclé le tour de la Terre en quatre-vingts jours. Verne en fit même une communication à la Société de Géographie, dont il était membre.

Ce qui est peu connu est que ce roman ne fut pas conçu initialement sous la forme romanesque, mais sous celle d'une pièce de théâtre que Verne écrivit en collaboration avec un auteur dramatique nommé Édouard Cadol qui lui fut recommandé par l'épouse du directeur de théâtre, Larochelle. Mais la pièce, pénalisée par le nom d'auteurs peu connus au théâtre et une mise en scène lourde, impliquant de

Précinéma: plaque de lanterne magique d'une série consacrée au *Tour du Monde en 80 jours*, vers 1880, éditeur inconnu.

gros investissements, ne suscita pas l'enthousiasme des responsables de théâtre, qui la refusèrent. Verne, déçu, transposa lui-même la pièce au roman qui devint sa plus grande réussite romanesque! Puis, dans la foulée, avec Dennery, un collaborateur plus talentueux et compétent que Cadol, de plus très connu, ce qui ne gâtait rien, Jules recomposa une deuxième pièce, qui eut le succès que l'on sait, et que les plus grands théâtres ne boudèrent pas.

Édouard Cadol, dépité, attaqua Jules Verne sur la base de son ancien contrat, qui, en fait, ne concernait pas la pièce du même nom bâtie avec l'aide de Dennery. Mais Verne, devant l'insistance de Cadol et les menaces d'un procès, finit par céder et partagea avec Cadol la moitié des droits d'auteur (10%), que déjà il partageait avec Dennery. Il ne restait donc à Verne que 2 1/2% alors qu'il avait fait le travail de deux pièces distinctes. Toutefois, vu les recettes considérables, ce faible pourcentage représenta pour Verne un véritable pactole. Jamais il ne s'était trouvé

aussi à l'aise et, du coup, prit la décision de se faire construire un vrai yacht, qu'il commanda au chantier naval d'Abel le Marchand au Havre, un spécialiste de la voile de plaisance.

Le bateau, un cotre de 13 mètres, construit sur le modèle des «hirondelles» de la Manche, est mis en chantier au début de 1876 et lancé fin avril. C'est le *Saint-Michel II*, dont Jules est enchanté et qu'il conservera... à peine plus d'un an! En effet, de passage à Nantes, il entend parler d'un «steam-yacht» (bateau à voiles et à vapeur) qui vient d'être construit et est déjà à vendre d'occasion sans avoir navigué plus de quelques mois. Son propriétaire, le très riche marquis de Préaulx, qui se fait construire un yacht après l'autre, est déjà las de celui-ci et se fait construire un bateau plus grand et plus puissant. Le yacht à vendre est un magnifique bâtiment de 35 mètres, à l'état de neuf, qui promet d'autres croisières que le cabotage le long des côtes avoisinantes que Verne pratique depuis des années; il emballe l'écrivain qui, sans barguigner, traite l'affaire sur l'heure, et acquiert le bateau pour la «modique» somme de 55 000. francs (il en avait coûté le double à sa construction!). Le *Saint-Michel II* est mis en vente par l'intermédiaire du chantier qui l'a construit, et Jules prend la mer à bord du *Saint-Michel III*, ravi des cent vingt chevaux-vapeur de sa machinerie qui transporte les soixante-sept tonneaux du bâtiment à dix nœuds par beau temps, avec des aménagements intérieurs des plus luxueux. Le tonnage du bateau oblige Verne à un équipage de cinq hommes, sous les ordres d'un patron expérimenté.

En 1878, la première croisière du *Saint-Michel* amène Verne et quelques invités jusqu'à Alger, avec des escales au Portugal, en Espagne et au Maroc. En 1879, il visite l'Écosse et les grottes de Fingal où, plus tard, il situera l'action du *Rayon Vert*. En 1881, ce sera Hambourg, Rotterdam, Copenhague. En 1884, la deuxième croisière en Méditerranée. Honorine et Michel rejoignent Jules en Algérie, après avoir visité les Lelarge qui vivent à Oran, et poursuivent le voyage vers la Tunisie et Malte, où l'on répare quelques avaries dues au mauvais temps, avant de repartir pour la Sicile et Naples. Là, Honorine refuse de poursuivre le voyage par mer, et le couple rentre en France par voie de terre, en passant par Rome où Jules, honneur insigne, est reçu en audience privée par le pape Léon XIII. Les dettes faites par son fils et l'entretien onéreux du *Saint-Michel* décident Jules à renoncer au bateau. L'urgence le contraint même à une vente à bas prix à un courtier nantais, Martial Noé, en 1885, qui se fera un joli bénéfice en le revendant l'année suivante au prince du Monténégro.

Les romans, depuis une dizaine d'années, se sont succédé sans interruption: entre 1874 et 1875, *L'Île mystérieuse* avait remplacé *L'Oncle Robinson*, refusé par Hetzel[46]. C'est maintenant une vraie robinsonnade, dans laquelle, une dernière fois, Verne convie le capitaine Nemo, avec son *Nautilus* pour y jouer le «Bon Samaritain» en contribuant sans se montrer au sauvetage d'un groupe de naufragés sur une île, dont ils apprendront plus tard qu'elle est son dernier refuge. Nemo montre par là que sa déviance vers le despotisme n'a pas effacé toute trace d'humanité. Il finira sa vie dans l'effondrement volcanique de *l'île Lincoln* (dont une épreuve de la carte annotée de la main de Jules Verne est présentée en illustration).

Quelle fin pourrait être plus grandiose aux yeux de Jules Verne que l'éblouissante éruption d'un volcan? Ce sera donc celle de Nemo.

L'édition illustrée de *L'Île mystérieuse* présente l'intérêt aux yeux des collectionneurs de trois cartonnages distincts pour le «premier cartonnage» concomitant de fin de 1875; l'un d'eux, le dernier des «personnalisés», offre un décor particulier en rapport direct avec le sujet du roman; c'est un essai refusé par Hetzel.

En 1876 apparaît *Michel Strogoff*, un récit romanesque au milieu des soulèvements de populations sibériennes contre les forces impériales, dont le héros est le vaillant courrier secret du tsar, fidèle jusqu'au supplice.

Happy end pour Hetzel: les tsaristes étant victorieux sur toute la ligne, il n'a plus rien à craindre quant aux risques de complications diplomatiques et commerciales. Quand on pense que Nemo a failli être l'un de ces révoltés!...

Michel Strogoff, cette fois-ci sans l'aide de Dennery, est transposé par Jules Verne seul, sur la lancée de l'énorme succès théâtral du *Tour du Monde*. Maintenant, Jules a saisi toutes les ficelles qui lui manquaient encore dans cette spécialité, en dépit de sa longue expérience du théâtre qui, à présent, lui sert merveilleusement, utilisée au service du roman. La pièce aura une réussite sensiblement égale à celle du *Tour du monde* !

Les Cinq cents millions de la Bégum, paru en 1879, et *L'Étoile du Sud* (1884) étaient des manuscrits qu'Hetzel avait achetés à un autre écrivain, ancien exilé politique, Pascal Grousset, qui écrivait pour lui sous le pseudonyme d'André Laurie. Confiés à Verne pour être réécrites, ces œuvres paraîtront sous son nom.

À sa troisième et dernière vente de manuscrit, André Laurie exigera que son nom figure à côté de celui de Jules Verne. Celui-ci fera le même travail de réécriture en 1884, et l'année suivante, le roman sera publié sous le titre *L'Épave du Cynthia*.

Nous avons déjà brièvement évoqué *La Maison à vapeur* qui, en 1880, emmène le lecteur aux Indes sous domination anglaise.

La Jangada le suit en 1881, grand radeau typique du cours de l'Amazone brésilienne, pour lequel nous publions en illustration une grande carte manuscrite inédite de la main de Jules Verne. Celui-ci comptait l'inclure en entier dans l'édition illustrée du roman. Hetzel, pour une fois bon prince, en accepta la plus grande partie; on en fit deux cartes sur pleine page, placées verticalement au lieu de la présentation horizontale que Verne avait prévue. Il fallut donc découper la grande carte et réécrire les mentions manuscrites à angle droit par rapport aux écritures précédentes. Ce travail fait, et les cartes gravées, Jules tint à récupérer son travail, quelque peu mutilé, et à replacer les fragments ayant servi au graveur, de façon à reconstituer son travail dans sa présentation originale!... Cela est significatif !

Le Rayon Vert (1882) est un roman de haute qualité littéraire, un roman d'amour, plein de descriptions poétiques bien qu'il comporte une scène aux

Timbres-poste variés sur un thème philatélique « Jules Verne ».

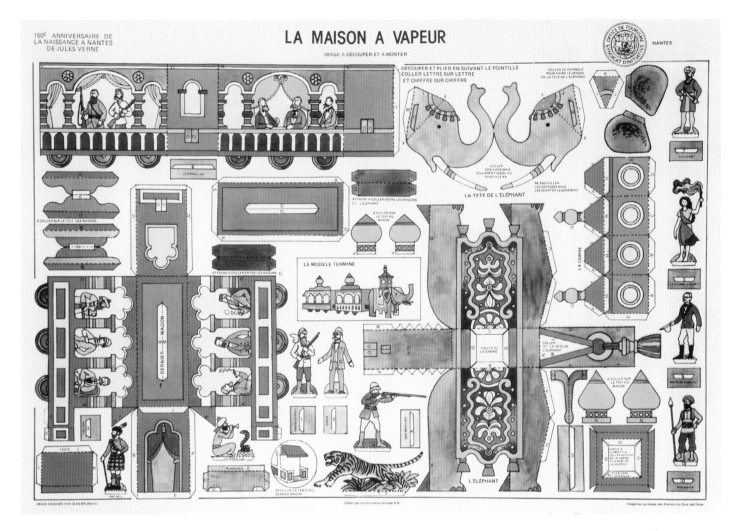

▲ *La Maison à vapeur*, image à découper et à monter, dessinée par Jean Bruneau et édité par l'Office de Tourisme et le Syndicat d'initiative de Nantes, à l'occasion du 150ᵉ anniversaire de la naissance de Jules Verne (1978).

Un Voyage au fond de la mer, l'une des images d'une série à découper, d'après *Vingt Mille lieues sous les mers* de Jules Verne. L. Saussine éditeur, diffusée sans l'autorisation d'Hetzel (c. 1900). ▼

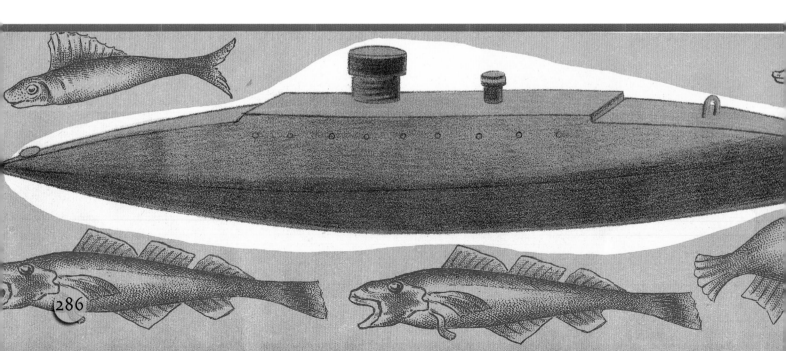

allusions érotiques si discrètes que peu de lecteurs les auront relevées (Hetzel inclus). L'éditeur avait beaucoup apprécié ce roman, pourtant destiné au lectorat adulte. Il parut dans *Le Temps*, bien que Jules Verne espérait le voir publié dans la *Revue des Deux Mondes*. Le personnage féminin, Helena, est très finement rendu; elle ridiculise la science en la personne d'Aristobule Ursiclos, qui supporte mal qu'elle soit tombée amoureuse d'un artiste... Cela arrive, n'est-ce pas?

En 1883, paraît *L'Archipel en feu*, roman du soulèvement grec contre l'oppression turque.

En 1885, c'est *Mathias Sandorf,* un tour de Méditerranée inspiré par *Le Comte de Monte-Cristo* de Dumas père et, en 1886, *Un Billet de loterie*. Celui-ci ne portera pas chance à Jules Verne: non seulement, cette année-là, il perd de l'argent en vendant à la hâte le *Saint-Michel* et, en mars, au moment même où cette perte se concrétise par la revente du navire (qu'il aurait pu, en patientant un peu, réaliser lui-même), il subit un attentat qui le laissera boiteux pour le reste de ses jours, après de longs mois de souffrance. L'auteur en est son neveu Gaston, fils de Paul, qui est venu de Paris pour tirer un coup de pistolet sur lui, sur le seuil de sa porte. Le bras de Gaston ayant été dévié in extremis par son oncle, la balle l'atteint au pied. Le neveu, arrêté, se cantonne dans le mutisme, refusant d'expliquer son geste. L'enquête conclut, sur la base des examens médicaux, à l'irresponsabilité du coupable, qui sera interné dans une clinique psychiatrique où il passera les trente années qui suivent! Toute cette affaire comporte des aspects inexpliqués, qui suscitent encore aujourd'hui des interrogations.

Les souffrances de Jules, calmées par la morphine à laquelle il dédie un poème d'actions de grâce, ne sont pas terminées: huit jours après l'attentat, P.-J. Hetzel meurt.

Michel Verne divorce peu après de sa première femme de laquelle il avait eu deux fils. En 1886 paraît *Robur-le-Conquérant*. Robur est un savant fou, dont le navire aérien l'*Albatros* est inspiré, mais en plus grand, par l'hélicoptère de Ponton d'Amécourt. Robur, dont la science est montée à la tête, est un peu le jumeau aérien d'un Nemo sous-marin. Il poursuivra sa recherche de puissance dans *Maître du Monde*, qui sera publié en 1904.

Nord contre Sud, un roman de la guerre de Sécession, et *Le Chemin de France* paraissent en 1887. Verne a vieilli, son humeur s'est assombrie. Il ne quitte plus Amiens et mène une vie sédentaire minutieusement réglée.

Il a perdu sa mère en février 1887. À la fin de l'année, il fait une tournée de lecture d'un conte fan-

Les Héros de Jules Verne, images d'Épinal de l'imagerie Pellerin (1978), dessinées par Jean Bruneau et éditées par l'Office de Tourisme et le Syndicat d'initiative de Nantes, à l'occasion du 150ᵉ anniversaire de la naissance de Jules Verne.

tastique, *La Famille Raton*, en Belgique et en Hollande, qui désarçonne le public par son caractère inattendu, venant d'un auteur tel que Jules Verne.

En 1888, il est élu conseiller municipal d'Amiens, et sera chargé de la culture. Il sera réélu à trois reprises. Cette même année paraît *Deux Ans de vacances*, la croisière dramatique, pleine d'aventures, d'un groupe d'adolescents anglais.

En 1889, c'est *Sans dessus dessous*, un étonnant roman de science-fiction où réapparaissent les artil-

leurs américains du Gun-Club qui, cette fois-ci abandonnant leurs ambitions lunaires, ont décidé de redresser l'axe de la Terre, toujours à coups de canon géant, mais non sans avoir, au préalable, acquis le continent arctique sur lequel ils ont des vues parfaitement capitalistes. Les calculs de cet étrange problème mathématique ont été confiés à un ingénieur, J.-P. Albert Badoureau, qui signe un *Chapitre supplémentaire dont peu de personnes prendront connaissance*.

La même année, *Famille sans Nom*, un roman au Canada, en pleine lutte franco-britannique.

En 1892, *Le Château des Carpathes* dans lequel le merveilleux chant de sa *Stilla* survit à la mort de la belle cantatrice, et est associé à la projection de son image, en une sorte de précinéma fantastique, jouant un rôle essentiel dans une intrigue qui oppose deux ennemis, le bon et le méchant, tous deux amoureux inconsolables de la défunte.

Les romans posthumes

La paternité des romans posthumes, ceux parus après la mort de Jules Verne sous son nom, n'a pas été mise en doute jusqu'à il y a une trentaine d'années.

La découverte, dans les archives d'Hetzel, des copies de manuscrits originaux conservées par l'éditeur, a fait apparaître que le texte de ces romans avait été trafiqué, et a jeté le doute sur la réelle paternité de Jules Verne sur ces œuvres.

Aujourd'hui, les recherches sur ce sujet ont abouti à des certitudes, même si, sur certaines nouvelles, en particulier *Edom*, les preuves manquent[48] encore et les opinions divergent.

Le fait est qu'à la mort de Jules Verne, il y avait encore six romans terminés, prêts à être envoyés à l'éditeur. Jules avait toujours de l'avance et certains des «posthumes» avaient été écrits des années avant sa fin, mis de côté par l'écrivain, conscient de leur valeur et de leur force autant que des réactions à attendre de Louis-Jules Hetzel (de nouvelles, déplaisantes et interminables discussions, des marchandages et modifications plus ou moins forcées qui l'attendaient). Ces romans étaient donc, de l'avis informulé mais évident de leur auteur, parmi les meilleurs de sa dernière période. Malgré sa réticence devant les problèmes à affronter, dont il était las, il comptait les faire paraître de son vivant !

Le premier dans l'ordre de parution est *Le Phare du bout du monde*, qui fut écrit en 1901 et remis par Verne à Hetzel fils peu avant sa mort.

Sitôt son père décédé, Michel Verne exigea d'Hetzel qu'il lui restitue ce manuscrit, le revendiquant comme sa propriété, et il finit par l'obtenir. Il ne le conserva cependant que durant trois semaines, période qu'il employa à retoucher le texte paternel, mais avec une modération que, par la suite, il oublia bien vite ! Des six romans terminés par le père, celui-ci fut en définitive celui qui souffrit le moins des changements réalisés par le fils. Hetzel le publia en 1905.

Dès lors, Michel établit avec Louis-Jules Hetzel des conventions lui permettant de modifier les manuscrits de son père sous prétexte de «les remettre au goût du jour»; ces ouvrages étaient à faire paraître cependant, indépendamment de l'importance des modifications subies, sous le nom du père exclusivement.

Le deuxième à avoir subi ces avanies fut *Le Volcan d'or*. Ce roman écrit en 1899-1900 a été considérablement transformé. En particulier dans la conclusion d'origine, les héros sont «fauchés»; dans celle de Michel Verne, ils deviennent milliardaires. Une conclusion bien conforme aux fantasmes de ce dernier ! Les religieuses du père deviennent des prospectrices

Paul Verne, le frère de Jules Verne, vers 1860. Paul a toujours été un ami proche, et un confident pour Jules. Marin de profession, Paul entretenait une importante correspondance avec son frère, dans le cadre de laquelle il lui apportait de multiples renseignements maritimes.
Cliché original ayant appartenu à Jules Verne.

dans la version retravaillée du fils, et à la fin (nouvelle), elles épousent les héros milliardaires[47].

En Magellanie a même été écrit en 1897. C'était initialement un roman en un volume, mais Michel Verne, au bout de sa transformation, aura ajouté vingt chapitres supplémentaires, en aura supprimé cinq du texte original et aura gonflé de trente unités l'effectif des personnages! L'ouvrage en un volume est devenu un tout autre roman en deux volumes. Le deuxième

La Chasse au météore (Hetzel 1908), version modifiée par Michel Verne, illustration d'après G. Roux. Des nuages, cirrus, nimbus, cumulus, tant qu'on en veut !...

chapitre du père qui relatait très symboliquement une traversée du Styx, une descente aux enfers, de nuit, dans le silence, à bord de la barque du passeur Karroly (Caron!), aura disparu du roman devenu méconnaissable. C'était l'histoire d'une transformation des idées d'un libertaire, ex-anarchiste, apparenté à Nemo, qui finit par trouver la paix de l'esprit dans un humanisme désintéressé et une conversion à la Foi. Michel a trahi toutes les idées de son père: rien n'est reconnaissable. Le mépris de l'or et des maux (dont la cupidité) qu'il inspire aux hommes, mépris qu'avait développé l'ancien agent de change qu'était Jules Verne, aura disparu complètement du nouveau récit. Dans la version d'origine, la soif de l'or provoquait la ruine des aventuriers et était considérée comme un «terrible fléau». Dans celle de Michel Verne, les chercheurs d'or deviennent des personnages sympathiques et leurs recherches sont récompensées, le nouvel auteur les gratifiant d'une mine d'or rentable. La réécriture par Michel aboutit à la publication en 1909 du roman transformé, sous le titre *Les Naufragés du Jonathan*. L'ouvrage diffère tant des idées et du style de Jules Verne que quelques voix s'élèvent, à la sortie du roman, pour s'en étonner et manifester des soupçons, hélas fondés. Mais à cette époque, les preuves manquent[48]...

On se souvient que *La Chasse au météore*, écrit par Jules Verne en 1901, est le lointain descendant du retour des astronautes improvisés du *Voyage à travers le monde solaire*, composé entre 1874 et 1876, dont P.-J. Hetzel n'avait pas voulu, imposant à Verne, en lieu et place, un retour absurde et une conclusion d'une remarquable indigence. Celle alors voulue par Jules Verne, parfaitement plausible, consistait en la chute de la comète Gallia, qui avait transporté les voyageurs involontaires dans leur périple interplanétaire et qui revenaient sur Terre dans un plongeon au milieu de l'océan.

Mais le cocasse de l'histoire, déjà conforme au mépris de Verne pour la soif de l'or, était que la montagne émergeant de la mer, suite à cet amerrissage catastrophique était faite… d'or pur, d'où dégringolade boursière généralisée et effondrement des fortunes. Ce fantasme vernien ne pouvait que paraître indécent à P.-J. Hetzel. Il ne pouvait être question d'inquiéter sa clientèle avec de telles supputations fantaisistes, que certains esprits auraient admises, se fiant à la réputation de l'éditeur qui garantissait le sérieux de l'auteur. La vraisemblance dont Verne se proposait d'entourer son récit n'aurait fait qu'aggraver les choses ! C'est pour cette raison que toutes les cartes célestes ou géographiques, soigneusement dessinées par l'auteur pour l'édition illustrée, ont été refusées par Hetzel qui, justement, ne voulait pas que cet ouvrage déjà très fantaisiste ne devienne trop crédible !

Jules Verne avait donc attendu cinq ans après la mort d'Hetzel pour ressortir cette partie mise en réserve de son ancien manuscrit, prouvant par là à quel point il avait été contrarié par l'opposition catégorique d'Hetzel, alors qu'il était si content de son idée d'une chute à la fois logique et originale.

C'est ainsi que la comète de 1875 était devenue le météore de 1891, toujours fait d'or pur, bien entendu. Mais pour Jules Verne, la force qui provoquait la chute du météore sur Terre était la combinaison entièrement naturelle du hasard et de la gravitation, alors que, modifié par Michel Verne ce serait la Science, incarnée par Zéphyrin Xirdal, un savant de sa composition.

Un autre détail qui illustre les conceptions différentes du père et du fils se révèle dans l'esprit moderne dont, étonnamment, le père fait preuve par rapport à des notions telles que le mariage, le divorce « à l'américaine », la liberté des mœurs, etc. Il est évident que cette « modernité » résulte en partie de ses expériences personnelles et familiales malheureuses : la perte

d'Herminie, son amour de jeunesse qui lui avait préféré un hobereau cousu d'or ; ses humiliantes tentatives de mariage, échecs invariablement dus à son statut de « pauvre jeune homme » dénué de perspectives financières attrayantes ; l'échec de sa vie conjugale, couplé à la perte de sa maîtresse, Estelle, dont il avait été passionnément amoureux, et à la quasi-impossibilité de se libérer des liens du mariage dans cette société et à cette époque, prix de la notoriété. Tout

Un Drame en Livonie (Hetzel, 1904), illustré par Benett. Malgré les efforts de la police, la maison allait être envahie, lorsqu'un homme s'élança à travers la foule et, se plaçant devant la porte : « Arrêtez ! » cria-t-il, dominant le tulmute.

Le Secret de Wilhelm Storitz (Hetzel, 1910), version gravement endommagée par Michel Verne. Planche hors texte couleurs d'après G. Roux. Henri Vidal regardait un à un les passagers, cherchant la pâle figure, les yeux étranges, la physionomie diabolique de l'Allemand qui, par son attitude provocante et sa rudesse teutonne, lui avait inspiré à première vue un sentiment d'antipathie.

cela, et l'amertume qui en résulte, se révèle dans ses allusions admiratives pour un mode de vie moins hypocrite et plus libre: le divorce simplifié, à l'américaine, sans autres motifs que les changements d'intentions ou de sentiments.

Par contre, Michel Verne qui en avait fait voir de toutes les couleurs à son père, garçon joueur, frivole, dépensier, endetté (et l'on en passe...), avait vécu sans connaître les contraintes et les souffrances du père dans sa vie amoureuse et conjugale. Il était donc choqué par l'attitude «libertaire» de son père face au divorce, lui qui avait divorcé, et avait même enlevé une jeune fille mineure, vivant avec elle tout en étant marié à une autre !... Il chercha donc, dans son travail de réécriture du roman de son père, un motif qui lui paraisse bon au divorce des personnages en cause, et en trouva un parfaitement ridicule !

Le fruit de ses cogitations parut chez Hetzel en 1908[49].

Ce travail secret de réécriture de l'œuvre du père par le fils relève à la fois de la trahison, du massacre littéraire, de la compensation de frustrations personnelles par rapport à la stature du père, de ses échecs (dont, sans doute, il lui faisait porter la culpabilité) et, par-dessus tout, de la cupidité.

Michel était certainement convaincu que son talent littéraire n'avait pu s'exprimer ayant été étouffé par celui du père. En transformant ses manuscrits, il ne pouvait que les améliorer et les rendre commercialement plus rentables. A-t-il réussi à convaincre Louis-Jules Hetzel ? On le saura peut-être à la publication de leur correspondance, mais Hetzel n'avait pas le choix s'il tenait à conserver l'exclusivité de la publication des «vrais faux Jules Verne» ! Subtilement, Michel, précautionneux, a presque toujours conservé intacts le premier ou les deux premiers chapitres des manuscrits de son père, afin de pouvoir prouver, en les exhibant si le besoin s'en faisait sentir, que ceux-ci étaient bien de la main de son père.

Dans le cas du cinquième roman posthume, *Le Beau Danube Jaune*, qui sera publié également en 1908, sur seize chapitres, Michel en a conservé deux intacts, et a changé tout le reste. D'un voyage sans trop d'histoires – sinon un peu de contrebande –, il a fait une affaire de terrorisme. D'un commerçant juif hongrois rencontré en voyage, Jackel Semo, qui lui avait aimablement laissé sa carte de visite, Michel fit nommément le chef des bandits. Le commerçant, s'étant reconnu, transformé en ce personnage peu recommandable, considéra à juste titre qu'il y avait atteinte à son honneur et fit un procès à Michel Verne et Louis-Jules Hetzel. En dépit de la justesse de sa cause, et qu'il était défendu par Mᵉ René Cassin, futur rédacteur de la *Déclaration des Droits de l'Homme* et Prix Nobel de la Paix en 1968, Jackel Semo, ne faisant pas le poids en raison de ses origines, fut débouté mais de justesse. Michel Verne et Louis-Jules Hetzel, défendus par Mᵉ Poincaré, futur Président de la République, échappèrent de peu à la condamnation, mais il était devenu de notoriété publique que *Le Pilote du Danube* (titre sous lequel parut le roman), publié en 1908, ne pouvait pas être de la main de Jules Verne [50]!

Par ailleurs, dès la plainte contre eux déposée, Hetzel avait fait recomposer les pages contenant le nom du plaignant, remplacé par celui, fictif, de Jakub Ogul.

Le sixième roman posthume, *Le Secret de Wilhelm Storitz*, traitait du problème de l'invisibilité, mais tout autrement que ne l'avait fait H.-G. Wells dans son roman *L'Homme invisible* paru en 1897. Jules Verne avait certainement eu connaissance de cette œuvre par un compte-rendu littéraire, mais n'a jamais pu lire ce roman du fait qu'il ne lisait pas, ni ne parlait l'anglais, et que le roman de Wells ne fut publié en

traduction française qu'en 1907 chez Ollendorf, après la mort de Verne.

Néanmoins, il me paraît certain que la parution de ce roman anglais inquiéta Jules Verne qui songeait à ce thème depuis des années, en fait depuis la publication des premiers travaux de Roentgen sur les rayons X, et le développement de l'imagerie radiographique dont il lisait les articles de vulgarisation dans la presse française spécialisée, telle que la revue *La Nature*. Rassuré en constatant que Wells ne lui avait pas «soufflé» ses idées sur le sujet, Verne continua à travailler son manuscrit, terminé en 1898, mais mis de côté pour être revu finalement en 1901. C'est, tout au contraire de *L'Homme invisible*, l'histoire d'une mort, la fiancée devenue invisible étant symboliquement morte, ce que Verne proclamait déjà dans *Mathias Sandorf*, paru en 1885, soit après la disparition d'Estelle: *La mort ne détruit pas, elle ne rend qu'invisible*. Jules Verne avait confié son manuscrit à Hetzel fils une quinzaine de jours avant sa mort. En 1909, Michel Verne reprend ce texte avec l'accord d'Hetzel qui n'aimait guère ce roman, ce que Jules avait prévu dès 1898, le trouvant trop «fort» pour l'éditeur, raison pour laquelle il l'avait mis en réserve. Cependant, en 1904, Jules écrit à Hetzel qu'il tient à le voir publié de son vivant. Hetzel demande à Michel de modifier le roman, et le fils de l'écrivain s'y emploie, dénaturant complètement le manuscrit original dont il change l'esprit aussi bien que la forme. L'un des pires changements a été celui du temps: l'histoire de Jules Verne était contemporaine. Michel la glisse au milieu du XVIIIᵉ siècle! Le père de Myra Roderich, la fiancée, est un médecin, un notable, bourgeois enrichi, ce qui déjà constitue un non-sens sur le plan historique, puisqu'au XVIIIᵉ siècle, les médecins partageaient, à peu de chose près, le statut social des apothicaires et n'étaient pas encore les bourgeois qu'ils deviendront dans le courant du XIXᵉ siècle. Ce ridicule déplacement dans le temps est dû à l'exigence d'Hetzel fils; Michel lui-même n'y voit aucun intérêt, et se plaint de ce qu'il le condamne à une chasse à tous les termes modernes n'existant pas au XVIIIᵉ siècle. Les chemins de fer deviennent des diligences (!), les bateaux à vapeur disparaissent ainsi que les grammes, les francs, le facteur, les kilomètres, etc. Michel rechigne devant la corvée... et laisse échapper quelques «polkas» et «mazurkas» qui n'ont rien à faire au siècle des Lumières.

Cependant, une trahison pire encore que le changement du temps du récit est que Michel fait réapparaître la fiancée disparue dans l'invisibilité, n'ayant rien compris (et ne pouvant rien comprendre) à la signification profonde que ce récit symbolique avait pour son père se sachant proche de la mort, et souffrant toujours de la perte de sa première «fiancée» Herminie, et plus encore, probablement, de sa maîtresse disparue, Estelle, passionnément aimée. Le fils de l'écrivain et l'éditeur, insensibles à la poésie, à la nostalgie et au fantastique dans le romantisme exprimés dans ce roman, n'hésitent pas à le mutiler, l'un comme l'autre pour des motifs bassement commerciaux. Michel touchait pour ses «travaux» posthumes des droits d'auteur doubles, sa rémunération propre s'ajoutant aux droits procurés par le nom abusivement utilisé de son père ! Ainsi, Michel n'hésite pas, pour remplacer la fin nostalgique voulue par le père, qui exprimait sa propre solitude et sa souffrance, à finir par un «happy end» avec une fiancée qu'il fait sortir de l'invisibilité par perte de son sang. Le *Storitz* ainsi trahi est publié en 1910[51].

Les œuvres terminées du père, prêtes à l'impression, auraient naturellement dû avoir le caractère sacré d'un héritage intangible pour le fils et, outre la tricherie littéraire commise par les deux compères, il n'est pas exagéré de parler ici d'une trahison de la mémoire du père. Ainsi, contribuer à couvrir cette infamie en conti-

nuant à attribuer le nom du père à des textes qui ne sont plus les siens, qu'il n'aurait pas reconnus s'il avait pu en prendre connaissance, revient à s'en rendre complice.

C'est pour cette raison que les romans dénaturés et réécrits par Michel Verne sont, à la fin de cet ouvrage, classés sous le nom de leur véritable auteur, Michel Verne.

Actuellement tous les romans posthumes originaux, dans la version écrite par Jules Verne (dite «version d'origine»), sont parus en livre de poche, les deux derniers (*Le Phare du bout du monde* et *La Chasse au météore*) en mai 2004. Tous deux avaient été écrits en 1901[52].

On sait désormais que tous ces textes avaient déjà été écrits des années avant la mort de Jules Verne, survenue le 24 mars 1905 et, à cette date, étaient déjà très travaillés. Mais par le jeu des rétentions de certains d'entre eux par l'écrivain lui-même, hésitant devant leur publication et les difficultés prévisibles avec l'éditeur, ils n'étaient pas encore publiés à sa mort, alors que d'autres romans, écrits plus tard, avaient déjà été édités. Ainsi, les derniers titres écrits par Jules Verne sont *Maîtres du Monde*, écrit en 1902-1903 et publié en 1904, et *Voyage d'Études*, roman inachevé, limité à son seul premier chapitre écrit en 1903. Un autre exemple de retard considérable à la publication est *Un Drame en Livonie*, écrit en 1893, révisé en 1903 et paru en 1904, onze ans après son écriture !

À la fin de 1910 paraissait le deuxième recueil de nouvelles sous le nom de Jules Verne; le premier était paru en 1874 sous le titre *Le Docteur Ox*, l'un des récits; ce second recueil, *Hier et Demain*, rassemblait, comme son titre l'évoque, des nouvelles écrites à des dates très éloignées les unes des autres, et modifiées par Michel Verne. La liste des nouvelles, en fin d'ouvrage, donne la composition exacte de ces recueils.

La période des parutions posthumes a encore été gratifiée de deux œuvres romancées parues sous

LE JOURNAL publie

L'AGENCE THOMSON & Cie.

PAR

JULES VERNE

le nom de Jules Verne, mais entièrement écrites par Michel : la première était un roman que le père, désireux de faciliter à son fils l'accès à la littérature, avait commandé et payé lui-même. Cet ouvrage, *L'Agence Thompson & Cie,* avait été écrit par Michel en 1895 et mis de côté par son père, qui ne savait trop qu'en faire, le jugeant en l'état impubliable. Louis-Jules Hetzel n'y regarda pas de si près lorsqu'il le publia en 1907 sous le nom de Jules Verne.

En outre, du *Voyage d'Études* comptant une cinquantaine de pages, Michel n'utilisa que quatre lignes, prétexte à user du nom de son père pour faire paraître un deuxième roman de sa main, mis au point avec un collaborateur, *L'Étonnante Aventure de la mission Barsac.* Écrit en 1910, ce roman pas mal fait, mais ne rappelant en rien Jules Verne, parut en feuilleton en 1914. Sa parution en volume fut repoussée à 1919, en raison de la vente de la Maison d'édition par Louis-Jules Hetzel en 1914, à quelques semaines de l'éclatement du conflit mondial.

Le repreneur, Hachette, attendit la fin de la guerre pour publier le dernier des *Voyages extraordinaires,* bien entendu sous le nom de Jules Verne. Michel avait exploité le filon paternel tant que c'était réalisable ! Des voix s'étaient élevées cependant au fil des années, pour faire remarquer que dans les œuvres posthumes de Jules Verne les références scientifiques, qui déclinaient de façon visible avant sa mort, étaient brusquement réapparues avec force, et de manière surprenante. On était donc en droit de se poser des questions quant à l'authenticité des œuvres posthumes, et au rôle joué dans cette affaire par le fils de l'écrivain, qui préféra, sentant le terrain devenir brûlant, se lancer dans des adaptations théâtrales et cinématographiques !...

3e volume. — No 109.   10 c.   Un an : 6 fr.

LES HOMMES D'AUJOURD'HUI

DESSINS DE GILL

BUREAUX : 48, RUE MONSIEUR LE PRINCE, PARIS

CAMILLE FLAMMARION

Conclusion

L'interpénétration de la vie et de l'œuvre des artistes n'est pas chose nouvelle. Ce qui est nouveau à propos de Jules Verne est *notre regard* ; il a beaucoup changé par rapport à la première partie du XXᵉ siècle. Il n'est plus dévoyé par des idées reçues, fausses et dépassées pour la plupart (parfois faussées volontairement par esprit de lucre). Il commence à ne plus se laisser arrêter par l'opacité des secrets de famille, poussiéreux et surannés. Il s'est éclairci et est maintenant capable d'objectivité.

Les données récentes abondent, car les travaux se multiplient. Elles s'intègrent dans le corpus de celles acquises précédemment et modifient la perception que nous avions des choses, événements et gens. Un nouveau portrait peu à peu en émerge, redessine l'image qu'on s'était faite de l'homme, de la silhouette de l'artiste. Parfois même il modifie le sens de l'œuvre puisque apparaît ouvertement le contenu caché, exprimant le trop-plein de l'auteur qui y a déversé ce qu'il ne pouvait confier à personne.

Même la connaissance vernienne d'aspect scientifique, historico-biographique et bibliographique, n'échappe pas à ce mouvement général vers un savoir débarrassé de certaines scories.

Pourtant, il faut aussi se souvenir que des esprits critiques, universels et clairvoyants (dans la mesure où la relativité des choses le permet...), du temps même de l'écrivain le percevaient eux aussi de façon lucide et positive.

◄ Caricature de Camille Flammarion par André Gill pour *Les Hommes d'Aujourd'hui* (c. 1880). ►

Certains esprits chagrins et bornés ne craignent pas de se ridiculiser en proclamant leur indignation devant les erreurs scientifiques, voire les hérésies commises (selon eux) par Verne dans plusieurs romans. Les critiques clairvoyants contemporains de Verne, eux, avaient déjà clairement perçu que, le plus souvent, ce qui pouvait passer pour des «erreurs» aux yeux de lecteurs obtus, était volontaire, et « commis » au nom de la liberté, de la création artistique et littéraire !

Ainsi en est-il de Camille Flammarion, le célèbre astronome, écrivain vulgarisateur, qui braquait sur Jules Verne la lunette d'un observateur du ciel et des hommes, mais sans tomber, lui, dans le piège consistant à prendre l'auteur des *Voyages extraordinaires* pour un enseignant de la science ou un prophète de l'évolution technologique ! Il le reconnaissait pour ce qu'il était, un artiste sensible et habile, que son œuvre révèle.

C'est pourquoi la publication d'un petit texte significatif et inédit de Camille Flammarion m'a paru ici opportune en guise de conclusion. Il est extrait d'une lettre confidentielle, non destinée à la publication, adressée à Edouard Noël, un littérateur et critique dramatique, fondateur des *Annales du Théâtre et de la Musique* dont il fut le rédacteur pour le domaine littéraire de 1876 à 1895. Noël, auteur dramatique et romancier lui-même, avait sollicité de Flammarion une préface à un roman fantastique de sa composition, un voyage fictif dans l'espace atmosphérique.

Dans sa réponse intitulée « Lettre-préface », Flammarion fait, en termes flatteurs, l'apologie de Jules Verne.

[...] *devant la charmante petite hérésie scientifique proclamée par Parambray[53], la plume ondoyante et féconde de Jules Verne conviendrait infiniment mieux que celle-ci, car elle sait mettre en pleine lumière les inventions les plus originales et leur donner une saveur piquante, un goût relevé, qui leur prêtent un caractère de réalité tout-à-fait séduisant.*

Cette opinion me semble de celles qui expriment le mieux, hier comme aujourd'hui, l'admiration universelle devant une grande œuvre qui dépasse son époque, y survit et finit par traverser toutes les époques. De celles qu'on peut qualifier d'éternelles!

Mais puisque cette opinion émane d'un homme de science contemporain de Jules Verne, versé dans l'art littéraire également, nous la prendrons pour conclusion d'un parcours tenté ici à travers ce monde vaste et fabuleux que nous n'avons pas fini d'explorer.

Postface d'Olivier Dumas

Révélations de secrets

Loin des habituels clichés sur Verne, Éric Weissenberg analyse la vie et l'œuvre du grand écrivain avec un œil neuf et perspicace.

Le collectionneur a supplanté les biographes. Ceux-ci ne possèdent pas la fabuleuse documentation conservée par l'auteur de cet ouvrage et n'y ont pas prêté une attention suffisante. Pourtant son importance est considérable, car elle témoigne de la popularité de Verne par sa variété – livres, illustrations, affiches et autres objets publicitaires, ici proposés – manifestant par leur qualité artistique le «style Jules Verne», comme on s'est plu à désigner, à juste titre, les créations de cette fin du XIXe siècle.

Les biographes ont mal perçu combien une pareille collection peut apporter de précieux renseignements sur la vie et l'œuvre de l'auteur des *Voyages extraordinaires*. Faire parler les objets et comprendre les sous-entendus des 700 lettres échangées entre l'écrivain et son éditeur Hetzel demande une bonne connaissance historique et un œil vigilant, toutes qualités possédées par Éric Weissenberg, qui lui ont permis de faire d'importantes découvertes. Les verniens les apprécieront, même si les lecteurs néophites n'en soupçonneront pas l'importance.

Qu'après une quarantaine d'années de travaux verniens, on puisse encore remettre en question des événements acquis de la vie de Verne, stupéfie et laisse espérer qu'à partir de ces nouvelles données, d'autres mystères en suspens seront enfin résolus.

Nous nous contenterons, parmi les importantes avancées biographiques de cet ouvrage, de commenter l'histoire du fil que tire Éric Weissenberg du seul examen d'un rare volume de sa collection, fil qui se déroule sans cesser d'apprendre du nouveau.

Tout part de l'observation plus approfondie d'un rarissime exemplaire broché de la première édition illustrée in-8° de *Cinq Semaines en ballon,* le premier roman de Verne, paru chez Hetzel en 1865 sous cette présentation. La fragilité de ce volume – qu'à notre connaissance, aucun autre collectionneur ne possède – incite son propriétaire à ne pas le manipuler sans raison. La rédaction du présent essai justifiait pourtant de l'examiner de plus près. Ce volume est dédicacé par Verne à Paul Nadar, le fils de Félix Tournachon, dit Nadar, alors âgé de neuf ans. Bien entendu, c'était une manière discrète pour l'offrir à son père qui, d'ailleurs, l'a conservé soigneusement. L'ouvrage s'est trouvé ensuite dans la bibliothèque du fils, après la mort du photographe en 1910. Si ce don confirme l'amitié entre Verne et Nadar, il fait découvrir deux importantes précisions biographiques ignorées. On sait que Nadar, sous l'évidente anagramme d'Ardan, est l'un des trois personnages de *De la Terre à la Lune.* En octobre 1864, Verne annonce à son ami Nadar : « J'ai à mettre en scène dans un livre, un homme doué du cœur le meilleur et le plus audacieux, et je t'en demande bien pardon, c'est toi que j'ai pris pour modèle.» Dans le manuscrit du roman, Ardan s'écrit Nadar, ce qui enlève tout doute s'il pouvait en subsister. Autre preuve de leur amitié, Verne était le censeur d'une société fondée par Nadar pour encourager «la locomotion aérienne au moyen d'appareils plus lourds que l'air».

Jusqu'à présent, personne ne savait comment Verne fut introduit auprès d'Hetzel. Sans la moindre preuve, Marguerite Allotte de la Fuÿe cite Alexandre Dumas père.

Pour étayer cette supposition, elle invente de fausses lettres. D'autres romanciers ont été évoqués sans que soit découvert leur moindre rapport avec Verne. Pourquoi vouloir compliquer quand l'évidence saute aux yeux? Plus logiquement et, cette fois, avec des arguments crédibles, Éric Weissenberg propose l'appui de Nadar, grand ami de l'éditeur Hetzel qu'il accueillit à son retour d'exil et qui édita en 1865 son ouvrage *Le Droit au vol*.

On comprend que Nadar, passionné par les ballons – il mettait alors en chantier son grand ballon *Le Géant* –, souhaitait le succès populaire d'un roman sur les ballons qui renforcerait sa campagne d'opinion et qu'il recommande à l'éditeur de recevoir Jules Verne auteur d'un *Voyage en l'air* qui deviendra *Cinq Semaines en ballon* et connaîtra un succès inespéré, venant à point nommé quand le public se partageait entre les tenants des ballons et ceux des appareils plus lourds que l'air, pas encore au point.

Le rôle plausible de Nadar, enfin connu, explique l'offre du volume précoce de *Cinq Semaines en ballon*. Poursuivant l'examen de ce livre, Éric Weissenberg tombe sur une photographie, prise par Nadar, d'une belle inconnue. Que fait donc là, dans un livre de Jules Verne, ce portrait féminin, puisque le photographe conservait dans son fichier les clichés de ses nombreux clients, le plus souvent des personnalités du temps?

Ce portrait n'est pas placé là par hasard ni sans raison. Qu'y ferait-il d'ailleurs? Tout laisse à penser qu'il représente la maîtresse de Verne, Estelle Hénin, épouse séparée du notaire Duchesne, que Jean-Jules Verne, petit-fils de l'écrivain, avait évoquée en 1973 pour couper court à certaines mauvaises interprétations de l'époque qui faisaient penser à l'homosexualité de son grand-père. Pour découvrir cette photographie oubliée, il fallut le hasard de l'exposition genevoise, car ce livre rare et fragile n'avait jamais été feuilleté depuis son ancienne acquisition.

Quelle extraordinaire merveille d'apercevoir, 140 ans plus tard, le visage inconnu de la maîtresse de Verne! Devra-t-on attendre un nouveau siècle pour qu'à l'occasion d'une nouvelle exposition sur Verne, nos descendants retrouvent la correspondance échangée entre Jules et Estelle, qui doit dormir dans quelque vieux secrétaire ou être oubliée au fond d'un grenier. Des traces de cette liaison subsistent en tout cas chez les descendants, sinon comment auraient-t-ils eu connaissance du nom de cette jeune femme? Contentons-nous aujourd'hui de mettre les chercheurs sur cette piste et de rêver sur le charme de cette égérie encore mystérieuse.

OLIVIER DUMAS
Président de la Société Jules Verne

Liste chronologique des œuvres de Jules Verne

Sont citées toutes les œuvres — parues et inédites — écrites par Jules Verne, dans leur ordre de création, probable (pour les romans) jusqu'en 1892, puis certain ensuite grâce à un relevé de l'auteur. Sont indiquées les dates de parution pré-originale et originale. Les dates supposées sont mises entre parenthèses. Les réimpressions modernes ne sont signalées que pour les nouvelles.

Sont classées à part les œuvres écrites par Michel Verne, y compris les ouvrages posthumes qu'il a dénaturés.

Pour toutes précisions supplémentaires, consulter la complète *Bibliographie analytique de toutes les œuvres de Jules Verne* (deux tomes) par Piero Gondolo della Riva, SJV, 1977 et 1985.

Clés pour la compréhension de la liste des œuvres

Romans : — La première date donnée est la date d'écriture ; si incertaine, la date probable est entre parenthèses.

- « Hetzel » suivi d'une date : date de la première mise en vente (édition originale, généralement dans le format in-18°).
- Abréviation « Magasin » pour *Magasin d'Éducation et de Récréation*. C'est la revue bimensuelle de l'éditeur Hetzel (1864-1915).
- Abréviation « Débats » pour *Débats politiques et littéraires*.
- Note à propos des journaux et revues : une parution préliminaire en feuilleton était l'habitude (édition pré-originale), le plus souvent au *Magasin*, sinon dans d'autres revues : *Musée des Familles, Journal des Débats politiques et littéraires, Le Temps, Le Soleil, Le Journal*.

Romans

1   *Un prêtre en 1835*, roman inachevé, Le Cherche Midi, Paris, 1992, sous le titre *Un Prêtre en 1839*.

2   (1848) *Jédédias Jamet ou l'Histoire d'une succession* (roman inachevé), in *San Carlos*, recueil de nouvelles inédites, Le Cherche Midi, Paris, 1993.

3   1859. *Voyage en Angleterre et en Écosse*, Le Cherche Midi, Paris, 1989.

4   (1862) *Le Comte de Chanteleine. Épisode de la Révolution. Musée*, 1864 ; repris dans Rencontre, 1971, et *Histoires inattendues*, 10/18, Paris, 1978 (ci-après HI).

5   1862. *Cinq Semaines en ballon. Voyage de découvertes en Afrique par trois Anglais. Rédigé sur les Notes du docteur Fergusson.* Hetzel, janvier 1863.

6   (1860) *Paris au XXᵉ siècle*, Hachette, Paris, 1994.

7   (1863) *Les Anglais au Pôle Nord. Aventures du capitaine Hatteras. Magasin*, 1864-65 ; Hetzel, mai 1866.

8   (1864) *Le Désert de glace. Aventures du capitaine Hatteras. Magasin*, 1865 ; Hetzel, mai 1866. Les deux parties réunies

sous le titre *Voyage et aventures du capitaine Hatteras*, Hetzel, 1867.

9   (1864) *Voyage au centre de la Terre*. Hetzel, novembre 1864.

10   1864-1865. *De la Terre à la Lune. Trajet direct en 97 heures. Débats*, sept. 1865 ; Hetzel, octobre 1865.

11   1865-1866. *Les Enfants du capitaine Grant*. *Magasin*, 1865-67 ; Hetzel, *Les Enfants du capitaine Grant. Voyage autour du Monde* : 1er vol., *Amérique du Sud*, mai 1867 ; 2e vol., *Australie*, juillet 1867 ; 3e vol., *Océan Pacifique*, janvier 1868.

12   1866-1869. *Vingt Mille lieues sous les mers, Tour du monde sous-marin. Magasin*, 1869-70 ; Hetzel, octobre 1869 et juin 1870.

13   1868-1869. *Autour de la Lune. Débats*, 1869 ; Hetzel, janvier 1870.

14   1869. *Une Ville flottante. Débats*, 1870 ; Hetzel, juillet 1871.

15   1870. *L'Oncle Robinson*, manuscrit utilisé pour écrire la 1ere partie de *L'Île mystérieuse ;* Le Cherche Midi, Paris, 1993.

16   1870-1874. *Le Chancellor. Le Temps*, 1874-1875 ; Hetzel, février 1875.

17   1870. *Aventures de trois Russes et de trois Anglais dans l'Afrique australe. Magasin*, 1871-72 ; Hetzel, août 1872.

18   1871-1872. *Le Pays des fourrures. Magasin*, 1872-73 ; Hetzel, juin et octobre 1873.

19   1872. *Le Tour du Monde en 80 jours. Le Temps*, 1872 ; Hetzel, janvier 1873.

20   1873-1874. *L'Île mystérieuse. Magasin*, 1874-75 ; Hetzel : 1er vol., *Les Naufragés de l'air*, sept. 1874 ; 2e vol., *L'Abandonné*, avril 1875 ; 3e vol., *Le Secret de l'île*, octobre 1875 ; les trois parties réunies, novembre 1875.

21   1874-1875. *Michel Strogoff. De Moscou à Irkoutsk. Magasin*, 1876 ; Hetzel, août et novembre 1876.

22   1874-1876. *Hector Servadac. Voyages et Aventures à travers le monde solaire. Magasin*, 1877 ; Hetzel, août et novembre 1877.

23   1876-1877. *Les Indes-Noires. Le Temps*, 1877 ; Hetzel, avril 1877.

24   1877-1878. *Un Capitaine de quinze ans. Magasin*, 1878 ; Hetzel, juillet et novembre 1878.

25   1878. *Les Tribulations d'un Chinois en Chine. Le Temps*, 1879 ; Hetzel, août 1879.

26   1878. *Les Cinq cents millions de la Bégum, Magasin*, 1879 ; Hetzel, sept 1879.

27   1879. *La Maison à vapeur. Voyage à travers l'Inde septentrionale. Magasin*, 1879-1880 ; Hetzel, juillet et novembre 1880.

28   1880. *La Jangada. Huit Cents lieues sur l'Amazone. Magasin*, 1881 ; Hetzel, juin et novembre 1881.

29   1881. *L'École des Robinsons. Magasin*, 1882 ; Hetzel, novembre 1882.

30   1881. *Le Rayon Vert. Le Temps*, 1882 ; Hetzel, juillet 1882.

31   1882. *Kéraban-le-têtu. Magasin*, 1883 ; Hetzel, juin et sept. 1883.

32   1883. *L'archipel en feu. Le Temps*, 1884 ; Hetzel, août 1884.

33   1883. *L'Étoile du Sud. Le Pays des diamants. Magasin*, 1884 ; Hetzel, novembre 1884.

34   1883-1884. *Mathias Sandorf. Le Temps*, 1885 ; Hetzel, juillet, août et octobre 1885.

35   1884. *L'Épave du « Cynthia »*, en collaboration avec André Laurie. *Magasin*, 1885 ; Hetzel, décembre 1885, ouvrage paru en dehors de la série des *Voyages extraordinaires*.

36   1885. *Robur-le-conquérant. Débats*, 1886 ; Hetzel, août 1886.

37   1885. *Un Billet de loterie. Le Numéro 9672. Magasin*, 1886 ; Hetzel, novembre 1886.

38   1885-1886. *Nord contre Sud. Magasin*, 1887 ; Hetzel, mai et novembre 1887.

39   1885. *Le Chemin de France. Le Temps*, 1887 ; Hetzel, octobre 1887.

40   1886-1887. *Deux Ans de vacances. Magasin*, 1888 ; Hetzel, juin et novembre 1888.

41   1887-1888. *Famille-sans-nom. Magasin*, 1889 ; Hetzel, mai et novembre 1889.

42   1888. *Sans dessus dessous*. Hetzel, novembre 1889.

43   (1889) *Le Château des Carpathes. Magasin*, 1892 ; Hetzel, octobre 1892.

44   1889. *César Cascabel. Magasin*, 1890 ; Hetzel, juillet 1890.

45   1890. *Mistress Branican. Magasin*, 1891 ; Hetzel, août et novembre 1891.

46   1891. *Claudius Bombarnac. Le Soleil*, 1892 ; Hetzel, novembre 1892.

47   1891. *P'tit-Bonhomme. Magasin*, 1893 ; Hetzel, octobre et novembre 1893.

48   1892. *Mirifiques Aventures de Maître Antifer. Magasin*, 1894 ; Hetzel, août et novembre 1894.

49   1893. *L'Île à hélice. Magasin*, 1895 ; Hetzel, mai et novembre 1895.

50   1893. *Un Drame en Livonie* (revu en 1903). *Magasin*, 1904 ; Hetzel, juillet 1904.

51   1894. *Le Superbe Orénoque. Magasin*, 1898 ; Hetzel, juin et novembre 1898.

52   1894. *Face au drapeau. Magasin*, 1896 ; Hetzel novembre 1896.

53   1895. *Clovis Dardentor. Magasin*, 1896 ; Hetzel novembre 1896.

54   (1895) *Le Sphinx des glaces. Magasin*, 1897 ; Hetzel, juin et novembre 1897.

55   1896. *Le Village aérien. Magasin*, 1901 (sous le titre *La Grande Forêt*) ; Hetzel, juillet 1901.

56   1896. *Seconde Patrie. Magasin*, 1900 ; Hetzel, juillet et novembre 1900.

57   1897. *Le Testament d'un excentrique. Magasin*, 1899 ; Hetzel, août et novembre 1899.

58   1897-1898. *En Magellanie*. SJV, 1987 ; rééd. Stanké, Montréal, 1997 ; L'Archipel, Paris, 1998 ; in Folio, Gallimard, Paris, 1999.

59   1898. *Le Secret de Wilhelm Storitz* (revu en 1901). SJV, 1985 ; rééd. Stanké, Montréal, 1996 ; L'Archipel, Paris, 1996 ; in Folio, Gallimard, Paris, 1999.

60   1898. *Les Frères Kip. Magasin*, 1902 ; Hetzel, juillet et novembre 1902.

61   1899. *Les Histoires de Jean-Marie Cabidoulin. Magasin*, 1901 ; Hetzel, novembre 1901.

62   1899. *Bourses de voyage. Magasin*, 1903 ; Hetzel, juillet et novembre 1903.

63   1899-1900. *Le Volcan d'Or*. SJV, 1989 ; rééd. Stanké, Montréal, 1995 ; L'Archipel, Paris, 1995 ; in Folio, Gallimard, Paris, 1999.

64   1901. *Le Beau Danube jaune*. SJV, 1988 ; rééd. Stanké, Montréal, 1997 ; L'Archipel, Paris, 2000.

65 1901. *Le Phare du bout du Monde*. Stanké, Montréal, 1999.

66 1901. *La Chasse au météore*. SJV, 1986 ; Stanké, Montréal, 1998.

67 1902. *L'Invasion de la mer. Magasin*, 1905 ; Hetzel, 1905.

68 1902-1903. *Maître du Monde. Magasin*, 1904 ; Hetzel, novembre 1904.

69 1903. *Voyage d'Études* (inachevé). *San Carlos*, Le Cherche Midi, Paris, 1993.

Nouvelles

Comme les romans, les nouvelles sont classées dans l'ordre chronologique de création. Sont donnés leurs différents titres, leurs publications pré-originale et originale, puis, éventuellement, leurs rééditions modernes. Jules Verne a composé deux recueils de nouvelles : le premier, *Le Docteur Ox* (Hetzel, 1874 ; ci-après *Ox*) ; le second, *Hier et Demain*, posthume, a été remanié et modifié par Michel Verne (Hetzel, 1910 ; les nouvelles qu'il contient sont citées, comme pour les romans, avec les œuvres de Michel Verne). La version originale et inédite de ce recueil *Hier et Demain* (ci-après HD) est parue telle que l'auteur l'avait conçue et écrite, dans *Contes et Nouvelles de Jules Verne* (ci-après CN). Le nouveau sigle *MZ* est employé pour le récent ouvrage *Maître Zacharius et autres récits*.

Sont compris tous les textes littéraires courts, en dehors de ceux présentés en D, des pièces de théâtre (C), des poésies (E) et des lettres (F).

1 (1850) *L'Amérique du Sud. Études historiques. Les Premiers Navires de la marine mexicaine, Musée*, juillet 1851 ; repris avec *Michel Strogoff* (1876) sous le titre *Un Drame au Mexique*, texte modifié et censuré ; version originale reprise dans BSJV n° 96, 1990.

2 (1851) *La Science en famille. Un Voyage en ballon, Musée*, août 1851 ; repris *Ox*, titré *Un Drame dans les airs*, texte modifié.

3 (1852) *L'Amérique du Sud. Mœurs péruviennes. Martin Paz, nouvelle historique, Musée*, juillet 1852 ; repris titré *Martin Paz* avec *Le Chancellor* (1875), texte modifié.

4 (1852) *Pierre-Jean, Jules Verne* par O. Dumas, 1988, et *San Carlos*, recueil de nouvelles, Le Cherche Midi, Paris, 1993 ; rééd. HD, 2000.

5 (1853) *Maître Zacharius ou l'horloger qui avait perdu son âme. Tradition genevoise* [sic], *Musée*, avril-mai 1854 ; rééd. *MZ* et CN. Repris titré *Maître Zacharius* avec *Ox*, texte modifié et censuré.

6 (1853) *Un hivernage dans les glaces, Musée*, mars-avril 1855 ; repris *Ox*, texte modifié et censuré.

7 1854. *Le Siège de Rome, San Carlos*, 1993.

8 (1854) *Le Mariage de M. Anselme des Tilleuls. Souvenir d'un élève de huitième*, éd. de l'Olifant, Porrentruy, 1991 ; repris dans *San Carlos*.

9 (1856) *San Carlos*, in recueil du même nom.

10 (1865) *Étude de mœurs contemporaines. Les Forceurs de blocus, Musée*, octobre-novembre 1865 ; repris avec *Une Ville*

flottante (1871), titré *Les Forceurs de blocus*, texte modifié.

11 (1867) *Mœurs américaines. Le Humbug*, *BSJV* nº 76, (1985) ; rééd. *MZ*.

12 1871. *Une Fantaisie du docteur Ox*, *Musée*, mars-avril-mai 1872 ; repris dans *Journal d'Amiens*, janvier-février 1873 ; rééd. *BVJV* nº 71, 1984 et *CN*. Repris avec *Ox*, titré *Le Docteur Ox* (1874), texte modifié.

13 1875. *Une Ville idéale*, *Journal d'Amiens* et éd. Jeunet, 1875 ; rééd. Office culturel d'Amiens et *TO* ; repris CDJV, Amiens, 1999.

14 (1879) *Les Révoltés de la « Bounty »* (manuscrit de Gabriel Marcel), avec les *Cinq Cents millons de la Bégum* (1879).

15 1881. *Dix Heures en chasse. Simple boutade*, *Journal d'Amiens*, 1881 ; *Mémoires de l'Académie d'Amiens*, 1882 ; rééd. *TO*. Repris avec *Le Rayon Vert* (1882), texte modifié.

16 1884. *Frritt-Flacc*, *Le Figaro illustré*, décembre 1884 ; rééd. *BSJV* nº 59, 1981 ; repris avec *Un Billet de loterie* (1886), texte modifié (et coquilles) ; rééd. *HI*, (non corrigé), *MZ* et *CN*, (texte corrigé) ; *Magasin*, décembre 1886, texte censuré.

17 1886. *Aventures de la Famille Raton, Conte de fées*, manuscrit original, lu en Belgique en 1887, éd. *BSJV* nº 90, 1989 ; repris HD et *MZ*. Texte abrégé, *Figaro illustré*, janvier 1891 ; rééd. *HI*.

18 (1886) *Gil Braltar*, avec *Le Chemin de France* (1887).

19 1890. *La Journée d'un journaliste américain en 1890*, *Journal d'Amiens* et *Mémoires de l'Académie d'Amiens*, 1891, texte modifié par Jules Verne d'une nouvelle de son fils ; repris dans *Petit Journal*, 1891. Rééd. Atelier du Gué, Villelongue-d'Aude, 1978 et HD.

20 1892. *Monsieur Ré-dièze et Mademoiselle Mi-bémol. Conte de Noël*, *BSJV* nº 92, 1989 ; repris dans *MZ* et HD, 2000. Texte abrégé, *Figaro illustré*, Noël 1893 ; rééd. *HI*.

21 (1903) *Edom*, *BSJV* nº 100, 1991, texte modifié par Michel Verne (manuscrit de Jules Verne disparu) ; repris dans *MZ* et HD.

Textes divers

1 (1848) *La Pologne. Y a-t-il obligation morale pour la France d'intervenir dans les affaires de la Pologne ? Cahiers de Nantes*, nº 8, 1988.

2 1861. Notes manuscrites inédites du voyage en Scandinavie (coll. privée).

3 (1862) *Les Joyeuses Misères de trois voyageurs en Scandinavie*, manuscrit inédit dont seul le premier chapitre est conservé (coll. privée).

4 (1862) *Edgard* [sic] *Poë et ses œuvres*, *Musée*, décembre 1864 ; repris dans *TO*.

5 1863. *À propos du « Géant »*, *Musée*, décembre 1863 ; repris dans *TO*.

6 1866. Introduction (non signée) d'« Un meeting à propos de la Lune », *Le Voleur* nº 485 du 16 février 1866 ; repris dans *BSJV* nº 135, 2000.

7   1867. *Géographie illustrée de la France et de ses colonies*, Hetzel, novembre 1867 (1er vol.) et juin 1868 (2e vol.); seconde éd. revue par Dubail, fin 1876.

8   (1869) *Découverte de la Terre. Histoire des grands voyages et des grands voyageurs*, 1er chap. manuscrit inédit, Nantes; Hetzel, Paris, 1870; éd. corrigée et augmentée, avec Gabriel Marcel, titrée *Histoire des grands voyages et des grands voyageurs. Découverte de la Terre,* Hetzel, octobre 1878. En 1886, le titre devient *Découverte de la Terre. Les Premiers Explorateurs.*

9   1873. *Les Méridiens et le calendrier, Bulletin de la Société de Géographie*, juillet 1873; rééd. *Jules Verne 1*, Minard, Paris, 1976 et *TO*.

10 1873. *Chronique locale. Ascension du Météore, Journal d'Amiens*, 29-30 sept. 1873; repris, titré *Vingt-Quatre Minutes en ballon*, texte modifié, Jeunet, Amiens, 1873; rééd. Office culturel d'Amiens et *TO*.

11 1875. *Réponse à M. Gustave Dubois*, discours, *Mémoires de l'Académie d'Amiens* et Jeunet, Amiens, 1875; rééd. *TO*.

12 1875. *Réponse au discours de réception de M. Gédéon Baril, Mémoires de l'Académie d'Amiens* et Jeunet, Amiens, 1875; rééd. *TO*.

13 1876. « Notes pour l'affaire J. Verne contre de Pont-Jest », *BSJV* n° 135, 2000.

14 1878. *Histoire générale des grands voyages et des grands voyageurs. Les Navigateurs du XVIIIe siècle* (avec G. Marcel), Hetzel, Paris, 1879. En 1886, devient *Découverte de la Terre. Les Grands Navigateurs du XVIIIe siècle*.

15 1879. *Histoire générale des grands voyages et des grands voyageurs. Les Voyageurs du XIXe siècle* (avec G. Marcel), Hetzel, Paris, 1880. En 1886, devient *Découverte de la Terre. Les Voyageurs du XIXe siècle*.

16 1881. *De Rotterdam à Copenhague, à bord du yacht à vapeur Saint-Michel,* texte de Paul Verne, *L'Union bretonne*, 1881; revu et complété par Jules Verne, avec *La Jangada* (1881); repris avec les variantes des deux auteurs, *BSJV* n° 134, 2000.

17 1881. *Réponse au discours de M. Pacaut, Mémoires de l'Académie d'Amiens,* 1881; repris dans TO.

18 1881. *Les Vieux Continents,* fragment inédit, avec Gabriel Marcel.

19 1884. *L'Ancien Monde,* en épreuves inédites, avec Gabriel Marcel.

20 1886. *Le Nouveau Monde,* épreuves inédites, avec Gabriel Marcel.

21 1877-1886. Carnets de bord du *Saint-Michel III* (coll. privée).

22 1889. *Discours de M. Jules Verne. Compte moral de l'année 1888. Le Progrès de la Somme*, mai 1889; repris dans *BSJV* n° 112, 1994.

23 1889. *Inauguration du cirque municipal d'Amiens*, discours public, *Journal d'Amiens*, 24 juin 1889; repris dans *TO*.

24 1890. *Souvenirs d'enfance et de jeunesse*, trad. en anglais, *The Youth's Companion*, Boston, 1891. *L'Herne* n° 25, 1974; repris dans *BSJV* n° 89, 1989; « Confidences », L'Herne, 1995, et HD (texte corrigé).

25-34   1879-1892. Dix « Discours et textes divers », réunis dans *Textes ignorés, BSJV* n° 112 (cf. « Bigliographie » pp. 49-54).

35 1891. *Trop de fleurs !* discours, *Bulletin de la Société d'Horticulture de Picardie*, 1891; repris dans *TO*.

36   1892. *Réponse au discours de M. Ricquier, Mémoires de l'Académie d'Amiens*, 1892 ; repris dans *TO*.

37   1893. *Discours prononcé à la distribution des prix du lycée de jeunes filles*, brochure, Amiens ; repris dans *TO*, Office culturel, Amiens.

38-47   1891-1900. *Rapport sur l'exploitation du Théâtre d'Amiens* au Conseil municipal ; sept sur dix repris dans la revue *J.V.*, Amiens n° 20 à 26 (cf. « Bigliographie... », *BSJV* n° 112, pp. 54-56).

48   1894. *Toast de Jules Verne, Les Enfants du Nord, revue littéraire, artistique et historique*, vol. 2, 1894 ; repris dans *TO*.

49   1894. *Le Président malgré lui*, discours, *Bulletin de la Société d'Horticulture de Picardie*, 1894 ; repris dans *TO*.

50   1898. *Compte rendu des opérations de la Caisse d'Épargne d'Amiens, Jeunet, Amiens*, 1898 ; repris dans *TO*.

Œuvres théâtrales

Pièces non jouées du vivant de l'auteur.

La plupart des manuscrits de ces pièces, parfois seulement ébauchées, sont conservés à Nantes ; ils ont paru, confidentiellement, en deux recueils : *Manuscrits nantais*, Bibliothèque Municipale de Nantes, 1991, ci-après MN I et MN II.

1   1847. *Alexandre VI*, drame en cinq actes en vers, MN II.

2   (1848) *La Conspiration des Poudres*, drame en cinq actes en vers, MN II.

3   (1848) *Une Promenade en mer*, vaudeville en un acte, MN I.

4   (1848) *Le Quart d'heure de Rabelais*, comédie en un acte, MN I.

5   (1848) *Don Galaor*, synopsis, MN I.

6   (1849) *Un Drame sous Louis XV*, drame en cinq actes en vers, MN II.

7   (1849) *Abd'allah*, vaudeville en deux actes, MN I.

8   (1849) *Le Coq de bruyère*, synopsis, MN I.

9   (1849) *On a souvent besoin d'un plus petit que soi*, synopsis, MN I.

10   (1850) *La Guimard*, comédie en deux actes, MN I.

11   (1850) *Quiridine et Quidinerit*, comédie italienne en trois actes en vers, MN II.

12   (1850) *La Mille et Deuxième nuit*, un acte, MN I.

13   (1851) *Les Savants*, comédie en trois actes (texte disparu).

14   (1851) *De Charybde en Scylla*, comédie en un acte en vers, MN II.

15   (1851-1855) *Monna Lisa*, comédie en un acte en vers, *Cahiers de l'Herne* n° 25, 1974 et « Confidences », L'Herne, 1995

16 (1851) *Les Châteaux en Californie ou Pierre qui roule n'amasse pas mousse*, comédie-proverbe en un acte avec Pitre-Chevalier, *Musée*, juin 1852.

17 (1852) *La Tour de Montlhéry*, drame en cinq actes avec Charles Wallut (coll. Gondolo della Riva). Seul le prologue subsiste à Nantes, MN I.

18 (1853) *Un Fils adoptif*, comédie avec Charles Wallut (jouée à la radio le 5 avril 1950) ; manuscrit disparu.

19 (1855-1856) *Les Heureux du jour*, comédie en cinq actes en vers, MN II.

20 (1854) *Guerre aux tyrans*, comédie en un acte en vers, MN II.

21 (1855) *Au bord de l'Adour*, comédie en un acte en vers, MN II.

22 (1867) *Les Sabines*, opéra-bouffe avec Charles Wallut, MN I.

23 (1871) *Le Pôle Nord*, synopsis, MN I.

24 1888-1890. *Les Tribulations d'un Chinois en Chine*, pièce refusée par Adolphe Dennery (deux manuscrits disparus).

Pièces jouées du vivant de l'auteur

25 (1849) *Les Pailles rompues*, comédie en un acte en vers, Beck, Paris, 1850 ; jouée au Théâtre historique le 12 juin 1850.

26 (1852) *Le Colin-Maillard*, opéra-comique en un acte avec Michel Carré, musique d'Aristide Hignard, Lévy, 1853 ; rééd. *BSJV* nᵒ 120, 1996 ; joué au Théâtre lyrique le 28 avril 1853.

27 (1853) *Les Compagnons de la Marjolaine*, opéra-comique en un acte avec Michel Carré, musique d'Aristide Hignard ; Lévy, 1855 ; joué au Théâtre lyrique le 6 juin 1855.

28 (1857) *Monsieur de Chimpanzé*, opérette en un acte, musique d'Aristide Hignard ; *BSJV* nᵒ 57, 1981 ; jouée aux Bouffes-Parisiens le 17 février 1858.

29 (1859) *L'Auberge des Ardennes*, opéra-comique en un acte avec Michel Carré, musique d'Aristide Hignard ; Lévy, 1860 ; joué au Théâtre lyrique le 1ᵉʳ sept. 1860.

30 (1854-1860) *Onze jours de siège*, comédie en trois actes avec Charles Wallut ; Lévy, 1861 ; jouée au Théâtre du Vaudeville, le 1ᵉʳ juin 1861.

31 1861. *Un Neveu d'Amérique ou les deux Frontignac*, comédie en trois actes ; Hetzel, 1873 ; jouée au Théâtre Cluny le 17 avril 1873. Repris avec *Clovis Dardentor*, Paris, 10/18, UGE, 1979.

32 1873-1874. *Le Tour du Monde en 80 jours*, pièce en cinq actes et un prologue avec Adolphe Dennery, musique de J.-J. Debillemont ; Hetzel, 1879 ; jouée au Théâtre de la Porte Saint-Martin le 7 novembre 1874.

33 1875. *Les Enfants du Capitaine Grant*, pièce en cinq actes et un prologue avec Adolphe Dennery, musique de J.-J. Debillemont ; Hetzel, 1881 ; jouée au Théâtre de la Porte Saint-Martin le 26 décembre 1878.

34 1878. *Michel Strogoff*, pièce en cinq actes avec Adolphe Dennery ; Hetzel, 1881 ; jouée au Théâtre du Châtelet le 17 novembre 1880.

35 1882. *Voyage à travers l'impossible*, pièce en trois actes avec Adolphe Dennery, musique de Lagoanère ; J.-J. Pauvert, 1881 ; jouée au Théâtre de la Porte Saint-Martin le 25 novembre 1882.

36 1883. *Kéraban-le-têtu*, pièce en cinq actes ; *BSJV* n° 85-86, 1988 ; jouée au Théâtre de la Gaîté lyrique le 3 sept. 1883.

Poésies

Cent quatre-vingt-quatre poésies et chansons ont été répertoriées. La plupart des chansons ont paru dans deux recueils de musique d'Hignard, *Rimes et Mélodies*, Heu, Paris, 1857 et 1863. Certains poèmes et chansons ont été publiés par l'auteur ou utilisés dans ses romans.

Deux *Cahiers de Poésies* écrites en deux périodes (1847-48 et 1884-88) ont paru. *Poésies inédites*, Le Cherche Midi, Paris, 1989. Cf. la liste des 184 poèmes connus, in *Jules Verne*, pp. 509-513.

Correspondance

Principales correspondances parues (sauf celles reprises ensuite dans *Jules Verne* ou *BSJV*) :

1 « Correspondance familiale de Jules Verne » (191 lettres), *Jules Verne*, 1988.

2 Correspondance inédite de Jules Verne et de Pierre-Jules Hetzel (700 lettres), 1er vol. 1999 (2ᵉ et 3ᵉ vol. en préparation), *op. cit.*

3. Correspondances diverses :

Cahier de l'Herne n° 25, 1974, lettres diverses.

Europe n° 613, mai 1980, « Jules Verne, une correspondance inédite » et 37 lettres de Jules Verne à Mario Turellio, présentées par Piero Gondolo della Riva.

Dix lettres inédites, Nantes, 1982.

Jules Verne 4, Minard, Paris, 1983, sept lettres à Benett.

Jules Verne 8 (à paraître), diverses lettres ouvertes de Jules Verne.

Dans *BSJV*, entre autres :

n° 18, lettres de Jules Verne au lieutenant-colonel Hennebert ;

n° 88, 1988, une lettre de Jules Verne à Marie et 12 lettres à divers correspondants ;

n° 94, 1990, 27 lettres à Alexandre Dumas fils ;

n° 97, 1991, le dossier Jules Verne de Nadar, 17 lettres, et « Deux lettres inédites » (à son père et à un inconnu) ;

n° 110, 1994, lettres de Jules Verne à propos de Thuillier ;

n° 125, 1998, lettres de Jules Verne à Félix Fénéon, au capitaine Danrit et à Jean Chaffanjon ;

n° 126, 1998, lettres à Théophile Gautier père et fils ;

n° 129, 1999, corr. « Affaire Turpin » ;

n° 135, 2000, corr. « Affaire Pont-Jest ».

Écrits de Michel Verne

Œuvres parues sous le nom de Michel Verne

Neuf textes, signés « Michel Jules Verne », ont paru dans le supplément littéraire du *Figaro* en 1888
(tous repris dans *BSJV* n° 103 et 106, 1993) :

1   « Zigzags à travers la science », n° 20, 19 mai.

2   « Zigzags à travers la science », n° 22, 2 juin ; repris dans *Textes et Langages*, 1985.

3   « Zigzags à travers la science », n° 24, 16 juin. Repris avec variantes, titré *La Traversée de la Manche en 1895, La Confiance*, 1888, repris dans *BSJV* n° 103, 1992.

4   « Zigzags à travers la science. Huîtres et fourmis, jugement scientifique sur le goût des femmes », n° 26, 30 juin.

5   « Zigzags à travers la science. Photographie combinée. Électricité chez soi », n° 29, 21 juillet

6   « Zigzags à travers la science. Sous terre », n° 33, 18 août.

7   « Zigzags à travers la science. Un express de l'avenir », n° 35, 1er sept. Texte attribué à Jules Verne dans les trad. étrangères en Russie, Angleterre, Amérique et Italie. Repris, à tort, dans *Jules Verne 1*, Minard et *TO*.

8   « Zigzags à travers la science. Hommes et bêtes », n° 36, 15 sept.

9   « Zigzags à travers la science. Intelligence et douleur. Un anesthésiste anglo-chinois », n° 44, 3 novembre.

10   « La Journée d'un journaliste américain en 2889 », texte disparu, sans doute prévu pour le *Figaro* et refusé, acheté par Jules Verne (voir ci-dessous).

Œuvres de Michel Verne parues sous le nom de Jules Verne

1   1888. « In the year 2889 », *The Forum*, New York, février 1889, trad. anglaise ; remanié par Michel Verne dans *Hier et Demain* (1910) avec reprise de son texte intitial, titré « Au XXIXe siècle : la journée d'un journaliste américain en 2889 ».

2   1895. *L'Agence Thompson and C°*, *Le Journal*, 1907 ; Hetzel, 1907. Le manuscrit est de la seule main de Michel Verne.

3   1905. *Le Phare du bout du monde. Magasin*, 1905 ; Hetzel, novembre 1905. Roman modifié par Michel Verne à partir du même titre.

4   1906. *Le Volcan d'Or, Magasin*, 1906 ; Hetzel, fin 1906. Roman remanié à partir du même titre.

5   1907. *La Chasse au météore, Le Journal*, 1908 ; Hetzel, fin 1908. Roman très modifié à partir du même titre.

6   1907. *Le Pilote du Danube, Le Journal*, 1908 ; Hetzel, fin 1908. Roman entièrement transformé à partir du *Beau Danube Jaune*.

7   1908. *Les Naufragés du « Jonathan », Le Journal*, 1909 ; Hetzel, fin 1909. Roman très modifié et doublé à partir d'*En Magellanie*.

8   1910. *Le Secret de Wilhelm Storitz, Le Journal*, 1910 ; Hetzel, fin 1910. Roman modifié et dénaturé par changement d'époque, à partir du même titre.

Notes

[1] cf. Robert Pourvoyeur, « Jules Verne et le théâtre », préface à *Clovis Dardentor*, 10/18, U.G.E. édit., 1979.

[2] Marguerite Allotte de La Fuÿe, *Jules Verne, sa vie, son œuvre*, S. Kra édit., 1928, p. 162

[3] Olivier Dumas, *Une douteuse citation*, Bulletin de la Société Jules Verne (*BSJV*) n° 141, 2002.

[4] Jules Verne, *Poésies inédites*, Le Cherche Midi édit., Paris, 1989, p. 218

[5] *Eregi monumentum aere perennis* (j'ai érigé un monument plus durable que le bronze), citation tirée des *Odes d'Horace*.

[6] Hachette et Le Cherche Midi éditeurs

[7] Jean-Pierre Picot, « Le volcan chez Jules Verne : du géologique au poétique », *BSJV* n° 111, 1994, p. 20

[8] Ch. XLV du roman *Voyage au centre de la Terre*

[9] Charles-Noël Martin, dans *La Vie et l'œuvre de Jules Verne*, Michel de l'Ormeraie édit., 1978, p. 44, fait remarquer que les travaux d'Hercule ne comprennent pas le remplacement d'Atlas, qui a pour tâche de soutenir le monde.

[10] *Jules Verne, textes oubliés* 10/18, 1979, p. 16. Ce texte a récemment été attribué à Rimbaud et Verlaine.

[11] Ces fiches sont conservées.

[12] joca seria édit., Nantes 1994

[13] La Société Jules Verne les reprend aujourd'hui pour les publier en édition originale, le *Musée des Familles* étant devenu introuvable. On les trouvera à la liste chronologique des œuvres de Verne, donnée à la fin de l'ouvrage.

[14] Christian Chelebourg, « Le Blanc et le noir – Amour et mort dans les Voyages extraordinaires », *BSJV*, n° 77, 1986, p. 22

[15] De noblesse prérévolutionnaire, les de Viane ont accolé la particule au nom de famille, comme bien d'autres, à l'époque de la Révolution. Nous maintenons le nom d'origine par logique historique. Jules Verne l'orthographie par erreur « Devianne ».

[16] « Marcé », jusqu'ici orthographié par erreur « Marie », vient d'être corrigé par Norbert Percereau «*Marie se marie*, mais le marié n'est pas Marie », *BSJV* n° 149, 2004.

[17] Soit 500 000 francs suisses actuels.

[18] cf. Piero Gondolo della Riva. « Du nouveau sur Jules Verne grâce à un manuscrit inédit et inconnu », Revue Jules Verne n° 3, 1997, p. 125. Ce chapitre est paru sous le titre original prévu par Jules Verne : *Joyeuses Misères de trois voyageurs en Scandinavie* dans GEO Hors-série « Jules Verne », 2004 (manuscrit publié en fac-similé avec transcription).

[19] *Correspondance inédite de Jules Verne et de Pierre-Jules Hetzel, Slatkine, Genève, 1999-2002 (3 tomes parus couvrant la période de 1863 à 1886). Annoncé : Correspondance inédite de Jules et Michel Verne avec Louis-Jules Hetzel, tome 1 (1886-1914).*

[20] Pour données techniques des trois Saint-Michel successifs, cf. *Voiles et Voiliers* n° 265, mars 1993, p. 74.

[21] Chap. XI du *manuscrit*. cf. Olivier Dumas « Le manuscrit d'*Une Ville flottante* au destin contrarié », *BSJV* n° 99, 1991, p. 36

[22] *Une Ville flottante*, éd. Rencontre, 1965, Ch. 11, p. 59.

[23] Ibid. Ch. XXII, p. 102

[24] Datée du 14 août 1893.

[25] À la fin de l'ouvrage, une liste chronologique donne le détail de toutes les œuvres de Jules Verne, dont celles de jeunesse.

[26] cf. O. Dumas « Souvenirs du grand bal Jules Verne de 1877 », *BSJV* n° 130, 1999, p. 23.

[27] Voir liste des œuvres théâtrales à la fin de l'ouvrage.

[28] P. Gondolo della Riva, *Bibliographie analytique de toutes les œuvres de Jules Verne*, tome 1, SJV, 1977, pp. 6-7.

[29] O. Dumas, *Un Hivernage dans les glaces*, «Le vertige du blanc», BSJV n° 146, 2003, p. 2.

[30] O. Dumas, « La mort d'Hatteras », BSJV n° 73, 1985, p. 22.

[31] P. Gondolo della Riva, « George Sand inspiratrice de Jules Verne », BSJV n° 137, 2001, p. 45.

[32] P. Gondolo della Riva, préface à *Paris au XXe siècle*, Hachette et le Cherche Midi édit., 1994.

[33] cf. note de Jules Verne au Chap. XI du roman *Voyage au centre de la Terre*.

[34] Type de gréement adopté pour certaines caïques ; le « bourcet » est une sorte de brigantine (ou misaine bretonne), qui permet de se passer du foc ; le « malet » est un des noms du mât d'artimon (ou tape-cul).

[35] J. Gerlier, né en 1826, travailla aux États-Unis et en Belgique avant de poursuivre sa carrière d'illustrateur et de graveur, à partir de 1861, à Paris.

[36] Personnage caricatural d'usurier juif sans cœur, développé par Shakespeare dans sa comédie *Le Marchand de Venise*.

[37] Stanké édit., 2003.

[38] Le 9 août, Jules Verne recevait la croix de Chevalier de la Légion d'honneur. En 1892, il sera honoré de la rosette.

[39] La guerre de 1870 perturba les éditions Hetzel pour *Vingt Mille lieues*, donnant lieu à des recherches récentes, p. ex : O. Dumas et É. Weissenberg, « Les coquilles se ramassent à la pelle dans *Vingt Mille lieues sous les mers* », *BSJV* n° 149, 2004, p. 59.

[40] M. Allotte de La Fuÿe, ibid. p. 242-243, ou réédition Hachette 1953, p. 186.

[41] Jean Jules-Verne, Jules Verne, Hachette, 1978.

[42] Jean Jules-Verne, ibid. p. 264-265

[43] « Recherches sur les maîtresses de Jules Verne, BSJV n° 56, p. 292.

[44] Ch.-N. Martin, préface au *Château des Carpathes*, éd. Rencontre, 1966.

[45] Le Cherche Midi édit., 1991.

[46] cf. Éric Weissenberg, « Le dernier mystère de *L'Île mystérieuse* ». BSJV n° 147, 2003, p. 16. Voir illustration p. 122.

[47] *Le Volcan d'or*, version originale : Stanké édit., 1995. L'Archipel édit., 1995. Folio Gallimard, 1999.

[48] *En Magellanie*, version d'origine : Stanké édit., 1996. L'Archipel édit., 1998. Folio Gallimard, 1999.

[49] *La Chasse au météore*, version d'origine : Grama édit., Bruxelles, 1994. Stanké édit., 1998, L'Archipel édit., 2002. Folio Gallimard prévu en 2004.

[50] *Le Beau Danube jaune*, version d'origine : Stanké édit., 1997. L'Archipel édit., 2000.

[51] *Le Secret de Wilhelm Storitz*, version d'origine : Stanké édit., 1996. L'Archipel édit., 1996. Folio Gallimard, 1999.

[52] *Le Phare du bout du Monde*, version d'origine : Stanké édit. 10/10, 1999. Folio Gallimard prévu en 2004.

[53] Héros du roman non identifié d'Édouard Noël.

Remerciements

Ma gratitude va à ma compagne Erme, dont la tendresse et la patience m'ont permis d'entreprendre cet ouvrage, et de l'achever !

Olivier Dumas, Président de la Société Jules Verne et néanmoins ami, exégète et biographe de Jules Verne, bibliophile également, et l'un des rares à connaître l'écrivain mieux peut-être que celui-ci ne se connaissait, dont les encouragements et la disponibilité m'ont été un soutien.

Pierre-Marcel Favre, mon éditeur, qui s'est embarqué avec moi dans le voyage plutôt extraordinaire qu'a été ce livre, associé à l'exposition genevoise du même nom au Salon International du Livre 2004. Quoique voguant vers des rivages incertains, il a tenu fermement la barre avec patience, confiance et... bonne humeur.

Éric Weissenberg

Table des matières